OS MENINOS QUE ENGANAVAM NAZISTAS

Joseph Joffo

OS MENINOS QUE ENGANAVAM NAZISTAS

TRADUÇÃO DE
Fernando Scheibe

Com posfácio do autor

14ª reimpressão

VESTÍGIO

Copyright © 1993 Éditions Jean-Claude Lattès

Título original: *Un sac de billes*

Todos os direitos reservados pela Editora Vestígio. Nenhuma parte desta publicação poderá ser reproduzida, seja por meios mecânicos, eletrônicos, seja via cópia xerográfica, sem a autorização prévia da Editora.

GERENTE EDITORIAL
Arnaud Vin

EDITOR ASSISTENTE
Eduardo Soares

ASSISTENTE EDITORIAL
Jim Anotsu

PREPARAÇÃO DE TEXTO
Sonia Junqueira

REVISÃO
Aline Sobreira

CAPA
Diogo Droschi (adaptado do cartaz do filme)

DIAGRAMAÇÃO
Waldênia Alvarenga

Dados Internacionais de Catalogação na Publicação (CIP)
Câmara Brasileira do Livro, SP, Brasil

Joffo, Joseph
  Os meninos que enganavam nazistas / Joseph Joffo com posfácio do autor ; tradução Fernando Scheibe. -- 1. ed. ; 14. reimp. -- São Paulo : Vestígio, 2025.

Título original: *Un sac de billes*

ISBN 978-85-8286-410-4

1. Literatura estrangeira - 2. Guerra Mundial (1939-1945) - Narrativas pessoais 3. Perseguição aos judeus - França - Biografia I. Título.

17-05613   CDD-940.5318092

Índices para catálogo sistemático:
1. Sobreviventes : Segunda Guerra Mundial, 1939-1945
Memórias autobiográficas   940.5318092

A **VESTÍGIO** É UMA EDITORA DO **GRUPO AUTÊNTICA**

São Paulo
Av. Paulista, 2.073 . Conjunto Nacional
Horsa I . Salas 404-406 . Bela Vista
01311-940 . São Paulo . SP
Tel.: (55 11) 3034 4468

Belo Horizonte
Rua Carlos Turner, 420
Silveira . 31140-520
Belo Horizonte . MG
Tel.: (55 31) 3465 4500

www.editoravestigio.com.br
SAC: atendimentoleitor@grupoautentica.com.br

Para minha família.

Agradeço ao meu amigo e escritor Claude Klotz,
que releu meu manuscrito e o corrigiu com sua mão certeira.

Prólogo

Este livro não é a obra de um historiador.

Foi através das lembranças de quando era um menino de 10 anos que contei minha aventura nos tempos da ocupação nazista da França.

Trinta anos se passaram. Tanto a memória quanto o esquecimento podem ter modificado pequenos detalhes. Mas o essencial está aí, em sua autenticidade, com seu lado terno, seu lado cômico e sua forte dose de angústia.

Para não ferir ninguém, muitos nomes de pessoas que aparecem nesta narrativa foram alterados. Narrativa que conta a história de duas crianças num universo de crueldade, de absurdo, mas também de inesperados gestos de solidariedade.

I

Sinto a bolinha de gude entre meus dedos, no fundo do bolso.

É a minha preferida, que trago sempre comigo. O engraçado é que é a mais feia de todas: nada a ver com as lindas bolinhas de ágata que admiro na vitrine da loja do seu Ruben, na esquina da Rua Ramey. É uma bolinha de barro coberta com um verniz meio descascado, o que cria asperezas na superfície, desenhos, parece até uma miniatura do globo terrestre que tem na minha sala de aula.

Gosto dela, é bom ter a Terra dentro do bolso, as montanhas, os mares, tudo bem escondidinho.

Sou um gigante e carrego comigo todos os planetas.

– Então, vai jogar ou não vai?

Maurice espera, sentado na calçada bem na frente da loja de frios. Suas meias sempre descem, formando uma sanfona, por isso papai o chama de sanfoneiro.

Parada no vão da porta, a dona Epstein olha para nós. É uma velha búlgara toda enrugada, mais murcha do que uva-passa. Mas que estranhamente manteve o rosto bronzeado de quem vive nas grandes estepes. Ali, no vão da porta, sentada em sua cadeira de palha, ela é como um pedaço vivo do mundo balcânico que mesmo o céu cinzento da periferia de Paris não apaga.

Fica ali todos os dias e sorri para as crianças que voltam da escola.

Contam que atravessou a Europa a pé, fugindo dos *pogroms*, os massacres de judeus, e veio parar ali na Porta de Clignancourt, no distrito XVIII de Paris, onde encontrou outros refugiados do Leste: russos, romenos, tchecos, alguns companheiros de Trotsky, intelectuais, artesãos. Faz 20 anos que chegou: por mais que a cor do seu rosto se mantenha, muitas das suas recordações já devem ter se perdido.

Ela ri ao me ver balançando para um lado e para o outro. Esfrega as mãos no avental gasto, tão preto quanto meu uniforme: nessa época, os uniformes escolares eram todos pretos, uma infância de luto, algo bastante premonitório em 1941.

– Anda, imbecil, vai jogar ou não vai?!

É claro que eu hesito! Já lancei sete bolinhas e perdi todas. Enquanto ele, Maurice, está de bolsos cheios com todas as que ganhou durante o recreio. Mal consegue andar. Só me resta minha última bolinha, minha preferida.

Ele resmunga mais uma vez:

– Não vou ficar aqui sentado até amanhã...

Finalmente me decido.

A bolinha na palma da mão treme um pouco. Jogo de olhos bem abertos. Erro.

É isso, milagres não acontecem. Agora o jeito é voltar para casa.

O açougue e as fachadas das casas e dos comércios da Rua Marcadet ondulam, como se estivessem num aquário. Olho para o lado esquerdo, porque Maurice está à minha direita. Assim, não vai me ver chorar.

– Para de choramingar – ele diz.

– Não estou choramingando.

– Quando olha para o outro lado, sei que está choramingando.

Enxugo o rosto com a manga do uniforme e, em vez de responder, acelero o passo. Vamos levar uma bronca: já devíamos ter voltado para casa há mais de meia hora.

Chegamos: logo adiante, na Rua de Clignancourt, fica o salão, com as grandes letras pintadas na fachada, bem desenhadas como as da professora: "Salão Joffo – Cabeleireiro".

Maurice me dá uma cotoveladinha.

– Toma, seu bobo.

Olho para ele e pego a bolinha que está me devolvendo.

Um irmão é alguém que devolve a última bolinha que acabou de ganhar de você.

Recupero meu planeta em miniatura; amanhã, no recreio, vou ganhar um monte de bolinhas graças a ela e tirar todas dele. Não é porque tem dois anos a mais do que eu que vou deixar ele ficar se achando!

Afinal, já tenho 10.

Assim que entramos no salão, os cheiros me invadem.

Cada infância tem seus cheiros, e eu tive direito a todos os perfumes, da lavanda à violeta. Revejo os frascos sobre as estantes, o cheiro de lavado das toalhas, e volto a ouvir o barulhinho das tesouras, que foi minha primeira música.

É a hora de pico, o salão está cheio, todas as poltronas ocupadas. Quando passo, Duvallier puxa minha orelha, como sempre. Tenho a impressão de que ele passava a vida inteira no salão, devia gostar do ambiente, das conversas... Dá para compreender: velho e viúvo, ficar no seu apartamentozinho da Rua Simart devia ser horrível, por isso descia a rua e passava a tarde entre os judeus, sempre na mesma poltrona, perto dos cabides onde os fregueses deixavam seus casacos. Quando todos já tinham ido embora, se levantava, se instalava e dizia: "A barba".

Era meu pai quem o barbeava. Papai das belas histórias, o rei da rua, papai do crematório.

Fizemos os deveres de casa. Eu não tinha relógio naquela época, mas aposto que não levava mais de 45 segundos. Sempre soube minhas lições antes de aprendê-las. Enrolamos um pouco no quarto, para que minha mãe ou um de nossos irmãos mais velhos não nos mandassem de volta para as tarefas, e depois saímos.

Albert estava suando para fazer um corte americano num grandalhão crespo; mesmo assim se virou para nós.

– Já terminaram os deveres?

Papai também olhou para nós, mas aproveitamos que estava dando o troco a um cliente no caixa e escapamos para a rua.

Aquele era nosso momento de glória.

Porta de Clignancourt, 1941.

Era um lugar perfeito para crianças. Hoje em dia, fico surpreso com os "espaços para crianças" de que os arquitetos falam. Nos novos prédios há parques com caixas de areia, escorregadores, balanços, um monte de coisas. Tudo concebido expressamente para divertir as crianças por especialistas com 300 mil diplomas em psicologia infantil.

E não funciona. As crianças se entediam, domingo e a semana inteira.

Então me pergunto se esses especialistas não deveriam investigar por que a gente era feliz naquele bairro de Paris. Uma Paris cinzenta, com os letreiros luminosos das lojas, os telhados altos com faixas de céu por cima, as calçadas cheias de lixeiras para escalar, pórticos para se esconder, campainhas para tocar e sair correndo. Tinha de tudo, zeladoras que surgiam de repente, carroças, a florista, as mesas do lado de fora dos cafés durante o verão. Um verdadeiro labirinto, uma imensidão de ruas entrecruzadas a perder de vista...

Saíamos para descobrir o mundo. Lembro que uma vez encontramos um rio: ele surgiu aos nossos pés na esquina de uma rua suja. Nos sentimos exploradores. Soube muito tempo depois que aquele era o Canal do Ourcq. Ficamos vendo as rolhas passando e as manchas coloridas de gasóleo até o anoitecer.

– Vamos nessa?

Quase sempre é o Maurice que propõe.

Quando vou responder, meus olhos são atraídos por alguma coisa lá no alto da avenida.

E eu os vi chegar.

Devo reconhecer que eram bastante vistosos. Eram dois, vestidos de preto, altos, com seus grossos cintos. Usavam botas altas que deviam passar o dia inteiro lustrando para que brilhassem daquele jeito.

Maurice se virou para mim e murmurou:

— São S.S.

Ficamos olhando eles avançarem. Não iam rápido, seu andar era lento e duro, como se estivessem numa praça imensa, repleta de cornetas e tambores.

— Quer apostar que estão vindo cortar o cabelo?

Acho que tivemos então o mesmo pensamento, ao mesmo tempo.

Grudamo-nos na vidraça do salão como se fôssemos siameses e vimos os dois alemães entrarem.

E foi então que começamos a rir.

Escondido por nossos corpos havia um pequeno aviso em fundo amarelo e letras pretas:

"Yiddish Gescheft"
[Estabelecimento judeu]

No salão se fez o silêncio mais profundo que provavelmente já houve num salão de cabeleireiro. Os dois S.S., com suas caveiras, esperavam em meio aos fregueses judeus para confiar suas cabeças a meu pai judeu ou a meus irmãos judeus.

Do lado de fora, dois judeuzinhos riam pra valer.

II

Henri limpa a nuca de Bibi Cohen, que deixa a poltrona e se dirige ao caixa. Eu e Maurice continuamos ali, atentos ao que vai acontecer.

Sinto um frio na barriga: a situação é no mínimo bizarra. O que esses dois estão fazendo no coração da colônia judaica?

Henri se vira para um dos alemães.

— Senhor, é sua vez.

O S.S. se levanta e se instala na poltrona com o quepe nos joelhos. Olha-se no espelho como se seu rosto fosse um objeto sem interesse, ou mesmo um pouco repugnante.

— Acima da orelha?

— Isso, e bem reto, por favor.

Quase sufoco atrás da máquina registradora. Um alemão que fala francês! E bem, ainda por cima, melhor do que muitos moradores do bairro.

Observo-o. Tem um coldre pequeno, reluzente, dá para ver a coronha da pistola. Daqui a pouco vai compreender onde está, vai sacá-la, gritar como um louco e massacrar todos, inclusive minha mãe, que está lá em cima cozinhando e nem sonha que há dois nazistas no salão.

Duvallier lê o jornal no seu lugar cativo. Ao seu lado está Crémieux, um vizinho que trabalha numa seguradora e que trouxe seu filho para o corte mensal. Conheço o moleque, ele estuda na minha escola e a gente brinca no recreio. Está completamente imóvel. Já é pequeno, mas parece querer ficar ainda menor.

Não lembro quem mais estava lá. Devia conhecer todo mundo, mas esqueci, sentia cada vez mais medo.

Só sei de uma coisa: foi Albert que abriu fogo enquanto borrifava loção nos cabelos ondulados de seu cliente.

— Dureza essa guerra, não é?

O S.S. tem um sobressalto. Devia ser a primeira vez que um francês puxava conversa com ele, e não perdeu a oportunidade:

— De fato, não é moleza...

Continuaram conversando. Os outros foram se metendo, o ambiente foi ficando amistoso. O alemão traduzia para seu colega, que não compreendia e participava do bate-papo balançando a cabeça, para o desespero de Henri. Uma tesourada em falso no grande senhor da raça germânica... A situação já estava bastante complicada do jeito que estava.

Via meu pai concentrado, de língua de fora, e já sentia na bunda a surra que estava por vir. Nem bem os dois alemães tivessem saído, eu estaria nos joelhos de Albert, e Maurice nos de Henri, e só parariam de bater na hora em que suas mãos começassem a doer.

— Sua vez, por favor.

Foi meu pai quem pegou o segundo.

Não pude deixar de rir, apesar de todo o medo, quando Samuel entrou.

Costumava passar ali no fim da tarde, para cumprimentar os amigos. Era vendedor de tralhas no mercado de pulgas a 200 metros dali, especialista em relógios velhos. Mas havia de tudo em seu estande. Eu e Maurice gostávamos de fuçá-lo...

Entrou todo contente.

— Boa tarde a todos.

Meu pai estava com a toalha na mão e a desdobrou com um gesto rápido antes de colocá-la no pescoço do S.S.

Assim que Samuel viu os uniformes, seus olhos ficaram mais redondos e três vezes maiores que minhas bolinhas de gude.

– Oh, oh – ele disse –, oh, oh, oh...

– Sim – disse Albert –, tem bastante gente.

Samuel alisou o bigode.

– Não tem problema – disse –, voltarei quando estiver mais calmo.

– Claro, mande cumprimentos à sua esposa.

Samuel continuava imóvel, estupefato, olhando para aqueles estranhos clientes.

– Pode deixar – murmurou –, pode deixar.

Ficou parado mais alguns segundos e saiu, pisando em ovos.

Trinta segundos depois, da Rua Eugène Sue aos confins de Saint-Ouen, do fundo dos restaurantes judeus ao fundo dos açougues *kosher*, todo mundo sabia que o seu Joffo tinha se tornado o cabeleireiro oficial dos soldados alemães.

A notícia do século.

No salão, o papo continuava, cada vez mais amistoso. Papai estava exagerando.

Pelo espelho, o S.S. nos avistou.

– São seus filhos?

Papai sorriu.

– Sim, dois pequenos delinquentes.

O S.S. balançou a cabeça, enternecido. É engraçado pensar que um S.S. pudesse se enternecer, em 1941, com duas crianças judias.

– Ah – ele disse –, a guerra é terrível, mas a culpa é dos judeus.

As tesouras não pararam; chegou a hora de passar a navalha.

– Acha mesmo?

O alemão sacudiu a cabeça com uma segurança visivelmente inabalável.

– Acho não, tenho certeza.

Meu pai deu as duas últimas tesouradas nas têmporas, com um olho fechado, como um artista.

Um movimento com o punho para tirar a toalha e o espelho para a conferência final.

O S.S. sorriu satisfeito.

– Muito bom, obrigado.

Os dois se aproximaram do caixa para pagar.

Meu pai foi para trás do caixa, a fim de dar o troco. Apertado contra ele, via seu rosto lá no alto, muito sorridente.

Os dois soldados recolocavam seus quepes.

– Ficaram satisfeitos? Foram bem atendidos?

– Muito bem, tudo excelente.

– Que bom – disse meu pai. – Mas, antes de partirem, devo lhes dizer que todos que estão aqui são judeus.

Ele tinha feito teatro na juventude. À noite, quando nos contava histórias, fazia mímicas com gestos largos, à maneira de Stanislavski. Mas nenhum ator no palco poderia ser mais majestoso do que o bom e velho Joffo atrás de seu caixa naquele momento.

No salão, o tempo parecia ter parado. Então, Crémieux foi o primeiro a se levantar, segurando com força a mão do filho, que também se levantou. Os outros imitaram o exemplo.

Duvallier não disse nada. Largou o jornal, guardou seu cachimbo, e François Duvallier, filho de Jacques Duvallier e de Noémie Machegrain, batizado em Saint-Eustache e católico praticante, também se levantou. Estávamos todos de pé.

O S.S. não se irritou. Seus lábios de repente me pareceram mais finos.

– Estava me referindo aos judeus ricos.

A moeda tilintou sobre a placa de vidro do balcão e se ouviu um barulho de botas.

Já deviam estar no fim da rua e continuávamos paralisados, petrificados. Por um instante, tive a impressão de que, como nos contos de fada, uma bruxa má tinha nos transformado em estátuas de pedra e que jamais voltaríamos à vida normal.

Quando o feitiço se rompeu e todos foram se recompondo lentamente, soube que escaparia das palmadas aquela noite.

Antes de retomar seu trabalho, meu pai passou a mão na cabeça de Maurice e na minha, e eu fechei os olhos para que meu irmão não pudesse dizer que tinha me visto chorar duas vezes no mesmo dia.

– Calem a boca, vocês!
Minha mãe grita por trás da divisória.

Como toda noite, vem verificar nossos dentes, nossas orelhas e nossas unhas. Dá um tapinha no travesseiro para alisá-lo, nos cobre, nos beija e sai do quarto. Mal a porta se fecha, meu travesseiro voa através do quarto escuro e atinge Maurice, que me xinga dos piores palavrões.

Brigamos diariamente, sobretudo à noite, tentando fazer o mínimo de barulho possível.

Geralmente sou eu que ataco primeiro.

Aguço os ouvidos. Escuto o roçar dos lençóis à minha direita: Maurice levantou da cama. Sei disso por causa do barulho das molas do colchão. Nesse instante, deve estar se preparando para saltar sobre mim. Contraio os músculos, ofegante de terror e de alegria. Estou preparado para uma violenta batalha e...

A luz se acende.

Maurice volta num salto para sua cama e eu me esforço para parecer em repouso total.

Papai está ali.

Inútil fingir. Ele nunca se deixa enganar por nossos truques.

– Continuação da história – anuncia.

Aquilo é formidável, a melhor coisa que pode acontecer.

De todas as minhas recordações de infância, um tanto curta, como o leitor poderá constatar, essa é uma das melhores.

Algumas noites ele entrava no quarto, se sentava na minha cama ou na de Maurice e começava a nos contar as histórias do nosso avô.

Crianças gostam de histórias, os adultos as leem para elas, as inventam, mas para mim foi diferente. O herói era o meu avô, que eu podia ver todo dia pendurado no salão num retrato oval. O rosto severo e bigodudo tinha se tornado, com o tempo, cor-de-rosa desbotado. Dava para adivinhar sob o terno bem cortado uma musculatura acentuada pela pose encurvada imposta pelo fotógrafo. Estava apoiado no dorso de uma cadeira que parecia ridiculamente frágil, prestes a desabar sob o peso do gigante.

Dessas histórias, guardo a recordação confusa de uma série de aventuras encaixadas umas nas outras como bonecas russas, em cenários de desertos brancos de neve e ruas tortuosas no meio de cidades repletas de campanários dourados.

Meu avô tinha 12 filhos, era um homem rico e generoso, conhecido e estimado pelos habitantes da cidade de Elisabethgrado, ao sul de Odessa, na Bessarábia russa.

Vivia feliz e reinava sobre sua tribo até a época em que começaram os *pogroms*, as agressões às minorias judaicas.

Essas narrativas embalaram minha infância. Eu via as coronhas dos fuzis arrombando portas, quebrando vidraças, a fuga desvairada dos camponeses, as cabanas incendiadas. Refletiam-se nos meus olhos turbilhões de lâminas de sabre, cavalos que corriam até morrer, brilhos de esporas e, por cima de tudo, destacando-se do meio da fumaça, a figura gigantesca de meu antepassado, Jacob Joffo.

Meu avô não era homem de deixar seus amigos serem massacrados sem fazer nada.

À noite, tirava seu belo roupão estampado, descia até o porão e, à luz de um pequeno lampião, vestia botas e roupas de camponês. Cuspia na palma das mãos, esfregava-as na parede e as passava sobre o rosto. Enegrecido de poeira e fuligem, partia então noite adentro, em direção ao bairro dos quartéis e das tabernas frequentadas por soldados. Espreitava na sombra e, quando via um grupo de três ou quatro, sem a menor precipitação nervosa, com a alma pura do justo, matava-os batendo suas cabeças contra a parede e voltava para casa, satisfeito, cantarolando uma melodia em ídiche.

Só que os massacres se intensificaram, e meu avô, compreendendo que suas excursões vingativas eram inúteis, acabou desistindo. Convocou a família e anunciou com tristeza que era impossível para ele, sozinho, acabar com os três batalhões que o tzar tinha enviado para a região.

Era preciso fugir, e rápido.

O resto da história é uma corrida tumultuosa e pitoresca através da Europa, passando pela Romênia, pela Hungria e pela Alemanha, numa sucessão de noites de tempestade, bebedeiras, risadas, lágrimas e mortes.

Naquela noite, escutamos como sempre fazíamos: de boca aberta. O fato de já ter 12 anos não impedia Maurice de ficar fascinado.

A lâmpada fazia sombras na tapeçaria, e os braços do meu pai se agitavam perto do forro. As paredes ficavam povoadas de fugitivos, mulheres aterrorizadas, crianças trêmulas, de olhos arregalados. Eles deixavam cidades sombrias e chuvosas de arquiteturas exóticas, atravessavam desfiladeiros tortuosos e estepes glaciais, até que um dia transpunham uma última fronteira. Então o céu clareava e a procissão descobria uma bela planície ensolarada. Pássaros cantavam, havia campos de trigo, árvores e uma cidadezinha de cores claras, casinhas com telhados vermelhos, um campanário e velhinhas de coque, sentadas em cadeiras de palha, sempre muito amáveis.

Na fachada da maior casa do vilarejo, lia-se a inscrição: "Liberdade – Igualdade – Fraternidade". Então os fugitivos depunham suas trouxas ou largavam seus carrinhos de mão, e o medo deixava seus olhos, pois sabiam que tinham chegado.

A França.

Sempre achei o amor dos franceses por seu país meio sem graça. É tão óbvio, tão natural. Mas o que sei é que ninguém amou tanto esse país quanto meu pai, nascido a oito mil quilômetros daqui.

Como os filhos dos professores republicanos do início da escola laica, gratuita e obrigatória, tive direito desde a mais tenra infância a uma quantidade enorme de discursos-sermões em que moral, instrução cívica e amor pela pátria se misturavam até se confundir.

Nunca passei na frente da prefeitura do distrito XIX sem que meu pai apertasse um pouco mais minha mão. Seu queixo apontava para as letras na fachada do edifício, e ele perguntava:

— Você sabe o que essas palavras querem dizer?

Aprendi a ler bem cedo. Aos 5 anos já era capaz de decifrá-las.

— É isso, Joseph, é isso. E, enquanto elas estiverem escritas aí, poderemos viver tranquilos aqui.

E é verdade que vivíamos tranquilos, ou, pelo menos, tínhamos vivido. Uma noite, à mesa, depois da chegada dos alemães, minha mãe tinha feito a pergunta:

— Não acha que teremos problemas agora que eles estão aqui?

Era sabido o que Hitler já tinha feito na Alemanha, na Áustria, na Tchecoslováquia e na Polônia. As leis de "purificação" racial estavam sendo aplicadas com todo o rigor nesses países. Minha mãe era russa, e também devia sua liberdade a documentos falsos, tinha vivido o pesadelo dos *pogroms* e não era tão otimista quanto meu pai.

Eu lavava a louça, Maurice enxugava. Albert e Henri limpavam o salão. Dava para ouvir suas risadas através da divisória.

Meu pai fez seu grande gesto apaziguador, seu gesto de ator da Comédie Française.

— Não, aqui na França não. Nunca.

Porém, havia motivos para não ficar tão confiante. Primeiro as novas exigências em relação à carteira de identidade, depois aqueles dois sujeitos que colaram o aviso ("Estabelecimento judeu") na vitrine do salão sem nos dirigir a palavra. Lembro bem do mais alto, com sua boina e seu bigode. Colocaram o aviso e fugiram como ladrões na noite.

– Boa noite, meninos.

Ele fechou a porta. Estamos no escuro, quentinhos debaixo das cobertas. Vozes abafadas chegam até nós, depois se calam. É uma noite como todas as outras, uma noite de 1941.

III

— Sua vez, Jo.
Eu me aproximo, com o casaco na mão. São 8 horas da manhã, e lá fora ainda está completamente escuro. Minha mãe está sentada atrás da mesa. Tem um dedal, linha preta e suas mãos tremem. Apenas os lábios sorriem.

Viro para o outro lado. Sob o abajur, Maurice está imóvel. Com a palma da mão, alisa a estrela amarela costurada em seu casaco:

JUDEU

Maurice olha para mim.
— Não precisa chorar, você também vai receber sua medalha.
É claro que vou receber, todo o bairro vai receber. Nessa manhã, quando todos saírem, será primavera em pleno inverno, uma floração fora de época: cada um com sua margarida na lapela.

Quem tem uma dessas não tem muito a fazer: não pode mais entrar nos cinemas nem nos trens, talvez nem possa mais jogar bolinha de gude, ou talvez perca o direito de ir à escola. Pensando bem, até que não seria tão ruim...

Minha mãe puxa o fio, corta com os dentes rente ao tecido, e pronto: tenho meu distintivo. Com dois dedos da mão que acaba de costurar, dá um tapinha na estrela, como uma costureira de alta classe que termina um ponto difícil. Aquilo foi mais forte que ela.

Meu pai abre a porta no momento em que visto o casaco. Acaba de se barbear. O cheiro de sabonete e de loção entra junto com ele. Olha para as estrelas, depois para a esposa.

– Pois bem, aí está, aí está... – diz.

Pego minha mochila, beijo minha mãe. Meu pai põe a mão em meu ombro.

– Sabe o que tem que fazer agora?

– Não.

– Ser o primeiro da classe. Sabe por quê?

– Sim – responde Maurice. – Pra esfregar na cara do Hitler.

Meu pai ri.

– Acho que se pode dizer assim.

Fazia muito frio lá fora. Nossas botas estalavam na calçada. Não sei por quê, olhei para trás. Então vi os dois espiando a gente pela janela. Tinham envelhecido um bocado nos últimos meses.

Maurice seguia adiante, soltando ar com força para fazer fumacinha. As bolinhas tilintavam em seus bolsos.

– Vamos ter que ficar com essa estrela muito tempo?

Ele para e olha nos meus olhos.

– E eu lá sei? Por quê? Te incomoda?

Dou de ombros.

– Por que me incomodaria? Não pesa nada, não me impede de correr, então...

Maurice ri com sarcasmo.

– Então, se não te incomoda, por que tá tapando ela com o cachecol?

Não dá para esconder nada desse cara.

– Não fui eu, foi o vento que tapou.

Maurice gargalha.

– Claro, claro, foi o vento.

Estamos chegando à escola. Já dá para ver a cerca com os castanheiros, que ficam pretos nessa estação. Aliás, os castanheiros da escola da Rua Ferdinand Flocon sempre me pareceram pretos, talvez estivessem mortos havia muito tempo, por crescerem no meio do asfalto, apertados entre as cercas, isso não é vida para uma árvore.

– Ei! Joffo!

É o Zérati que está me chamando. Meu amigo desde o pré-escolar. Já gastamos juntos muitos fundilhos nesses malditos bancos.

Ele corre para nos alcançar com o nariz vermelho de frio. Está de luvas, enfiado no mesmo capote de sempre.

– Oi.
– Oi.

Ele olha para meu peito e seus olhos se arregalam. Engulo a saliva. Como o silêncio é longo quando a gente é pequeno!

– Caramba – ele murmura –, que sorte você tem, essa estrela é muito bacana.

Maurice ri, e eu também. Sinto um alívio danado. Entramos os três juntos no pátio da escola.

Zérati continua admirado.

– E essa agora, parece uma condecoração. Vocês têm mesmo muita sorte!

Sinto vontade de dizer que não fiz nada para merecer aquilo, mas, por outro lado, a reação dele me tranquiliza. No fundo, é verdade, é como uma grande medalha. Não brilha, mas todo mundo vê.

Há grupos na parte coberta do pátio. Outros correm ziguezagueando a toda velocidade entre os pilares.

– Ei, galera, vocês viram só o Joffo?

Não foi por mal. Pelo contrário. Zérati queria me exibir aos olhos dos outros, como se eu tivesse mesmo ganhado uma medalha, e ele quisesse que todos soubessem disso.

Logo se formou um círculo ao meu redor.

Kraber foi logo rindo, a lâmpada iluminava seu rosto.

— Você não é o único. Vi alunos de outras séries com isso também.

Mais atrás, na sombra, aparecem dois outros rostos, nem um pouco sorridentes.

— Quer dizer que você é judeu?

Difícil dizer que não quando está escrito bem no nosso peito.

— A guerra é culpa dos judeus!

Puxa, isso me lembra alguma coisa, não muito tempo atrás...

Zérati continua do meu lado. Não deve pesar nem 35 quilos e, nos concursos de muque, fica sempre em último: por mais que contraia os músculos, não dá para ver nada no seu braço. No entanto, encara corajosamente o grandalhão:

— Deixa de ser besta! Agora é culpa do Jo se estamos em guerra?

— Exatamente! Temos que expulsar os judeus.

Zum-zum-zum.

O que está acontecendo? Eu era um menino, com minhas bolinhas de gude, meus socos, minhas correrias, minhas brincadeiras, lições de casa, meu pai era cabeleireiro, meus irmãos também, minha mãe cozinhava, domingo meu pai nos levava a Longchamp para ver os pangarés e tomar ar, o resto da semana tinha a escola, e pronto. De repente, costuram no meu peito uma estrela e viro judeu.

Judeu. Afinal, o que isso quer dizer? O que é um judeu?

Começo a ficar com raiva, ainda mais intensa por não entender.

O círculo se apertou.

— Viu o narigão dele?

Na Rua Marcadet tinha um cartaz em cima da loja de sapatos, bem na esquina, um grande cartaz colorido. Uma aranha rastejando sobre o globo terrestre, uma grande caranguejeira peluda com cara de homem, uma cara feia que só, olhos meio puxados, orelhas que mais pareciam couves-flores, grandes beiços e um enorme nariz que parecia a lâmina de uma cimitarra. Embaixo estava escrito algo do tipo: "Judeu tentando dominar o mundo". Já tinha passado na frente do cartaz várias vezes, com Maurice. Aquilo não nos atingia, de maneira alguma nos identificávamos com aquele monstro! Não éramos aranhas nem tínhamos aquela cara – ainda bem; eu era loiro, de olhos azuis e tinha um nariz normal. Então era simples: aquele judeu não era eu.

E eis que de repente aquele imbecil dizia que meu nariz era como o daquele cartaz! Tudo isso por causa da maldita estrela.

– O que que tem meu nariz? Não é o mesmo de ontem?

O babaca não sabia o que dizer. Ainda estava procurando uma resposta quando tocou o sinal.

Antes de entrar na fila, vi Maurice do outro lado do pátio. Tinha uma dúzia de garotos ao redor dele, e a discussão parecia quente. Quando foi para a fila atrás dos outros, estava com cara de poucos amigos. Acho que se o sinal não tivesse tocado, a coisa teria ficado feia.

Enrolei um pouco, ao contrário do que costumava fazer, e fiquei no fim da fila.

Entramos dois a dois, passando na frente do velho Boulier, e sentei no meu lugar, ao lado de Zérati.

A primeira aula era de geografia. Fazia tempo que o professor não me mandava ao quadro de giz, e eu temia que fosse me escolher. Passeou o olhar por nós, como fazia todas as manhãs, mas não se deteve em mim. Seus olhos deslizaram e, no final, foi Raffard o escolhido. Aquilo me causou uma má impressão: será que eu já não contava mais, tinha deixado de ser um aluno como os outros? Algumas horas antes, eu teria adorado ser ignorado, mas agora aquilo me incomodava. O que todos tinham contra mim? Ou tentavam quebrar minha cara, ou simplesmente faziam de conta que eu não existia.

– Peguem seus cadernos. Ponham a data na margem e, no centro, o título: "O Vale do Ródano".

Como os outros, obedeci. Mas continuava encasquetado com o fato de ele não ter me escolhido. Precisava tirar aquilo a limpo, precisava saber se eu ainda existia ou se tinha ficado invisível.

O velho Boulier tinha uma mania: o silêncio. Gostava sempre de escutar as moscas voando. Quando ouvia uma conversinha, uma caneta caindo ou qualquer outra coisa, já ia logo apontando para o culpado e a sentença vinha na mesma hora: "Vai passar o recreio escrevendo a frase *fazer menos barulho de agora em diante* no pretérito perfeito, no mais-que-perfeito e no futuro do pretérito".

Coloquei meu quadro de giz individual no cantinho da mesa. Era um quadro de verdade, o que era raro na época. A maioria dos meus colegas tinha uma espécie de retângulo de cartolina preta que não podia molhar e sobre o qual era ruim escrever.

O meu era um de verdade, com moldura de madeira e um furo para passar a cordinha em que ficava pendurado o apagador.

Com a ponta do dedo, empurrei. Ele oscilou por um momento e caiu.

PLAFT.

O professor estava escrevendo no quadro e se virou.

Olhou para o quadro no chão e depois para mim. Todos os outros observavam a cena.

É raro um aluno querer ser castigado. Talvez nunca tenha acontecido. Pois bem, naquela manhã, eu teria dado tudo para o professor apontar para mim e dizer: "Vai ficar de castigo até o fim da tarde". Teria sido a prova de que nada tinha mudado, de que eu continuava sendo o mesmo, um aluno como os outros, que pode ser parabenizado, castigado ou interrogado.

O velho Boulier olhou mais um pouco para mim e, em seguida, seu olhar ficou vazio, completamente vazio, como se todos os seus pensamentos tivessem saído voando de repente. Lentamente, pegou a grande régua na mesa e colocou sua ponta no mapa da

França pendurado na parede. Mostrou uma linha que descia de Lyon até Avignon e disse:

– O Vale do Ródano separa as montanhas antigas do Maciço Central das montanhas mais novas...

A lição tinha começado, e compreendi que, para mim, a escola tinha acabado.

Escrevi o resumo maquinalmente até que ouvi o sinal do recreio. Zérati me deu uma cutucada.

– Vamos logo!

Saí da sala e, assim que cheguei ao pátio, foi aquele bafafá.

– Judeu! Judeu! Judeu!

Meus colegas dançavam formando um círculo ao meu redor. Alguém me empurrou pelas costas e fui esbarrar no peito de um outro; um novo empurrão e fui para trás, consegui não cair e dei um jeito de sair da roda. Vi Maurice brigando a 20 metros dali. Houve gritos, e agarrei alguém ao acaso.

– Judeu! Judeu! Judeu!

Enquanto dava um soco, recebi um chute, forte, na coxa. Parecia que a escola toda estava caindo em cima de mim, que morreria sufocado debaixo daquela horda.

Meu uniforme rasgou e levei um safanão na orelha. O apito do inspetor fez tudo parar.

Ele veio em minha direção, como se estivesse num nevoeiro.

– O que está acontecendo aqui? Circulando, todo mundo!

Sentia minha orelha inchar e procurei Maurice. Tinha amarrado seu lenço em volta do joelho. O sangue já estava secando em manchas escuras. Não tivemos tempo de conversar, estava na hora de voltar para a sala.

Sentei. À minha frente, acima do quadro de giz, via a cabeça do Marechal Pétain. Uma cabeça muito digna, com seu quepe. Embaixo, uma frase seguida de sua assinatura: "Mantenho minhas promessas e até as promessas dos outros". Eu me perguntava a quem ele teria prometido que ia colocar uma estrela amarela no meu peito. Para que servia aquilo? E por que os outros queriam me encher de pancada?

O que ficou gravado em mim daquela manhã, mais do que os socos e chutes, mais do que a indiferença dos adultos, foi essa sensação de não conseguir entender. Eu era como os outros. Tinha ouvido falar de religiões diferentes e, na escola, aprendi que antigamente as pessoas tinham lutado por isso. Mas eu não tinha religião. Nas quintas-feiras, até ia ao centro paroquial com a meninada do bairro. A gente jogava basquete atrás da igreja, e o padre nos dava um belo lanche: pão preto com chocolate, o chocolate do tempo da ocupação, com uma massa branca no meio, viscosa e ligeiramente doce. Às vezes, ele até acrescentava uma passa de banana ou uma maçã... Minha mãe gostava que fôssemos lá, preferia isso a que ficássemos correndo pelas ruas, passeando no mercado de pulgas da Porta de Saint-Ouen ou afanando madeira nas demolições para fazer cabanas e espadas.

Então, qual era a diferença?

Onze e meia.

Minha orelha continua doendo. Visto meu casaco e saio. Faz frio. Maurice está me esperando. Seu joelho esfolado parou de sangrar.

Não nos dizemos nada, não vale a pena.

Juntos, subimos a rua.

— Jo!

Alguém vem correndo atrás de mim. É o Zérati.

Está ofegante. Traz na mão um saquinho de pano fechado com um cadarço. Estende o saquinho para mim.

— Quero trocar isso com você.

De início não entendi.

— Pelo quê?

Com um gesto eloquente, aponta para o meu peito.

— Pela estrela, oras.

Maurice não diz nada. Fica à espera, batendo os pés no chão. Decido num impulso.

– Fechado!

Está costurada com pontos bem separados e a linha não é forte. Enfio um dedo por baixo, outro, e arranco com um puxão.

– Aqui está.

Os olhos de Zérati brilham.

Minha estrela. Por um saco de bolinhas de gude.

Foi meu primeiro negócio.

***

Meu pai pendura seu casaco no gancho atrás da porta da cozinha. Não comemos mais na sala de jantar para economizar lenha.

Antes de sentar à mesa, ele nos inspeciona. Minha orelha inchada, meu uniforme rasgado, o joelho de Maurice e seu olho ligeiramente roxo.

Mergulha a colher na sopa de macarrão, sacode o corpo e força um sorriso que parece ter dificuldade em chegar até seus lábios.

Mastiga, engole com dificuldade e olha para minha mãe, cujas mãos tremem ao lado do prato.

– Nada de escola esta tarde – decreta.

Eu e Maurice deixamos nossas colheres caírem. Sou o primeiro a me recuperar.

– Sério? Mas... e a minha mochila?

Meu pai faz um gesto negligente.

– Pode deixar que eu busco, não se preocupe com isso. Estão livres esta tarde, mas voltem antes do anoitecer. Tenho algo importante para dizer a vocês.

Lembro que fui invadido por uma alegria e um alívio imensos.

Uma tarde inteirinha para nós, enquanto os outros teriam de estudar! Bem feito para eles. Tinham nos excluído, agora a gente é que ia se dar bem. Enquanto quebravam a cabeça com problemas de matemática e as formas do particípio passado, passearíamos pelas ruas, as melhores ruas do mundo, as ruas do nosso reino.

Subimos correndo os caminhos que levam até a basílica do Sacré-Cœur. Tem umas escadarias incríveis ali, com corrimãos feitos sob medida para que as crianças desçam voando, com a bunda ardendo do frio do metal. Tem parques também, árvores, gatos famintos, os sobreviventes que ainda não foram transformados em guisado pelas zeladoras dos prédios.

Atravessamos as ruas vazias, onde rodavam alguns raros táxis a gasogênio e bicicletas. Na frente do Sacré-Cœur, avistamos um bando de oficiais alemães, com longos capotes que iam até o tornozelo e pequenos punhais presos nos cintos. Estavam rindo e tirando fotos. Fizemos um desvio para evitá-los e voltamos para casa, correndo um atrás do outro a toda velocidade.

No Bulevar de Magenta, paramos para respirar um pouco e sentamos no pórtico de um prédio.

Maurice apalpou o curativo que nossa mãe tinha feito em seu joelho.

– Vamos fazer um assalto esta noite?

Faço que sim com a cabeça.

– Vamos.

Fazíamos aquilo às vezes. Quando todos já tinham ido dormir, abríamos a porta do nosso quarto com precauções infinitas e, depois de uma espiada no corredor, descíamos até o salão, de pés descalços, sem fazer os degraus estalarem. É uma questão de prática. É preciso tatear um pouco com a ponta do polegar, depois colocar progressivamente a planta do pé, sem encostar o calcanhar. Chegando ao salão, contornávamos as poltronas e, então, vinha o momento mais impressionante.

Nenhuma luz penetrava da rua pela porta de ferro baixada. Na escuridão total, meus dedos reconheciam o balcão, os pacotes de navalha, a placa de vidro côncava onde meu pai colocava o troco, e chegavam à gaveta. Sempre tinha algumas moedas jogadas ali. Nós as recolhíamos e voltávamos para o quarto. Durante nossa infância, nunca faltaram gomas de alcaçuz, aqueles bastões pretos e borrachentos que colavam nos dentes e nas tripas, causando terríveis prisões de ventre.

Está combinado, por mais uma noite seremos ladrões.

Durante aquelas horas de vagabundagem, esquecemos tudo dos acontecimentos da manhã. Adorávamos vadiar pela cidade fumando cigarros de eucalipto.

Aquilo tinha sido um achado. Numa França sem tabaco, onde todos tinham de enfrentar as restrições do racionamento, eu entrava numa farmácia e lançava um olhar tristonho para o boticário.

– Bom dia, preciso de cigarros de eucalipto, meu vô é asmático.

Às vezes, tinha de contar uma longa história, mas geralmente funcionava. Saía triunfante com meu maço e o abríamos 10 metros mais adiante. Então, com o pito na boca, de mãos nos bolsos, em meio a nuvens de fumaça perfumada, passeávamos como imperadores sob os olhares furibundos dos adultos em abstinência. Volta e meia oferecíamos a Duvallier, a Bibi Cohen e aos vendedores de tralhas do bairro. Eles aceitavam, mas, ao primeiro trago, reclamavam, sentindo falta do seu costumeiro tabaco cinza. Na verdade, era mesmo um nojo. Talvez tenha sido graças a esses falsos cigarros que nunca me tornei um verdadeiro fumante.

Quando estávamos na parte mais alta do parque, Maurice disse de repente:

– Hora de voltar, tá ficando de noite.

Era verdade. Atrás da catedral, começavam a surgir as primeiras brumas do anoitecer.

Lá embaixo, a cidade se estendia, cinzenta, como os cabelos de um homem que envelhece.

Olhamos a cidade por um momento, sem dizer nada. Gostava daqueles telhados, dos monumentos que iam se apagando ao longe.

Ainda não sabia que não voltaria a ver aquela paisagem tão familiar. Não sabia que dali a algumas horas deixaria de ser uma criança.

Rua de Clignancourt. O salão estava fechado. Muitos de nossos amigos tinham partido nos últimos tempos. Meu pai e minha mãe conversavam entre si, e eu ouvia alguns nomes entre seus cochichos. Eram pessoas próximas, que vinham ao salão, com as quais nos encontrávamos à noite para o café. Quase todos tinham partido.

Havia outras palavras recorrentes: *Ausweiss* (carteira de identidade), *Kommandantur* (o comando alemão em Paris), linha de demarcação... Alguns nomes de cidade também: Marselha, Nice, Casablanca.

Meus irmãos tinham partido no começo do ano. Eu não tinha entendido bem por quê. E os cortes de cabelo se tornavam cada vez mais raros.

Às vezes, no salão que antes vivia lotado, encontrava apenas o eterno Duvallier, sempre fiel.

Mas era a primeira vez que meu pai tinha fechado a porta de ferro em pleno dia de semana.

Antes mesmo de subirmos as escadas, ouvimos sua voz, vindo do nosso quarto.

Estava deitado na cama do Maurice, com as mãos debaixo da nuca, e olhava para nosso reino como se tentasse vê-lo pelos nossos olhos.

Ao entrarmos, se sentou.

Eu e Maurice nos instalamos na minha cama, de frente para ele. Começou então um longo monólogo que ressoaria muito tempo em meus ouvidos. Aliás, ainda ressoa.

Nós o escutávamos como nunca tínhamos escutado ninguém.

– Muitas noites – ele começou –, desde que têm idade para compreender as coisas, contei histórias para vocês, histórias verdadeiras em que pessoas da nossa família desempenhavam um papel. Percebo hoje que nunca falei de mim.

Sorriu e prosseguiu:

– Não é uma história muito interessante e não teria fascinado vocês por muitas noites, mas vou contar o essencial. Quando era pequeno, bem menor que vocês, eu vivia na Rússia, e na Rússia havia um chefe todo-poderoso chamado tzar. Esse tzar era como os alemães de hoje, gostava de fazer guerra e tinha imaginado o seguinte esquema: enviava emissários...

Parou e franziu a sobrancelha.

– Vocês sabem o que são emissários?

Fiz que sim com a cabeça, embora não tivesse ideia. Mas, de qualquer jeito, sabia que coisa boa não era.

– Pois bem, ele enviava emissários às cidadezinhas, e, lá, eles reuniam meninos como eu e os levavam para campos onde se tornavam soldados. Davam-lhes uniformes, ensinavam-nos a marchar, a obedecer a ordens sem discutir e a matar inimigos. Então, quando atingi a idade em que poderia ser pego por esses emissários, meu pai falou comigo como...

Sua voz se tornou mais rouca, e ele continuou.

– Como estou fazendo com vocês hoje.

Lá fora a noite já tinha caído, eu mal distinguia meu pai à frente da janela, mas nenhum de nós três fez um gesto para iluminar o quarto.

– Ele me chamou ao quartinho da fazenda onde gostava de se fechar para refletir e me disse: "Filho, você quer ser soldado do tzar?". Eu disse que não. Sabia que seria maltratado e não queria ser um soldado. Todo mundo acha que as crianças sonham ser militares; pois bem, nem sempre é verdade. Pelo menos, não no meu caso. Então ele me disse: "Nesse caso, você não tem escolha. Já é um homenzinho, vai partir e vai se virar, porque você não é tolo". Eu disse que sim e, depois de beijá-lo e beijar minhas irmãs, parti. Tinha 7 anos.

Enquanto o ouvia, escutava minha mãe caminhando e botando a mesa. Ao meu lado, Maurice parecia ter se transformado numa estátua de pedra.

– Ganhei minha vida, escapando dos russos, e podem crer que nem sempre foi fácil. Fiz de tudo um pouco. Juntei neve por um pedaço de pão com uma pá que era o dobro do meu tamanho. Encontrei pessoas boas que me ajudaram, e outras que eram ruins. Aprendi a usar tesouras e me tornei cabeleireiro. Andei muito mundo afora. Três dias numa cidade, um ano em outra, até que cheguei aqui, e aqui fui feliz. A mãe de vocês tem uma história parecida com a minha; tudo isso, no fundo, é muito normal. Nós nos conhecemos em Paris, nos apaixonamos, nos casamos, e vocês nasceram. Nada mais simples.

Fez uma pausa, e eu podia adivinhar que seus dedos brincavam na sombra com as franjas da colcha.

– Montei esse salão, bem pequeno no começo. Todo dinheiro que ganhei foi com meu suor...

Parece que quer continuar, mas para e, de repente, sua voz fica um pouco embargada.

– Sabem por que estou contando tudo isso?

Eu sabia, mas hesitava em dizer.

– Sim – disse Maurice –, porque a gente também vai partir.

Meu pai respirou fundo.

– Sim, rapazes, vocês vão partir. Hoje é a vez de vocês.

Seus braços se moveram num gesto de ternura contida.

– Vocês sabem por quê: não podem voltar pra casa todos os dias nesse estado. Sei que sabem se defender e que não têm medo, mas precisam entender uma coisa: quando não se é o mais forte, quando se é apenas dois contra 10, 20 ou 100, a verdadeira coragem é deixar o orgulho de lado e dar o fora. E além disso, há algo pior ainda.

Senti um nó se formar na garganta, mas sabia que não ia chorar. No dia anterior, as lágrimas ainda teriam corrido, mas naquele dia era diferente.

– Vocês notaram que os alemães estão ficando cada vez mais duros com a gente. Já teve o recenseamento, o aviso no salão, as revistas, hoje a estrela amarela, amanhã seremos presos. Então é preciso fugir.

Tive um sobressalto.

– Mas e você e a mamãe?

Ele fez um gesto tranquilizador:

– Henri e Albert estão em zona livre. Vocês vão partir esta noite. Sua mãe e eu vamos arrumar algumas coisas e logo partiremos.

Deu uma leve risada e se inclinou para colocar a mão em nossos ombros.

– Não se preocupem, os russos não me pegaram quando eu tinha sete anos, não vai ser agora, aos 50, que os alemães vão me pegar.

Fiquei mais tranquilo. Estávamos nos separando, mas íamos nos reencontrar depois da guerra, que não duraria para sempre.

– Agora – meu pai disse –, vocês vão guardar bem o que vou lhes dizer. Vão partir esta noite. Vão pegar o metrô até a estação de Austerlitz, e lá comprarão uma passagem para Dax. Em Dax, terão de atravessar a linha. É claro, não terão documentos para passar, terão de se virar. Bem perto de Dax, irão até a cidadezinha de Hagetmau. Lá tem pessoas que ajudam a passar a linha. Assim que estiverem do outro lado, estarão salvos. Estarão na França livre. Seus irmãos estão em Menton, vou mostrar no mapa onde fica. É bem perto da fronteira com a Itália. Vão encontrá-los lá.

Ouço a voz de Maurice:

– Mas... e pra pegar o trem?

– Não se preocupe. Vou dar dinheiro a vocês. Cuidem para não perder nem deixar que roubem. Cada um terá cinco mil francos.

Cinco mil francos!

Mesmo nas noites de assaltos mais rentáveis nunca tive mais que 10 francos no bolso! Que fortuna!

Meu pai ainda não terminou. Pelo tom que sua voz assume, sei que agora vem o mais importante.

– Finalmente, precisam saber de uma coisa. Vocês são judeus, mas nunca admitam isso. Entenderam?

NUNCA!

Ambos fazemos que sim com a cabeça.

– Não dirão nem mesmo para o melhor amigo de vocês, não sussurrarão isso em voz baixa, negarão sempre. Entenderam bem? Sempre negarão. Joseph, venha cá.

Levanto e me aproximo, embora não o veja.

– Você é judeu, Joseph?

– Não.

Sua mão estalou com toda força na minha cara. Nunca tinha batido em mim antes.

– Não minta! Você é judeu, Joseph?

– Não!

Tinha gritado sem me dar conta, um grito definitivo, firme.

Meu pai se levantou.

– É isso. Acho que disse tudo o que tinha para dizer. Está tudo claro agora.

Sentia ainda meu rosto arder, mas tinha uma pergunta que não queria calar, desde o começo da conversa. Precisava de uma resposta:

– Pai, eu queria saber: o que é um judeu?

Dessa vez, meu pai acendeu a luz, o pequeno abajur verde da mesa de cabeceira de Maurice. Gostava dele, irradiava uma claridade difusa e confortável, que não veria mais.

Meu pai coçou a cabeça.

– Pois bem, Joseph, fico meio sem jeito de te dizer, mas, no fundo, nem eu mesmo sei muito bem.

Olhávamos para ele. Sentiu que devia continuar, que aquela resposta podia parecer uma renúncia aos meninos que éramos.

– Antes, habitávamos uma região. Fomos expulsos de lá e nos espalhamos por toda parte. Mas há períodos, como agora, em que isso volta a acontecer. A perseguição recomeçou, por isso é preciso partir novamente e se esconder, até que o caçador se canse. Vamos pra mesa, partirão logo depois do jantar.

Não lembro o que comemos. Guardo apenas sons de colheres batendo nas bordas dos pratos, murmúrios de alguém pedindo água ou sal, coisas desse tipo. Numa cadeira de palha, perto da porta, estavam nossas bolsas, bem cheias, com roupas, objetos de higiene e lenços dobrados.

Soaram 7 horas no relógio do corredor.

— Eis aí — disse nosso pai —, têm tudo de que precisam. No bolso com zíper está o dinheiro e um papelzinho com o endereço de Henri e Albert. Vou lhes dar bilhetes para o metrô; vocês dão um beijo em sua mãe e partem.

Ela nos ajudou a vestir nossos casacos e nossos cachecóis. Esticou nossas meias. Sorria sem parar, e sem parar suas lágrimas escorriam. Senti seu rosto molhado contra minha testa. Seus lábios também, úmidos e salgados.

Meu pai a ergueu e deu a gargalhada mais falsa que já ouvi.

— O que é isso? Parece até que estão partindo para sempre e que são bebês recém-nascidos! Vamos, deem no pé. Até logo, meninos.

Um beijo rápido e suas mãos nos empurraram para a escada. A bolsa pesava em meus braços. Maurice abriu a porta para a noite.

Quanto a meus pais, ficaram lá em cima. Soube mais tarde, depois que tudo acabou, que meu pai ficou de pé, balançando de um lado para o outro de olhos fechados, como que embalando uma dor imemorial.

Em meio à noite escura, nas ruas desertas, com o toque de recolher prestes a soar, desaparecemos nas trevas.

Nossa infância tinha terminado.

IV

— Por aqui, vem, depressa!

Maurice me agarra pela manga e me tira do meio da multidão. Escalo uma pilha de malas, de mochilas, nos esgueiramos entre as bagagens e homens suados.

— Vem, tem outra entrada.

Estamos na estação de Austerlitz. Poucos trens de saída e plataformas lotadas. Quem são essas pessoas? Judeus também?

Maurice ziguezagueia, dribla, corre, parece um jogador de futebol empurrando uma bola invisível por entre uma floresta de jogadores imóveis. Sigo-o, apertando minha bolsa contra o corpo para não bater em minhas pernas.

— Por ali, é mais longe, mas tem menos gente.

Os carrinhos tilintam sob o vitral. Muitas bicicletas encadeadas. Pelos vidros sujos, dá para adivinhar o Sena, como um abismo negro com o traçado branco da ponte que o cruza. Mais ao longe, vê-se a Notre-Dame; mais longe ainda, fica nossa casa.

Mas não devo pensar nisso. O que é preciso agora é pegar o trem.

Seguimos um homem que empurra seu carrinho como se fosse uma máquina de jogar as pessoas para o lado. Foi uma excelente ideia, pois em poucos segundos estamos diante do guichê, com a cabeça aturdida pelos gritos, chamados, apitos e alto-falantes. Mas há uma longa fila.

– Entre os cinco primeiros, qual parece mais gentil?

Olho para os rostos. Expressões irritadas, de mau humor. Uma senhora com um casaco claro que tenta ajeitar suas mechas dentro do chapéu. Tem algo de severo nos lábios; essa, não.

O gordo tem uma cara simpática, mas fico na dúvida.

– O rapaz que está em terceiro, o de colarinho alto.

Maurice se aproxima. Ele não é de hesitar, mas desta vez foi mais direto do que nunca.

– Senhor, é por causa do meu irmãozinho, ele está com dor nos pés... Viemos de longe, o senhor não...

O jovem olha para nós. Por um instante, tenho medo de que recuse, mas faz um gesto cansado, um gesto em que generosidade e fatalismo se confundem.

– Pode passar na frente, menino. Não vai fazer muita diferença mesmo.

Maurice agradece, e logo chega sua vez.

– Duas passagens para Dax, de terceira classe.

Pego os bilhetes enquanto ele recolhe o troco. O engraçado é que ninguém presta atenção na gente, dois moleques perdidos na multidão. Cada um deve ter seus problemas, e devem achar que nossos pais estão ali por perto.

Maurice segue adiante, apontando as placas.

– A nossa é a plataforma 7. Ainda temos meia hora, vamos tentar conseguir lugares pra sentar.

O saguão está cheio de vapor. As pontas das colunas de ferro se perdem em meio à fumaça.

Pronto, chegamos ao nosso trem.

Maurice diz um palavrão. Não é à toa, os vagões estão lotados: por toda parte, nos corredores, entre um carro e outro. Nunca conseguiremos subir. Pelas portas abertas avistam-se pilhas de malas, de bolsas. Vejo um homem deitado no porta-bagagens, discutindo acaloradamente.

– Vamos tentar mais adiante.

Seguimos os vagões na esperança de encontrar lugares vazios mais perto da locomotiva. Mas por toda parte encontramos a mesma multidão, o mesmo conglomerado humano. Tenho um sobressalto: três compartimentos vazios, mas estão reservados a soldados alemães. Aqueles assentos confortáveis são tentadores, porém, é melhor não cutucar a onça com vara curta.

Um pouco mais adiante, Maurice diz:

– Vamos subir aqui.

Os degraus são altos, me esgueiro entre as pessoas espremidas contra a janela. Há brigas pelos lugares reservados, dois homens discutem brandindo o mesmo número, a coisa esquenta. Inútil buscar assentos.

– Olha, podemos nos acomodar aqui.

É uma pequena lacuna, tem uma mala que forma uma parede de um lado, uma grande mala marrom com uma alça de metal. Podemos colocar nossas bolsas no chão e nos sentar com as costas apoiadas na divisória que separa o compartimento do corredor.

Instalamo-nos. Inspeciono minha bolsa e tiro triunfalmente um pacote. Um sanduíche enorme com manteiga e presunto. Uma verdadeira maravilha. Maurice verifica que também tem um.

– Coma escondido, senão vai despertar inveja.

Sinto sede depois de duas mordidas. Meu reino por um refresco! Pela primeira vez na vida levo uma fortuna no bolso, e não tenho como comprar um refresco. É preciso dizer que a fortuna já diminuiu bastante com a compra das passagens. Logo não nos restará muita coisa dos nossos 10 mil francos. Teremos que fazê-los render. Mas dinheiro se ganha. Quando estivermos na França livre, arranjaremos um jeito para viver.

Na via ao lado tem outro trem, quase vazio. Provavelmente, um que só vai até a periferia. Devagarinho, começa a andar em direção à estação, rumo a Paris. Abro a boca para partilhar minha estupefação com meu irmão quando percebo meu erro: não é o outro trem que está se mexendo, é o nosso que partiu! Pronto, nossa jornada começou. Levanto e colo meu rosto no vidro.

Vejo trilhos emaranhados, passamos por baixo de passarelas, de pontes de ferro. Blocos de carvão brilham ao luar; continuamos avançando lentamente. As diversas linhas sobem e descem, ondulantes.

À nossa volta, as pessoas conversam. Sentada na grande mala, uma senhorinha nos observa. Tem um olhar gentil, parece as vovozinhas das ilustrações do meu livro de leitura: cabelos brancos presos num coque, olhos azuis, rugas, colarinho rendado, meias cinza.

– Estão indo para longe, meninos?

Continua sorrindo, olhando para cada um de nós.

– Estão viajando sozinhos? Não têm pais?

Lembro que devemos de agora em diante desconfiar do universo inteiro. Mesmo essa vovó de historinha ilustrada não deve saber de nada, absolutamente nada.

Maurice responde, abafando sua voz com o sanduíche.

– Temos sim, vamos encontrá-los lá. Eles estão doentes. Quero dizer, minha mãe está doente.

Ela faz uma expressão de tristeza. Chego a ficar com um pouco de raiva de Maurice por mentir, mas ele tem razão. Estamos condenados à mentira. Recordo as aulas de moral do senhor Boulier: "Nunca se deve mentir", "Ninguém acredita num mentiroso", etc. É que o senhor Boulier nunca teve a Gestapo no seu encalço!

– E você, como se chama?

– Joseph Martin. E ele é meu irmão, Maurice Martin.

Ela continua sorrindo e mexe na cesta que carrega no colo.

– Aposto que estão com sede depois desse sanduíche.

Tira uma garrafa de gasosa do cesto.

Maurice não resiste.
– Sim, um pouco.
Ela olha para mim, sempre sorrindo:
– E aposto que você também.
– Sim, senhora.
Tem de tudo naquele cesto. Acaba de tirar um copinho embrulhado num guardanapo de pano.
– Pois então vamos beber, mas só um pouquinho, porque a garrafa tem que durar até o fim da viagem.
Que delícia. Aquilo borbulha na língua e no palato. Uma miríade de bolhinhas adocicadas que explodem contra minhas mucosas. O líquido oscila um pouco, sobe e desce na parede do copo seguindo o balanço do trem. Agora estamos indo rápido. Vejo-me refletido no vidro e, do outro lado, o campo, um campo plano que se estende até o horizonte.
Ela bebe por último, enxuga o copinho com o guardanapo e guarda tudo na cesta.
Maurice fechou os olhos. Sua cabeça está apoiada na porta do compartimento e oscila com as vibrações do trem. Mais adiante, por trás da vovozinha, há risos. Pedaços de canções chegam aos meus ouvidos, misturados com o barulho das rodas e dos trilhos.
Estamos bem acomodados. Até Dax estaremos tranquilos. Em Dax tem um controle alemão. Teremos que nos safar. Melhor não pensar nisso, ainda não. Melhor tentar dormir para estar bem-disposto amanhã.
Olho para o outro lado, por trás do vidro. Tem oito pessoas no compartimento, os sortudos que conseguiram se sentar. Um homem olha para mim, seu rosto recebe um pouco do reflexo azul da luzinha do vagão.
Deve estar olhando já faz algum tempo. Há muitas coisas em seus olhos. Sobretudo dó. Tem uma expressão séria, com a tristeza das pessoas que não ousam sorrir. Tem um colarinho engraçado,

com botões muito próximos uns dos outros. Meus olhos deslizam e veem a batina. Isso me tranquiliza, não sei muito bem por quê. Sei que vou adormecer, nesse trem que me leva para a vida ou para a morte, sob a proteção desse velho padre; não trocamos uma palavra, mas tenho a impressão de que ele sabe tudo sobre mim. Ele está ali e vela por nós, em meio à algazarra. Como se dissesse: "Durma tranquilo, menino".

É noite. O céu está mais claro do que a terra. O vidro treme e dois homens estão ali à minha frente. Usam gorros de pele, grandes botas vermelhas e calças largas. Longos bigodes pretos, ao mesmo tempo recurvados e eriçados, dividem seus rostos em dois. São russos.

— Você é o Joseph? Então venha conosco, o tzar quer ver você, vai se tornar um soldado.

Saio correndo pelo corredor para fugir deles. É estranho, voo por cima das cabeças. É agradável, eu plano como um pássaro. Eles vêm em meu encalço e sacam longos sabres afiados. Devo ter saltado do trem, pois estou correndo na plataforma de uma estação. Só que não são mais os russos que me perseguem, pois ouço uma voz de menino me chamando. Paro, e Zérati está ali, ofegante.

— Venha rápido, vou te mostrar uma coisa...

Corremos por ruas que não conheço, a estação desapareceu, continuamos correndo por ruas desertas, é noite, mas uma noite que não tem mais fim, o sol deve ter desaparecido para sempre, não voltará mais para iluminar essas fachadas, essas árvores... e, de repente, reconheço, é a Rua Ferdinand Flocon, minha escola, e é o senhor Boulier que está na porta, com uma grande estrela no peito, bem amarela, fazendo grandes gestos com os braços.

— Venha, Joffo, venha beber uma gasosa.

O pátio está abarrotado de garrafas, milhares de garrafas cheias de vapor, as salas também, até os telhados; elas brilham ao luar.

Tem alguém atrás do senhor Boulier; sai da sombra e vejo seu uniforme reluzir. É o S.S. que cortou o cabelo com meu pai, eu o reconheço claramente.

– Tem documentos para beber essa gasosa?

Boulier ri cada vez mais alto, e eu não entendo por quê. O S.S. tem uma expressão feroz. Seus dedos apertam meu braço cada vez mais forte.

– Mostre logo seus documentos, está em Dax, e aqui tem que ter documentos.

Preciso fugir a qualquer preço, senão o sacana vai me levar, me prender, preciso gritar por socorro, para alguém me libertar. Boulier rola no chão de tanto rir, Zérati desapareceu.

– Socor...

Meu próprio grito deve ter me acordado. Olho em volta, ninguém escutou. Maurice dorme de boca aberta, um braço sobre a bolsa. A vovozinha cochila, com o queixo nas mãos. Há silhuetas indistintas no corredor, também devem estar dormindo.

Estou com uma sede atroz. Se ao menos pudesse voltar ao meu sonho, pegar uma daquelas garrafas e bebê-la inteirinha, a grandes goles! Não, não devo pensar nisso, preciso voltar a dormir, dormir o máximo possível...

DAX.

O nome estalou no meu ouvido como um chicote: o trem roda ainda alguns metros, os freios guincham, as rodas, paralisadas, deslizam ainda alguns metros e então param.

Maurice está de pé, a luz pálida que se infiltra pelo vidro dá uma cor metálica ao seu rosto. Devo estar com o mesmo aspecto.

Olho ao redor, estupefato: o corredor está quase vazio. No compartimento de trás, há lugares vazios, mas o padre continua ali.

Maurice antecipa minha pergunta.

– Muitos saltaram com o trem ainda andando.

Olho para a outra extremidade do vagão: perto da porta, um casal espera. Ambos estão brancos de medo. Vejo a mão da mulher apertar convulsivamente a alça de uma maleta.

O alto-falante dispara uma longa frase em alemão, e de repente eu os vejo, uma dezena deles sobre a plataforma. Atravessam a via e vêm em nossa direção. São policiais alemães, levam placas de metal penduradas no peito, como se fossem grossos colares da Idade Média. Há também civis com casacos impermeáveis.

O casal parte, o homem vai na frente, corre, passa diante de mim, e sinto sua respiração entrecortada.

Maurice me pega pelo braço.

— Fica aqui dentro.

A porta do compartimento se abre e nós entramos. Tem um lugar vazio ao lado do padre.

Ele continua olhando para nós, está pálido também e sua barba cresceu durante a noite. Sou tão bobo que isso me surpreende, pensava que os padres não tinham barba, os que conheci na paróquia tinham o rosto sempre tão liso que achei que...

Perto da janela, uma senhora muito magra segura seu salvo-conduto na mão. Vejo a folha branca tremer, com carimbos redondos e pretos, assinaturas, tudo com tinta muito forte. Que sensação boa deve dar ter entre os dedos tantas rubricas, autorizações...

— *Halt!*

O grito vem lá de fora, e nos precipitamos para a janela.

Vemos um homem correndo lá na ponta da plataforma.

Uma dezena de alemães se espalha pelas vias. Um civil dá ordens em alemão, correndo também. Sobe no degrau do vagão ao lado do nosso e tira um apito do bolso. Os sons estridentes massacram meus tímpanos. De repente, surge um homem bem embaixo de mim. Deve ter passado por debaixo do trem, entre as rodas. Sobe uma plataforma, outra, tropeça...

— *Halt!*

Ele se detém com o tiro, mas não foi atingido. Tenho certeza de que não foi atingido.

Ergue bruscamente os braços, e dois soldados o arrastam brutalmente para a sala de espera. Vejo-o receber uma coronhada. O civil continua apitando.

Também vejo de novo o casal de antes, voltando entre dois S.S., parecem menores agora. A mulher continua apertando a maleta como se sua vida estivesse ali dentro. Andam rápido. Passam diante de nós, e me pergunto o que estarão vendo seus olhos molhados.

Outros foram detidos mais adiante. A luz do dia ilumina os capacetes e as culatras dos fuzis.

Percebo então que a mão do padre está sobre o meu ombro; ela esteve ali o tempo todo.

Voltamos lentamente para nossos lugares. O trem está silencioso agora, os alemães bloquearam as saídas.

As palavras vêm sozinhas à minha boca.

– Senhor padre, nós não temos documentos.

Ele olha para mim e um sorriso distende seus lábios pela primeira vez desde Paris.

Inclina-se, e tenho dificuldade para ouvir o que sussurra.

– Com essa cara de apavorado, os alemães vão perceber isso na hora. Fiquem perto de mim.

Apertamo-nos contra ele.

A vovozinha também está ali. Reconheço sua mala. Ela parece dormir.

– Documentos...

Ainda estão longe, no início do vagão. São muitos, falam entre si, e compreendo algumas palavras. Meu pai e minha mãe falavam bastante em ídiche com a gente, e o ídiche tem muita coisa parecida com o alemão.

– Documentos...

Estão se aproximando. Ouvimos as portas deslizarem quando eles as abrem e as fecham.

A vovozinha continua de olhos fechados.

– Documentos...

Agora estão no compartimento vizinho. Sinto uma coisa estranha na barriga, é como se meus intestinos se tornassem independentes e quisessem sair da sua bolsa de pele. Mas sei que não devo aparentar medo de jeito nenhum.

Enfio a mão na bolsa e tiro o resto do sanduíche. Estou mordendo o pão bem na hora em que a porta se abre. Maurice olha para eles com a mais completa tranquilidade, e admiro esse talento de ator consumado em meu irmão.

– Documentos.

A senhora magra estende a folha branca. Vejo uma manga de uniforme, dragonas, as botas estão a alguns centímetros dos meus pés. Meu coração bate forte. O mais difícil é engolir. Dou mais uma mordida.

O alemão lê, examina e devolve a folha. Depois estende a mão para a vovozinha, que lhe entrega um papel verde e sua carteira de identidade.

O alemão mal os olha.

– Só tem isso?

Ela sorri e confirma com a cabeça.

– Pegue sua mala e vá para o corredor.

Outros esperam atrás do vidro, conversando. Tem um S.S. entre eles.

O padre se levanta e pega a mala da vovozinha, que então sai. Um dos policiais pega sua cesta e faz um sinal para ela. Seu coque branco brilha por um curto instante na luz do dia, e ela desaparece por trás dos ombros deles.

Adeus, vovozinha, obrigado por tudo e boa sorte.

O padre apresenta seus documentos e volta a sentar. Continuo mastigando. O alemão olha a foto e compara com o original. Continuo mastigando.

– Emagreci um pouco – diz o padre –, mas sou eu mesmo.

A sombra de um sorriso passa pelo rosto do policial.

– A guerra – ele diz –, o racionamento...

Não tem sotaque, ou quase. Apenas em algumas consoantes. Devolve o documento e diz:

– Mas os padres não comem muito.

– É aí que muitos se enganam, pelo menos no que me diz respeito.

O alemão ri e estende a mão para mim.

Sempre rindo, o padre belisca minha bochecha.

– Os meninos estão comigo.

A porta já se fechou, depois de um rápido cumprimento do alemão risonho.

Meus joelhos começam a tremer.

O padre se levanta.

– Agora podemos descer. E, como estão comigo, vamos tomar café da manhã juntos na estação. O que acham?

Noto que Maurice está mais comovido do que eu. Com ele é assim, podem moê-lo de pauladas sem lhe arrancar uma lágrima, mas basta um gesto gentil para deixá-lo emocionado. E o gesto do padre tinha sido mais do que gentil.

Descemos para a plataforma. Nossas bagagens são inspecionadas e entregamos nossos bilhetes para o controlador. Sempre seguindo nosso salvador, entramos no café da estação.

Tinha um aspecto bastante fúnebre, com um pé-direito alto, banquetas de couro preto e pesadas mesas de mármore com pés--de-galo. Garçons de preto com longos aventais brancos esperavam encostados nas colunas, segurando nas mãos bandejas brilhantes e vazias.

Nosso padre parecia agora muito feliz.

– Vamos tomar café com leite e fatias de pão – disse. – Mas vou avisando que o café é de cevada, o açúcar é sacarina, não tem leite e, quanto ao pão, teríamos que ter cupons, mas não tenho nenhum e imagino que também não tenham. Mesmo assim há de nos aquecer.

Dou uma tossidinha para limpar a voz.

– Antes de tudo, Maurice e eu queríamos agradecer o que o senhor fez pela gente.

Ele fica atônito por um instante.

– Mas o que foi que eu fiz?

É Maurice que continua, há um fundinho de malícia em sua voz.

– O senhor mentiu pra nos salvar, dizendo que estava com a gente.

O padre balança negativamente a cabeça, bem devagar.

– Eu não menti coisa nenhuma – murmura –, vocês estavam mesmo comigo, assim como todas as crianças do mundo. Foi por isso que me tornei padre, para estar com vocês.

– O fato é que, se não fosse o senhor, teriam nos levado. É isso que importa.

Há um momento de silêncio, então o padre pergunta:

– E agora, para onde vão?

Sinto que Maurice hesita em falar, mas a simples ideia de que esse padre possa acreditar por um segundo que ainda desconfiamos dele depois de tudo o que fez pela gente me parece insuportável.

– Vamos para Hagetmau. E lá tentaremos cruzar a linha de demarcação.

O padre bebe e coloca a xícara no pires com uma careta. Devia ser um apreciador de café de verdade antes da guerra, e não ter se acostumado ainda com aquela imitação ruim.

– Entendo – ele diz.

É a vez de Maurice intervir.

– Depois encontraremos nossos pais, que estão no Sul.

Teria sentido nosso desconforto? Ou aquilo tudo era tão óbvio que dispensava perguntas? O fato é que não fez mais nenhuma pergunta.

Tira do bolso uma grande carteira fechada por um elástico. Pega uma folhinha branca do meio das imagens devotas, um lápis de ponta gasta, rabisca um nome, um endereço, e nos entrega.

– Sei que vão conseguir cruzar, mas gostaria que me contassem. E, se um dia precisarem de mim, podem me escrever.

Maurice pega a folhinha, dobra e põe no bolso.

– Agora vamos partir, senhor padre. Talvez tenha um ônibus daqui a pouco para Hagetmau, e não podemos perder tempo.

Ele fica olhando para nós enquanto passamos a alça de nossas bolsas por cima da cabeça.

– Têm razão, rapazes. Às vezes é preciso agir depressa nesta vida.

Esperamos, constrangidos por aquele olhar melancólico que penetra até o fundo de minha alma. Ele estende a mão e nós a apertamos, primeiro Maurice, depois eu.

Maurice toma a dianteira e se dirige para a porta giratória na outra ponta da sala. Mas tem uma coisa que me preocupa, preciso perguntar ao padre.

Dou meia-volta e me aproximo de novo dele.

– Senhor padre, o que eles fizeram com aquela senhora que nos deu de beber?

Seus olhos se iluminam, ele murmura uma frase que não compreendo e depois diz:

– Nada, não lhe fizeram nada. Mas, como não tinha documentos, a mandaram de volta para casa. Só isso.

Claro! Como não tinha pensado naquilo? Eu já a imaginava na prisão, ou num campo de concentração, sei lá. Eles a mandaram de volta para casa, só isso, nada grave.

Maurice me espera lá fora. O sol apareceu, e ele perdeu aquela cor metálica de antes. Também me sinto melhor, como se a luz nos lavasse e nos livrasse do cansaço da viagem.

A rodoviária não fica longe. Basta atravessar uma praça cheia de árvores com grossas cascas protuberantes cujo nome não sei. Devo dizer que entre a Rua Marcadet, o gasômetro de Saint-Ouen e a basílica do Sacré-Cœur, não tive oportunidade de conhecer muitos tipos de árvore.

– Quando sai o ônibus para Hagetmau?

Atrás do balcão, o sujeito nem sequer levanta os olhos.

– Daqui a duas horas.

– Duas passagens.

Cá estamos novamente com dois bilhetes no bolso. Nosso dinheiro já está acabando, mas não importa. Estamos em Dax, a França livre não está longe.

Vamos passar.

V

O ônibus para na entrada da cidadezinha. Na estrada, um carro alemão cheio de oficiais nos ultrapassou. Fiquei assustado por alguns segundos, mas eles seguiram caminho sem dar a menor atenção ao nosso latão.

O céu está limpo, e o cheiro de fumaça que sai das chaminés chega até nós. É uma região muito plana, e as casas se concentram ao redor do campanário da igreja.

Maurice pendura sua bolsa no ombro.

– Vamos.

Com passos rápidos, transpomos uma ponte estreita que cruza um riozinho minúsculo. Um fio d'água que desaparece embaixo das pedrinhas.

A rua central sobe um pouco e está em mau estado. Nossos passos ressoam sobre os paralelepípedos. Chegamos a um chafariz debaixo de um pórtico. Não tem ninguém na rua. Às vezes surge um cachorro que logo desaparece depois de ter cheirado nossos calcanhares. Tudo cheira a gado e lenha queimada. O ar frio parece não encontrar obstáculos e atinge com violência as profundezas de nossos pulmões.

Há dois armazéns, um em frente ao outro, na rua principal. Ambos fechados.

— Caramba — resmunga Maurice —, esse lugar parece morto.

O silêncio começa a me impressionar também. Depois do barulho do trem, da confusão da partida e da chegada, nos sentimos privados bruscamente de um sentido, como se tivessem enfiado duas enormes bolas de algodão em nossos ouvidos.

— Os moradores devem estar nas plantações...

Acima de nossas cabeças, o relógio da igreja bate as horas. Maurice coça a cabeça.

— É meio-dia, devem estar todos almoçando.

Não devia ter dito aquilo. Nossos sanduíches terminaram faz tempo, o café não fez nem cócegas, e esse ar frio parece cavar um buraco no meu estômago. Se fechar os olhos, verei bifes com batatas fritas.

Rodamos ao acaso pelo vilarejo. Chegamos a um caminho que dá para campos desertos, depois dos quais avistam-se florestas.

Voltamos para a parte central e encontramos outra praça, menor que a primeira. De frente para um prédio que deve ser a prefeitura, tem um café-restaurante.

Nós o vemos ao mesmo tempo, e olho para Maurice com ansiedade.

— Bem que a gente podia comer alguma coisa...

Maurice hesita um pouco. Na certa, está ainda mais faminto do que eu. Em casa, não parava nunca de comer: podia muito bem passar direto da sobremesa do almoço para o chocolate do lanche e deste para a sopa do jantar.

— Vamos lá — ele diz —, saco vazio não fica de pé.

Abrimos a porta e ficamos parados na soleira. As ruas estão vazias, mas o restaurante está lotado. No salão comprido, com um balcão no fundo sobre o qual reina uma antiga cafeteira, deve ter umas 100 pessoas em volta das mesas. Três garçonetes correm pra lá e pra cá levando pratos, garrafas, talheres. Faz calor ali dentro, graças a uma salamandra de cerâmica cuja chaminé ziguezagueia a meia altura através do salão. Há três cabides sobrecarregados atrás da porta.

– O que querem, meninos? Uma das garçonetes, vermelha e descabelada, tenta ajeitar um cacho rebelde dos cabelos, mas acaba desistindo.

Ainda meio atônito, Maurice responde:

– Queremos comer.

– Venham por aqui.

Ela nos conduz, e atravessamos o salão. O barulho de talheres é intenso. Perto do balcão, tem uma mesinha sem toalha, sobre a qual ela coloca dois pratos.

– Temos lentilha com toucinho e berinjelas recheadas. Para a sobremesa, queijo com 0% de gordura e uma fruta, está bom assim? Posso trazer uns rabanetes com sal para começar.

– Perfeito.

Já está correndo para a cozinha, de onde sai outra garçonete com um prato de lentilha em cada mão. Não parece ter muito toucinho neles.

Olho para os fregueses. Não são camponeses. É aquela mistura de pessoas que se encontra numa estação ou numa sala de espera, mas são homens e mulheres da cidade. Há crianças também, inclusive muito pequenas.

Maurice se inclina para mim por cima do prato.

– Vamos encontrar a Rua Marcadet inteira nesse restaurante.

São, pois, pessoas como nós, em fuga. Na certa, judeus esperando para cruzar a linha. Mas o que estão esperando? Talvez seja mais difícil do que imaginamos.

Nossa garçonete volta com três rabanetes num pratinho e um saleiro.

– Bom apetite, meninos.

Maurice agradece e pergunta:

– Tem sempre tantos fregueses como hoje?

Ela ergue os braços para o céu.

— Todos os dias, de seis meses pra cá. Tem gente que enriqueceu um bocado desde que os alemães estabeleceram essa linha a um quilômetro daqui.

Sigo o olhar dela e descubro a dona do restaurante enxugando delicadamente uma xícara de café atrás do balcão. É uma mulher avermelhada e reluzente, de cabelos cacheados.

— Ela pode muito bem fazer um novo permanente a cada semana. Com o dinheiro que embolsa aqui, pode passar a vida no cabeleireiro, se quiser.

Tenta mais uma vez ajeitar o cacho rebelde e recolhe nossos pratos vazios. Nada mais rápido de comer do que três rabanetes quando se está com fome, ainda mais se, dos três, dois estão ocos...

— E... é fácil passar?

Ela dá de ombros.

— Parece que sim, em geral dá certo, só que é preciso esperar a noite, porque de dia é muito perigoso. Com licença.

Logo volta com os pratos de lentilha, deixa-os e sai de novo sem nos dar tempo para novas perguntas.

Maurice olha para as pessoas ao redor e diz, baixinho: — Seria engraçado encontrar alguém do nosso bairro aqui.

As berinjelas que vêm em seguida estão fibrosas, e o recheio é inexistente. O queijo, seco e sem gosto. As maçãs, murchas. Mas como a garçonete comete o erro de deixar a cesta perto da nossa mesa, todas vão logo parar no fundo da minha bolsa.

Maurice dobra seu guardanapo e constata:

— Melhor não ficarmos muito tempo por aqui se não quisermos virar esqueletos.

Pouco a pouco, a sala se esvazia. Um ou outro ainda se demora com uma xícara de falso café, feito de cevada ou de chicória, mas o grosso já se foi.

Pagamos a conta, que nos parece terrivelmente salgada, e voltamos para as ruas de Hagetmau, balançando nossas bolsas, com as mãos nos bolsos. Começou a ventar, um vento áspero e desagradável.

— Olha só — diz Maurice —, melhor a gente tentar passar hoje à noite mesmo, não tem por que ficar enrolando aqui. Precisamos descobrir onde encontrar um passador e saber quanto cobra.

Aquilo me parece razoável. A 50 metros dali, um rapaz de uns 15 anos anda numa enorme bicicleta preta, com uma cesta na garupa. Para na frente de uma casa, toca a campainha, tira um pacote da cesta e saúda em voz alta:

— Bom dia, senhora Hudot, trouxe sua encomenda.

A senhora Hudot, invisível, murmura um agradecimento, se afasta, volta, e vejo sua mão colocando uma moeda na mão do entregador.

— Obrigado, senhora Hudot. Até a próxima, senhora Hudot.

Volta a pedalar, assobiando, e logo percebe que estamos indo em sua direção. Tem bochechas grandes e duras, mãos vermelhas cobertas de penugem loira e unhas sujas.

— Gostaríamos de uma pequena informação.

Ele ri, e constato que tem esplêndidas cáries na maioria dos dentes.

— Vou dá-la pra vocês antes que perguntem. Querem saber onde encontrar um passador. Acertei?

Maurice olha fixamente para ele. Nunca se deixa impressionar pelos maiores.

— Sim, é isso.

— Pois então é muito fácil. É só sair do vilarejo pela estrada, andar 300 metros e, na primeira fazenda à direita, perguntar pelo senhor Bédard. Só vou avisando, são cinco mil francos por pessoa.

Empalideci. Maurice também acusou o golpe. O rapaz olhou para nós, rindo.

— Agora, tem também outra solução. Se quiserem, posso passar vocês por 500 francos cada um, que tal?

Rimos de alívio. Esse rapaz é bem simpático.

– Nesse caso, proponho uma coisa: deixo minha cesta com vocês, pra terminarem a entrega. São pedaços de carne, e os endereços estão nos pacotes. É fácil encontrar e vão receber gorjetas. Eu vou verificar minhas armadilhas enquanto isso e, às 10 da noite, a gente se encontra embaixo da ponte, perto do arco. Não tem como errar, é a única do vilarejo.

Maurice me passa sua bolsa e recebe a cesta.

Mais leve, o rapaz monta na bicicleta e ri com todos os seus dentes podres.

Ao chegar à curva, olha para trás e grita:

– A propósito, vocês têm os 500 mangos cada um? O pagamento é adiantado.

Sou eu que respondo.

– Sim, sim, nós temos.

O rapaz desaparece a toda velocidade.

Eu me viro para Maurice:

– A gente ainda tem, né? Esses mil francos.

Ele balança a cabeça, preocupado.

– Ter, temos, mas é praticamente tudo que nos resta. Não vai sobrar quase nada.

Sacudo as bolsas, entusiasmado.

– Não importa! Quando chegarmos à zona livre, a gente dá um jeito. Imagina se não tivéssemos encontrado esse cara? Seríamos obrigados a ficar aqui, já pensou?

– Enquanto isso – ele me interrompe –, temos que fazer as entregas.

E assim começou uma das tardes mais curiosas e mais alegres da minha vida. Íamos de fazenda em fazenda, víamos galinhas, patos em laguinhos pretos como tinta, o céu todo azul, com apenas uma franja de nuvens brancas no horizonte.

Estávamos bêbados de alegria. Dois parisienses, criados no fedor das sarjetas, que de repente respiravam os grandes ventos do campo.

Enquanto Maurice entregava os pedaços de carne, o que levava a supor que o mercado negro andava bem nesse ramo, eu ia ver os coelhos em suas jaulas. Enquanto os moradores iam buscar dinheiro, eu brincava com os cachorrinhos ou com os leitõezinhos em seus cochos de palha podre. E tinha também cavalos. Não muitos, a maior parte tinha sido requisitada desde o começo da guerra. Mas sempre sobrava um ou dois velhos pangarés, imóveis, roçando o focinho na manjedoura atrás de uma comida inexistente. Eu entrava nos estábulos e fazia carinho neles; eles agitavam suas longas caudas, com a crina toda suja de palha; e depois seguíamos nosso caminho...

Numa cabana perto da igreja, um velhinho nos fez entrar numa sala baixa, com as vigas pretas de fumaça. Tinha uma foto em cima da lareira: ele como soldado da outra guerra, de capote, grevas nos joelhos e nas canelas e máscara contra gás. Ele nos mostrou seus patinhos, uma penca de galinhas amarelas barulhentas e vacilantes que avançavam em fila indiana... Eu estava fascinado.

A cesta estava quase vazia. As moedas tilintavam no bolso de Maurice. As pessoas estranhavam não ver seu entregador habitual, que se chamava Raymond, mas acabavam nos dando dinheiro mesmo assim.

Depois de levar os pedaços menos nobres para o guarda-florestal, só faltava uma entrega por fazer: meio pernil para o professor que morava um pouco afastado, atrás de um pequeno bosque.

Íamos conversando, Maurice e eu. Minhas pernas estavam começando a ficar pesadas, mas andávamos rápido quando chegamos ao bosque.

– Psiu...

Senti o sangue gelar em minhas veias. Maurice parou bruscamente.

Atrás de uma árvore, um homem nos fez sinal, mas, nos vendo paralisados no meio da estrada, sorriu, subiu um barranquinho e avançou em nossa direção.

Por suas roupas e por seu rosto, percebi que não era alguém da região. Provavelmente um fugitivo, como nós. Os olhos inquietos, as mãos agitadas, tudo nele indicava se tratar de mais um candidato a passar a linha.

Era um homem encorpado, com físico de boxeador e cabelos curtos. Olhou para nós por um breve momento.

– Vocês são aqui da região?

– Não.

Engoliu saliva, examinando-nos como se procurasse algo em nosso rosto.

– São judeus?

Maurice passou a cesta para a mão esquerda.

– Não.

As mandíbulas do homem se contraíram por um instante.

– Pois eu sou. Estou com minha esposa e minha sogra no bosque. Queremos passar a linha.

Bateu com a palma da mão nos joelhos. Sua calça estava verde de musgo, e todo um lado de seu casaco, coberto de barro seco.

– O que aconteceu com o senhor?

Sacudiu o braço num gesto de desespero.

– Foi anteontem, a uns 30 quilômetros daqui, seguindo o rio Adour. Eu tinha o endereço de um passador que me recomendaram em Bordeaux. Encontrei o cara, ele cobrou 20 mil francos adiantados pra passar nós três e nos conduziu de noite. Andamos um bom pedaço, até que ele se agachou e disse: "Esperem aqui, vou ver se a barra está limpa". Eu disse que ia com ele, que em dois seria melhor. Então ele bateu em mim com sua bengala e saiu correndo. Tentei alcançá-lo, mas caí. Passamos toda a noite no bosque e caminhamos desde o amanhecer.

Maurice parece pesar os prós e os contras. As duas mulheres surgem do bosque, parecem completamente esgotadas.

– Olha só, a gente também vai tentar passar, mas não sei se o cara que vai nos guiar aceitará passar vocês também. Venham de qualquer jeito e perguntem pra ele. Às 10 horas da noite debaixo da ponte, do outro lado do vilarejo.

– Obrigado, obrigado de todo coração. Estamos tão cansados que... enfim, espero que dessa vez consigamos cruzar a linha e que...

Balbucia mais algumas palavras, aperta nossas mãos e volta para o bosque, onde o escutamos dar a notícia para as mulheres que o acompanham.

Só espero que Raymond tope!

Maurice voltou a caminhar. Olha para mim com a cara preocupada.

– Temos que tomar cuidado. Pelo jeito, tem gente que ganha a vida de modo estranho nessa região.

– Acha que Raymond seria capaz de...

Maurice ergue os ombros.

– Não faço ideia, e como não faço ideia, vou ficar atento.

Andamos alguns minutos em silêncio.

– Em primeiro lugar – retoma de repente –, não devemos largar do pé dele.

– Concordo. E, se tentar escapar, pulamos em cima dele. Acha que nós dois conseguimos dar conta dele?

Expressão de dúvida.

– Veremos. Vamos é torcer pra ele nos guiar direitinho. Vamos apostar uma corrida?

– Deixa eu largar as bolsas.

Colocamos um joelho no chão.

– Até a árvore amarela, aquela grande na curva.

– Combinado. A seus postos. Preparado? Já!

Disparamos; sinto minha língua para fora da boca. Fico para trás 50 centímetros, um metro, me recupero, volto a perder, tento uma arrancada final, tarde demais.

Sentado, com a cabeça entre os joelhos, demoro para recuperar o fôlego.

— Não vale, você é maior do que eu.

Maurice também ofega.

— Não por isso, conheço meninos menores que são rápidos à beça.

Voltamos a passos lentos para buscar as bolsas e a cesta que ficaram na estrada.

— Você não tá com fome?

— Claro que sim. Ficar carregando carne a tarde inteira depois de ter comido lentilha é dureza.

Maurice examina os bolsos.

— Com o troco que sobrou do ônibus talvez dê pra comprar alguma coisa.

Batemos à porta de uma casa.

Um velho abre a porta. Parece que não há mais jovens na região.

Negociamos por alguns minutos e finalmente saímos dali com um ovo cada um. Comemos na rua mesmo. Estava bom.

Começava a anoitecer.

A grama está molhada e nossas botas brilham ao luar. Quase 10 horas. Não consigo ver os ponteiros do relógio da igreja, mas sinto no fundo das tripas que chegou o momento.

E pensar que alguns dias antes estaria louco de alegria por me ver numa situação semelhante. Não falta nada: a noite, o murmúrio da folhagem, a espera, os índios com seus espiões à espreita e eu, o *cowboy* desarmado que vai cruzar o limite do território deles. Minha vida pendurada na ponta de seus fuzis... Quase lamento não ouvir os lentos tambores de guerra — e os alemães não se enfeitam com penas. A noite está clara. Isso é bom ou ruim? Não faço ideia.

Mexo as pernas lentamente, muito lentamente, para evitar um estalido de galhos, nunca se sabe, qualquer barulhinho pode ser ouvido ao longe e alertar um ouvido atento. Maurice, ao meu lado, segura a respiração. Do outro lado do arco, percebo a silhueta dos três judeus que encontramos na estrada.

Os alemães estão do outro lado do bosque, bem em frente. Estranho ainda não terem atirado, me sinto tão frágil e exposto.

– Ouça...

De noite, as bicicletas fazem muito barulho, por causa do dínamo que roça no pneu para fazer funcionar a luzinha. Mas o pior é que esse ciclista está assobiando. Uma melodia alegre... Reconheço, é uma canção de Tino Rossi.

É muito azar, esse ciclista noturno vai fazer com que sejamos vistos, só faltava essa... Ele para pertinho da gente. Escuto o rangido do guidão e de um pedal contra a mureta de pedra. O homem desce, assobiando, vem em nossa direção. Sua silhueta se destaca contra o céu: é Raymond.

Parece alegre, nada a ver com um batedor da tribo *comanche*. Está com as mãos nos bolsos e fala com a gente sem baixar a voz.

– E aí, vamos nessa?

Maurice entrega nosso dinheiro – que Raymond logo guarda em sua camisa – e aponta para as silhuetas a alguns metros.

– São pessoas que também querem passar, estão esgotadas e têm dinheiro.

Raymond olha na direção indicada.

– Sem problemas, diga pra virem. Quantos são?

– Três.

Raymond esfrega as mãos.

– Boa noite – ele diz. – Geralmente os outros passadores não deixam sobrar tanta gente pra mim. A caminho.

Levanto com precaução, atento para não fazer estalar nenhuma articulação. Ouço Raymond rir alto:

– Não se preocupe, meu amiguinho, não vale a pena bancar o pele-vermelha. Ande atrás de mim, faça o que eu fizer e deixe o resto comigo.

Partimos. Suo como um condenado debaixo do meu casacão; sobre os campos, nossa pequena coluna me parece visível a milhares de quilômetros. Um gênio malfazejo coloca debaixo de nossas solas as pedras mais barulhentas do mundo, e tenho a impressão de fazer uma algazarra abominável. O próprio Hitler devia nos escutar, lá do seu QG berlinense. Finalmente, entramos na floresta. Raymond avançava, fazendo os galhinhos estalarem sem se preocupar. Sob as árvores, tive a impressão de que não estávamos sozinhos, que havia pessoas caminhando à nossa esquerda. Tentei desvendar a escuridão por entre os troncos, mas não vi nada.

Raymond parou. Esbarrei em suas costas e contive a respiração. Ele também já devia ter ouvido, mas não pude evitar dizer:

— Acho que tem alguém à nossa esquerda.

Ele nem se virou.

— Eu sei, um grupo de 12, mais ou menos. É o velho Branchet e seus clientes. Vamos deixar eles irem na frente. Podemos nos sentar por um momento.

Gravetos e cascas de árvore estalaram sob nossas bundas e ficamos parados, ouvindo o barulho do vento nos altos galhos.

— Ainda estamos longe? — sussurrou Maurice.

Raymond fez um gesto vago.

— Em linha reta fica logo ali, mas vamos contornar a clareira.

Voltamos a andar e não paramos mais. A areia agora parece mais fina e se eleva pouco a pouco em colinas. Tem palha de pinheiro no chão, e escorrego várias vezes com minhas solas molhadas.

Há quanto tempo partimos? Dois minutos ou três horas? Impossível dizer, perdi toda noção do tempo.

O bosque vai se abrindo à nossa frente. As árvores se afastam e formam uma pálida alameda. Com um gesto, Raymond nos reúne ao seu redor.

— Estão vendo esse caminho? Vão segui-lo por mais 200 metros. Vão encontrar uma vala. Cuidado, é funda e tem água. Cruzem a vala e chegarão a uma fazenda. Podem entrar, mesmo que não tenha luz, o dono está sabendo. Podem deitar na palha, não sentirão frio.

Maurice pergunta:
— Mas ali... ali já é a zona livre?
Raymond se vira e ri baixinho.
— A zona livre? Já estamos nela!
Minha primeira sensação foi de frustração. Tínhamos passado a linha e eu nem sequer tinha percebido! Havia essa meta a atingir, partimos para isso, todo mundo falava disso, aquilo era o fim do mundo, e eu, sem notar, tinha passado como uma flor, totalmente inconsciente, por aquele risco de giz que cortava em dois o mapa da França e que meu pai tinha nos mostrado uma noite.

A linha! Eu a imaginava como um muro, um espaço repleto de guaritas, de canhões, de metralhadoras, de arame farpado, com patrulhas contínuas e holofotes esquadrinhando cada folhinha de grama. Sobre as torres, oficiais com cara de abutre vigiando com binóculos que escondiam seus olhos ferozes. Em vez disso, nada, absolutamente nada. Em nenhum momento tive a impressão de ter um apache no meu encalço. Nunca vi faroeste tão sem graça!

Ao nosso lado, o trio de judeus comemorava, agradecendo a Raymond, que assumia um ar de modéstia.

Estava contente por estar salvo, mas aquela frustração não passava. Tive que perguntar a Raymond se a passagem era sempre tão tranquila.

— Geralmente sim. Temos sorte aqui. Os postos de observação ficam longe um do outro e, sobretudo, há ângulos mortos: nem o posto da estrada nem o do vilarejo de Carmot podem nos ver. O perigo seria se enviassem patrulhas, mas, quando fazem isso, são obrigados a atravessar o riacho, perto da fazenda Badin, e quando Badin vê eles, logo manda seu filho, que conhece todos os atalhos e vem nos avisar.

Raymond arregaça a calça e aperta nossas mãos.
— Mas não fiquem pensando que é assim em toda parte. Tem lugares, a menos de 20 quilômetros daqui, onde houve mortos não

faz muito tempo, e está ficando cada vez mais difícil. Bem, é isso, até a próxima e boa sorte.

Já desapareceu. As árvores escondem sua silhueta. Segue de volta para o vilarejo.

Voltamos mais uma vez a andar. Agora, sem Raymond. Maurice me dá a mão, melhor não nos perdermos, a noite nessa floresta não seria agradável, ainda mais que o frio aumenta a cada minuto.

– Cuidado!

Ainda bem que ele me avisou: a vala está ali embaixo, e ouvimos o barulho da água entre os emaranhados de galhos e os amontoados de pedras.

– Segure minha bolsa.

Maurice desce na frente. Dá um discreto assobio e eu jogo nossas bagagens para ele. Desço, por minha vez, me segurando nos tufos de mato. Os espinhos de um arbusto engancham em minha meia. Liberto-me, subo a escarpa e, à nossa frente, está a fazenda: maciça, um bloco de granito sobre o dorso nu da terra.

Ajudamos o trio que nos acompanha e já estamos no pátio interno.

Tenho um sobressalto.

Tem um homem ali, parado no escuro. Parece muito alto, tem uma gola de pele que esconde suas orelhas, e seus cabelos se agitam ao vento que vem da planície.

Avança em nossa direção com um passo mecânico. Sua voz é áspera como a dos atores que fazem papel de policiais no teatro de marionetes. Uma voz grossa que faz as palavras parecerem cascalho.

– Chegaram, meus amiguinhos. Tem palha seca no celeiro, bem aí, atrás de vocês. E cobertores atrás da porta. Não são bonitos, mas são quentes. Podem dormir o quanto quiserem. Só peço uma coisa, se tiverem fósforos ou um isqueiro, deixem comigo, não gostaria de ver minha colheita queimar com vocês dentro.

Faço um gesto negativo e Maurice também.

– Então, podem ir. Se precisarem de alguma coisa, batam naquela janelinha, estão vendo? O barraco depois do galinheiro. É ali que eu durmo. É isso, boa noite.

– Por favor, senhor, sabe que horas são?

Ele tem dificuldade para fazer aparecer seu relógio, que parece enterrado debaixo do casaco de pele e de uma profusão de coletes e pulôveres. Finalmente o quadrante brilha em sua mão.

– 11h15.

– Obrigado. Boa noite, senhor.

A porta de madeira range nas velhas dobradiças e o cheiro quente de granja assalta minhas narinas. Só de sentir a boa palha seca meus olhos se fecham. Que dia! Depois de uma noite passada no trem!

Escalo um monte de feno e me enfio em outro que afunda sob meu peso, nem sequer me animo a buscar um cobertor. Uma luminosidade cinzenta penetra por uma claraboia do telhado.

Nossos três companheiros sussurram na outra ponta do celeiro. Ouço Maurice voltando e sinto um tecido áspero tocar meu rosto.

– Se enrola aí dentro.

Quase não consigo executar esse gesto simples. Até então, a angústia e a excitação tinham me mantido acordado, mas, com o alívio da chegada, a tensão baixou de repente, e minhas pálpebras parecem pesar toneladas. Afundo vertiginosamente num mundo escuro e pesado, cada vez mais longe, cada vez mais fundo. Num último esforço de atenção, distingo a claraboia no telhado e constato, inclusive, que está ornada por teias de aranha prateadas e flexíveis. Então adormeço, com um suspiro de lenhador.

Mas não por muito tempo. Uma hora, talvez duas. Reabro os olhos bruscamente e nem preciso tatear ao meu lado: sei de antemão que meu irmão não está ali.

Desde que minha mãe achou que não era mais necessário manter meu berço ao lado da cama dela, dividi o quarto com Maurice. E sempre aconteceu um estranho fenômeno, não sei se recíproco, pois nunca falei disso com ele: mesmo que não tivesse feito o menor barulho, que nenhum estalo do assoalho pudesse ter me despertado, eu sempre "senti" sua ausência. A cada vez que ele descia até a cozinha para tomar um copo d'água ou saía da cama por uma razão qualquer, eu tinha perfeita consciência disso.

Quem me avisava? Que instinto oculto cumpria essa surpreendente missão?

É claro que naquela noite não fiquei me perguntando sobre essa engrenagem inconsciente ou subconsciente. O que queria saber é onde ele podia estar.

A algumas centenas de metros da linha de demarcação, esgotado como eu por aquelas últimas 24 horas, Maurice Joffo deveria estar mergulhado nas delícias de um sono reparador. Mas tinha partido.

Nada de pânico. Ele não deve estar longe. A explicação mais plausível: quando alguém se levanta no meio da noite, 90 por cento das vezes é para mijar. Portanto, tudo tranquilo: Maurice foi mijar.

Mas meu brilhante raciocínio não me tranquiliza por muito tempo. A gente mijou junto numa árvore antes de entrar aqui, assim que o fazendeiro se recolheu. Ora, os esfíncteres da nossa família são de boa qualidade: quando a gente mija à noite, só vai mijar no outro dia de manhã. Ou seja: Maurice não foi mijar. Então, aonde foi? Sem me dizer?

É isso que não consigo entender: por que saiu às escondidas, sem me avisar?

Ou então foi pedir água ao fazendeiro, ou talvez... Fico atordoado diante de todas as suposições possíveis.

Ouço um sussurro de vozes. Aguço os ouvidos e afasto o cobertor, fazendo estalar a palha. Noto que os barulhos vêm de fora.

Um pensamento me aterroriza: e se forem os alemães? Não. Impossível. Estamos na França livre, não podem vir aqui... E se forem ladrões? Ouvi dizer que há bandos de assaltantes que atacam os refugiados, roubam tudo o que eles têm: joias, malas, dinheiro... Quem sabe Maurice os tenha ouvido e esteja agora escondido para espiá-los?

Atravesso o celeiro de meia, sem fazer barulho, pisando o chão de terra batida coberto de palha seca. Meus dedos reconhecem a madeira da porta, o pesado ferrolho que ergo com precaução. Olho pela fresta e salto para trás: os sussurros vêm em minha direção, suas formas aglutinadas avançam para mim.

Vejo o vapor das respirações, parecem estar todos fumando invisíveis cigarros. Reconheço um homem que estava perto de nós no restaurante em que almoçamos. Há duas crianças também, um menino carregado no colo e uma menininha de meias brancas. Péssima ideia, meias brancas, dá para ver a centenas de metros. Decididamente, voltamos a ser fugitivos, mas perdemos o dom da camuflagem. Roçam em mim no escuro e se enfiam na palha. Há murmúrios abafados de conversas.

E nada do Maurice. Onde pode ter se metido?

Minha ansiedade aumenta, preciso agir antes que se transforme em pânico. Daqui a pouco sou capaz de sair gritando seu nome no meio da noite. Não ia adiantar nada, e poderia acabar nos trazendo problemas.

Saio. A noite está cada vez mais clara e fria.

Enfio as mãos no bolso do casaco.

Um papel.

Meus dedos acabam de tocar num papel que não estava ali antes. Ainda pelo tato, reconheço que é uma folha arrancada de um caderno espiral. O que Maurice trouxe, ou, mais exatamente, o que nossa mãe lhe deu antes de partirmos. Sábia precaução, um caderno e um lápis podem se tornar os objetos mais úteis do mundo em determinadas ocasiões. Ele deve ter escrito no escuro e colocado sua mensagem no meu bolso antes de sair.

A lua ilumina o suficiente para que eu possa ler as linhas rabiscadas em diagonal.

"Volto logo, não diga nada para ninguém. M."

Assinou com um M., como nas histórias de espionagem em que os personagens são designados por um código ou por uma inicial.

Fico aliviado. Ainda não sei aonde ele foi, mas sei que vai voltar, é o mais importante. Volto para o meu monte de palha e me enrolo de novo no cobertor, feliz por reencontrar aquele ninho de calor. A alguns metros de mim, alguém dorme gemendo suavemente, uma tênue música, melodiosa, quase agradável, que me ajuda a voltar a adormecer.

– Ops, desculpa.

Um corpo passa por cima de mim e se joga ao meu lado. Sinto um cheiro de água de colônia e de suor misturados. É uma mulher; usa um manto de lã grossa que cobre minha mão.

Parece que o dia está nascendo. Devo ter dormido várias horas.

Apoio-me sobre um cotovelo: a claridade agora é suficiente para eu constatar que o celeiro está cheio de refugiados. Não sei quantos são, mas estão em toda parte, jogados nas mais diversas posições. Talvez uns 50? Talvez mais. As viagens não devem ter parado durante a noite. Talvez ainda cheguem outros – e nada do Maurice.

Todos dormem. Ao meu lado, observo a mulher do manto de lã, iluminada pela claraboia. Em seu rosto escorre uma lágrima. Chora dormindo. Talvez não tenha parado de chorar desde que chegou.

E eis que chegam outras pessoas. Ainda mais numerosas. Continuo ali no quentinho e acompanho com os olhos semicerrados a instalação dos recém-chegados. Ouço alguém dizer baixinho um palavrão em ídiche, e logo tudo volta ao silêncio.

– Está dormindo?

De repente, ele está ali. Não o vi chegar. Sento com um gesto rápido.

– Mas o que foi que...

Coloca o dedo na minha boca.

– Não fale tão alto, vou te explicar.

Fica difícil dar um esporro em alguém usando apenas sussurros inaudíveis. Só me resta, pois, escutar o que tem a dizer.

O que ele tinha feito era muito simples. Contou muito contente consigo mesmo, com risos abafados: refez o trajeto em sentido inverso, cruzou de novo a linha, oito vezes, conduziu 40 pessoas – e ganhou 20 mil francos.

Já é dia. Um pouquinho de cerração, que logo vai desaparecer, e o sol brilhará sobre nós. A grama ainda está meio úmida, mas nos sentamos sobre nossas bolsas. Vinte mil francos! Uma verdadeira fortuna! O suficiente para comer e chegar tranquilamente até Menton.

Mas tem algo nessa aventura que me incomoda.

– Maurice, e se você fosse pego?

Ele passa a mão no cabelo.

– Você ouviu o que o Raymond disse: não tem perigo. Quando fizemos o caminho com ele, fui prestando atenção: uma linha reta, depois a curva pra contornar a clareira, a pontezinha e pronto. Mais fácil do que ir da Porta de Clignancourt até Ornano. Não tem como se perder.

Aquilo não me satisfez inteiramente.

– Tem mais uma coisa: não acha feio ter cobrado dessas pessoas pra fazê-las passar?

Maurice me encara com seriedade.

– Primeira coisa: não forcei ninguém. Segunda: cobrando 500 francos, não se pode dizer que roubei. Aliás, guiei todos direitinho e sem incidentes. Teve uma mulher que perdeu o sapato e tivemos que procurar no meio dos arbustos, mas fora isso deu tudo certo. Além disso, está se esquecendo de uma coisa: precisamos de dinheiro pra sobreviver.

— Mas a gente podia ter... — tentei argumentar.

Mas ele tinha começado, e quando Maurice começava não havia jeito de interrompê-lo.

— Acha que está tudo resolvido agora que estamos em zona livre? Acha que as pessoas vão nos dar de comer porque temos uma carinha bonita? E se os policiais daqui nos pedirem documentos e não tivermos dinheiro, acha que vão facilitar as coisas pra nós?

Sinto que, mais uma vez, ele tem razão.

— E temos que pensar num jeito de ganhar dinheiro; esta noite fui eu, da próxima será sua vez de se virar um pouco, ou acha que só porque é o menor vai ficar sentado enquanto eu me mato de trabalhar como...

— Tá bom, não precisa gritar, eu já entendi!

Mas ele continua falando cada vez mais alto:

— E acha que foi divertido ir e voltar sete vezes, com 10 pessoas atrás de mim? Acha que não teria preferido dormir tranquilo, como você? E agora vem bancar o grande senhor e me dizer que eu não devia ter feito isso?

Dou um pulo de indignação.

— Eu nunca disse isso! Você não entende nada!

Com um gesto brusco, tira do bolso um maço de notas amassadas.

— Tome, vá devolver pra eles, se é isso que quer!

Olho atônito para o dinheiro que está agora em minhas mãos. Esse dinheiro que ele ganhou arriscando a vida, e que vai permitir que continuemos nossa viagem. Esse dinheiro que um menino completamente esgotado acaba de me entregar.

Desamasso as notas e devolvo para ele sem uma palavra. Ele se acalmou, com o queixo sobre os joelhos. Olha para o sol que acaba de aparecer.

Ficamos um bom tempo em silêncio. Finalmente pergunto:

— Vamos pegar mais um trem?

Ele sente na minha voz que estou tentando puxar conversa, me fazer perdoar.

— Sim, é melhor, conversei com um sujeito que guiei esta noite. A estação mais próxima fica em Aire-sur-l'Adour. Mas temos que tomar cuidado, porque tem policiais por toda parte e eles têm ordens de deter os judeus.

Por essa eu não esperava. Para que fazer toda essa viagem se é para reencontrar o mesmo inferno?

Maurice percebe meu desconcerto. Sacode a cabeça e acrescenta.

— Mas não é a mesma coisa, porque aqui são policiais franceses. Tem uns que deixam a gente passar, outros que querem dinheiro, e só alguns que obedecem cegamente às ordens. Mas pelo que ele me disse enquanto caminhávamos, não devemos ter problemas.

Estou com fome. A lentilha já está longe, e os rabanetes mais ainda.

— Será que não podemos pedir pro fazendeiro um pouco de pão e de leite? Graças a você, temos com que pagar.

Maurice estica as pernas cheias de câimbras.

— Sim, acho que estamos precisando.

Dez minutos depois, estávamos numa sala baixa que servia ao mesmo tempo de cozinha, quarto de dormir e refeitório. Na mesa, coberta por uma toalha encerada, marcada por círculos rosados de copos e garrafas de vinho, dois potes cheios de leite e duas grossas fatias de pão forradas, luxo supremo, com uma espessa camada de manteiga. Estávamos sozinhos com o fazendeiro, todos os outros tinham partido ao amanhecer, ou mesmo antes.

Ele nos observava comer. Continuava com seu casaco de lã, e eu me perguntava se algum dia o tirava. Talvez na primavera, mas com certeza tinha dormido com ele. À luz do dia, parecia mais velho, quase não tinha mais cabelos, e os pelos do bigode acompanhavam as rugas dos cantos da boca.

– Estão indo para longe?

De boca cheia, respondo:

– Vamos pegar o trem até Marselha.

Confio nele, na certa é um homem bom, mas já me acostumei com a ideia: melhor dizer sempre o mínimo possível.

Ele balança a cabeça.

– Então hão de ver muita coisa!

Olha para nós enternecido e acrescenta:

– Quando era pequeno e ia à escola, mais ao sul, num vilarejo do Hérault onde meu pai tinha castanheiros, o professor nos fazia ler um livro que se chamava *Os dois meninos que deram a volta na França*. Tinha desenhos no começo de cada capítulo. Vocês se parecem com eles.

Maurice termina de engolir e pergunta:

– E o que acontecia com eles?

O camponês faz um gesto vago com a mão.

– Não lembro direito, todo tipo de aventuras, mas sei que terminava bem.

Faz uma pausa e acrescenta:

– Só que não tinha alemães na história.

Terminamos de comer. Maurice levanta. O homem tira uma faquinha de cabo de madeira do bolso. A lâmina está toda gasta, parece um pequeno sabre. Pega o pão e o corta em dois grandes pedaços fazendo-o girar em torno da faca. E os estende para nós.

– Coloquem isso em suas bolsas, servirá para a viagem.

E mais uma vez, pegamos a estrada.

É uma estradinha que serpenteia mesmo quando o terreno é plano. Os campos estão vazios, a terra ainda cinzenta, e os arbustos formam manchas mais escuras. De longe em longe, uma fazenda. Um cachorro aparece do nada e começa a nos seguir. Está todo sujo de barro e parece apreciar muito nossa companhia. Sua cauda se agita quando, depois de ter se adiantado, espera por nós parado no meio da estrada.

Vinte e sete quilômetros a pé é mesmo de acabar...
Vinte e sete quilômetros a pé é de acabar com os sapatos...

Estamos longe de ter feito 27 quilômetros, não fizemos nem três, mas é a vigésima sétima vez que cantamos o refrão. Gritar bem alto é uma forma de esvaziar a mente e faz com que os músculos funcionem sozinhos. Se não fosse essa dor cada vez mais forte no calcanhar, me sentiria capaz de ir até Marselha andando, e até mais longe. Mas sinto que uma bolha está se formando, faz muito tempo que não tiro os sapatos. Tempo demais.

Um marco quilométrico: Aire-sur-l'Adour 19 km.

Dezenove quilômetros para vencer ainda.

– Quer um pedaço de pão?

Maurice faz um gesto negativo.

– Nunca durante o esforço. Todos os esportistas sabem que não se deve comer durante o esforço. Tira o fôlego.

– Mas nós não somos esportistas!

Ele dá de ombros.

– Não, mas ainda temos um longo caminho pela frente, então é melhor não.

Continuamos caminhando. O céu vai fechando pouco a pouco. Nossas sombras, antes nítidas e bem escuras, se tornaram imprecisas e acabaram desaparecendo.

Vinte e oito quilômetros a pé...

Se não encosto o calcanhar no chão, dói menos, melhor caminhar na ponta do pé esquerdo, vou pegando o jeito.

– Está mancando?

– Isso é problema meu.

Tenho a impressão de que os cubos brancos enfiados no acostamento a cada 100 metros estão ficando mais distantes. No começo estavam mesmo a 100 metros, agora parecem estar a mais de 300 um do outro.

Começo a sentir o tornozelo doer. Andar na ponta do pé faz os músculos trabalharem mais, acabo voltando a pôr o calcanhar no chão. Minha perna treme até a coxa. No ato, sinto a picada da bolha roçando no sapato.

Só sei que não vou parar, está fora de questão. Posso ficar com um coto de perna, mas ninguém há de dizer que atrasei a marcha. Aperto os dentes e assobio, com o cotovelo apertando a bolsa contra meu corpo para impedi-la de balançar.

Aire-sur-l'Adour 18 km.

De repente, Maurice sai da estrada e se senta ao pé do marco quilométrico. Apoia sua cabeça pálida sobre a ponta vermelha da pedra.

– Tenho que parar, estou moído, não dormi o suficiente.

Respiro aliviado.

– Durma um pouco, logo vai se sentir melhor, não temos pressa.

Ele nem sequer responde, vai logo se deitando no barranco.

Aproveito para desamarrar o cadarço do sapato. Como sempre, dei um nó cego, e levo horas para desfazer.

Como eu temia, a lã da meia está colada na pele. Tem um círculo cor de rosa no ponto em que o sapato estava roçando, do tamanho de uma moeda de um franco.

Se descolar, aí mesmo é que vai sangrar e doer. Melhor não.

Mexo devagarinho os dedos do pé para aliviar a dor.

Que bela dupla, um completamente acabado e outro com uma bolha. Nunca chegaremos a essa maldita cidade. Tudo estava indo bem demais.

Tiro um lenço da bolsa. Bem dobrado, bem passado, xadrez em verde e marrom. Improviso um curativo com ele por cima da meia, apertando bem contra a ferida. Assim vou sentir menos o roçar.

Custo um bocado para calçar o sapato, mas acabo conseguindo. Dou alguns passos tímidos na estrada. Parece que melhorou um pouco assim.

O cachorro está olhando para mim com a língua pendente e o focinho entre as patas. Parece um vira-lata parisiense, como os que se veem mijando nos postes entre as ruas Simart e Eugène Sue. Quem sabe se não é um refugiado também? Talvez tenha cruzado a linha como nós, se bobear é um cachorro judeu.

Ouço um barulho de rodas atrás de mim.

Num caminho perpendicular à estrada em que estamos, uma carroça avança puxada por um cavalo. Olho melhor: não é uma simples carroça, e sim algo muito mais elegante. Parece um fiacre descoberto, daqueles que aparecem em filmes de época.

Maurice continua dormindo.

Se o fiacre estiver indo para a cidade, temos que aproveitar. Dezoito quilômetros por vencer ainda, e 18 quilômetros não acabam apenas com os sapatos, mas também com as pernas dos pequenos, por mais que eles sejam grandes.

Não perco o veículo de vista. Ele vai virar. Esquerda ou direita? Se for para a esquerda, danou-se. Se for para a direita, temos uma chance.

Direita. Levanto e vou em sua direção. O cocheiro tem um chicote, mas não faz uso dele. Pelo estado do pangaré que está puxando, dá para adivinhar que não adiantaria muita coisa. Cada passo parece o último.

A poucos metros de mim, o homem puxa as rédeas.

Avanço mancando.

– Bom dia, senhor. Por acaso vai pra Aire-sur-l'Adour?

– Sim, vou quase até lá. Vou parar dois quilômetros antes, para ser exato.

Esse senhor tem uma distinção de outras eras, sinto vontade de fazer uma reverência.

– E o senhor... bem, o senhor não poderia levar a mim e a meu irmão em seu fiacre?

O homem franze suas grossas sobrancelhas. Aposto que eu disse algo que não devia. Ou então ele é da polícia, ou um colaboracionista que vai nos meter em encrenca por minha culpa. Devia era ter acordado Maurice para nos escondermos.

— Meu jovem amigo, esse veículo não é um fiacre, é uma caleche.

Olho para ele boquiaberto.

— Puxa, peço mil desculpas.

Minha polidez parece comovê-lo.

— Não tem importância, mas é bom, meu rapaz, aprender, desde a mais tenra idade, a nomear as coisas por seu nome correto. É ridículo chamar uma autêntica caleche de fiacre. Mas tudo isso tem apenas uma importância relativa, e podeis, tu e teu irmão, partilhar comigo este veículo.

— Muito agradecido, senhor.

Pulo num pé só até meu irmão, que continua dormindo de boca aberta, e o sacudo bruscamente.

— O que foi?

— Venha logo, tua caleche te aguarda.

— Minha o quê?

— Caleche. Não sabe o que é? Se disser fiacre você entende?

Ele esfrega os olhos, pega sua bolsa e, ainda atônito, contempla o veículo que aguarda por nós.

— Caramba — murmura —, onde foi arranjar uma coisa dessas?

Não respondo. Maurice cumprimenta respeitosamente nosso condutor, que nos olha sorrindo, e embarcamos.

A suspensão range, dá para ver as molas dos bancos em alguns pontos, mas, no final das contas, é bem confortável.

O homem estala a língua e partimos. Vira-se então para nós.

— Como podem constatar, a velocidade é bastante reduzida, o conforto é rudimentar, mas continua sendo preferível à marcha pedestre. Eu possuía um automóvel até seis meses atrás, mas ele foi requisitado, decerto para ser usado por um oficial qualquer na zona ocupada. Tive, portanto, que desenterrar essa antiguidade que se encontrava em estado razoável graças aos bons cuidados do meu caseiro.

Nós o escutamos fascinados, sem dar um pio.

— Mas permitam que me apresente: sou o conde de V.

Nossa, um conde! Eu os imaginava com um chapéu emplumado e uma espada no cinto, cheia de fitas, mas, se ele diz, deve ser verdade. De qualquer jeito, é o primeiro que vejo em toda a minha vida.

— Quanto a este cavalo, se ouso chamá-lo assim, foi o único que me restou. Infelizmente, seus dias estão contados, atingiu uma idade bastante respeitável para um cavalo e, muito em breve, não poderei mais atrelá-lo.

Aire-sur-l'Adour 17 km.

É verdade que a velocidade da viagem não aumentou muito. Nosso conde não para de falar. Participamos com monossílabos, ora eu, ora Maurice, para que ele não tenha a impressão de falar sozinho.

— Vejam bem, meus pequenos amigos, quando um país perde uma guerra como perdemos esta, de maneira tão clara e definitiva, é porque o poder desse país não se mostrou à altura de sua tarefa. E eu digo em alto e bom tom: a República não se mostrou à altura de sua tarefa!

Uma subida íngreme. Era só o que faltava. Agora vamos mais devagar que um carro fúnebre. O conde continua a discursar, apontando com o indicador para o céu.

— A França só foi grande na época dos reis. Durante a monarquia, nunca sofremos uma catástrofe como essa, nunca um rei francês aceitou ver seu povo colonizado por toda sorte de elementos estrangeiros, seitas, raças, que acabaram levando nossa nação para a beira do abismo...

Imaginava que ele fosse dizer algo desse tipo.

Continua discursando, não o ouço mais.

Aire-sur-l'Adour 16 km.

– Faltou à França um grande movimento de reação nacional que lhe permitisse, após um retorno às fontes profundas de seu gênio, reencontrar uma fé e, assim, uma força que só ela seria capaz de rechaçar o teutão para fora de nossas fronteiras. Mas nós perdemos essa fé.

A última frase foi pronunciada em voz baixa, cheia de melancolia. Tenho a impressão de que ele representa um papel, como no teatro, mas sem acreditar de verdade no que diz.

– Estas palavras novas, "liberdade, igualdade, fraternidade", contribuíram para tapar os olhos e o espírito das gerações que se sucederam, essas palavras insuflaram no povo uma esperança malsã, dissimulando os verdadeiros valores do gênio francês: os valores de Grandeza, de Sacrifício, de Ordem, de Pureza...

Com o canto do olho, percebo Maurice bocejando. Sigo o voo de corvos que fazem rodas sobre os campos. Que presa terão encontrado ali? Será que corvos comem cadáveres humanos? Como saber? Sinto vontade de perguntar ao conde, mas não quero interrompê-lo.

Aire-sur-l'Adour 2 km.

O conde vai nos deixar aqui. Já me preparo para descer, mas ele se vira para nós.

– Jovens, escutastes-me ao longo de todo o percurso com atenção e prudência. Não tenho dúvidas de que o que vos disse ecoará profundamente em vossas almas inexperientes. Sendo assim, para vos agradecer e recompensar, irei levar-vos até a cidade, desse modo poderei passear mais um pouco. Não precisam agradecer.

Com um gesto régio, vira-se de novo para a frente e sacode as rédeas sobre as costelas aparentes de seu velho cavalo.

Tenho medo de cair na risada se olhar para Maurice, por isso continuo observando o horizonte.

Agora se veem mais casas. Uma mulher no pátio da sua fica nos olhando passar, com um bebê no colo.

E foi assim que Maurice e eu, nascidos no distrito XVIII de Paris, perto da Porta de Clignancourt, chegamos à praça da estação de Aire-sur-l'Adour numa caleche do século XVIII, tendo por cocheiro o conde de V, descendente, dizem, de um herói da Batalha de Marignan (1515).

VI

Azul, branca e rosa. Falta pouco para a cidade ser da cor da bandeira nacional. Azul é o céu que a recobre, brancas as colinas que a rodeiam, e cor-de-rosa os telhados das casas que se estendem, se encavalam e iniciam ao pé da escadaria da estação Saint-Charles.

E por cima de tudo isso, a minúscula mancha dourada da Nossa Senhora da Guarda, que domina o conjunto.

Marselha.

Nada lembro da viagem, a não ser que foi muito diferente do trecho Paris-Dax.

Tínhamos dormido feito pedra e comido em plena noite um bom sanduíche de carne que uma senhora nos ofereceu no trem. E, para completar, ovos duros e biscoitos secos. Lembro de ter ficado uns 10 minutos com a boca colada na pia do lavabo, de onde escorria uma água morna e de gosto enjoado que não chegava a matar minha sede. Lembro também que houve mudanças de trem, longas esperas em estações desconhecidas onde funcionários escreviam a giz, sobre grandes quadros-negros, as horas de atraso dos trens. Foi uma viagem longa e lenta, mas feita num estado de agradável letargia: tínhamos dinheiro e tempo; ninguém prestava atenção na gente: dois meninos no meio da grande confusão dos adultos. Tinha a impressão de ser invisível, de poder entrar onde quisesse: a guerra tinha nos transformado em elfos com que ninguém se preocupava e que podiam ir e vir à vontade.

Recordo ter visto policiais passando quando estava deitado num banco debaixo de uma dessas imensas vidraças que havia nas grandes estações. Na verdade, havia policiais por toda parte, e, ouvindo suas conversas, ficamos sabendo que eles também tinham ordens de deter os judeus e enviá-los para os campos de trânsito.

E naquela manhã cristalina de inverno, afastadas as nuvens pelo poderoso vento mistral, voltávamos a pisar numa cidade grande, mas tão diferente de Paris!

No alto da escadaria reluzente, aturdidos pelo vento e pelo sol, ensurdecidos pelos alto-falantes despejando vozes que arrastavam as vogais que costumávamos engolir, a cidade se estendia a nossos pés, fervilhando sob os plátanos, ao som das buzinas dos bondes. Descemos e penetramos pela grande entrada do imenso circo que era Marseille: o Bulevar d'Athènes.

Soube mais tarde que o porto era uma espécie de Chicago europeia, com direito a gângsteres, drogas e prostitutas.

Paul Carbone reinava ali. Há filmes e livros que contam isso. Deve ser verdade, mas não gosto de ouvi-la. Marselha, para mim e para Maurice, que andávamos de mãos dadas para não nos perder, foi naquela manhã, naquele dia, uma grande festa risonha, ventosa, meu mais lindo passeio.

Só pegaríamos outro trem à meia-noite, já que o das 6 horas da tarde tinha sido cancelado. Por isso, tínhamos tempo.

Às vezes o vento nos pegava de lado e avançávamos feito caranguejos, rindo. Todas as ruas subiam ou desciam, a cidade se espalhava pelas colinas como um queijo.

Paramos numa grande encruzilhada e descemos um largo bulevar cheio de gente, de lojas, de cinemas.

Não que aquilo nos assombrasse, dois parisienses vagabundos do distrito XVIII não iam se deixar impressionar por algumas fachadas de cinema, mas havia naquilo tudo uma alegria, uma vivacidade que nos maravilhava.

Numa esquina, havia um grande cinema azul, com janelinhas como as de um velho navio. Aproximamo-nos para olhar as fotos e os cartazes. O filme que estava passando era *As aventuras do Barão de Münchausen*, um filme alemão com Hans Albert, o grande ator do III Reich. Numa das fotos, ele viajava pelos ares em cima de uma bala de canhão. Em outra, lutava com seu sabre contra uma horda de espadachins. Fiquei logo com água na boca.

Dei uma cutucada em Maurice:

– O ingresso não é caro...

Ele olhou para o caixa e respondeu:

– Só abre às 10 horas...

Ou seja, estava de acordo! Eu dançava de impaciência na calçada.

– Vamos andar um pouco por aí e depois voltamos.

Continuamos seguindo o grande bulevar. Os restaurantes tinham imensas áreas cobertas onde homens de chapéus cinza liam jornais, fumando cigarros como se não houvesse racionamento. De repente, a rua se abriu, e o vento nos atingiu com toda a força. Estacamos. Maurice foi o primeiro a reagir.

– Caramba, o mar!

Nunca tínhamos visto o mar, e não passava pela nossa cabeça que o encontraríamos daquele jeito, tão subitamente, sem aviso prévio, desvelando-se a nossos olhos despreparados.

Ali estava, balançando os barcos do Porto Velho, entre Saint--Jean e Saint-Nicolas, estendendo-se a perder de vista, salpicado de ilhas brancas, minúsculas e ensolaradas.

À nossa frente, a ponte transportadora, frotas de embarcações e o *ferryboat* que fazia uma de suas primeiras viagens do dia.

Chegamos o mais perto possível, até a beira do cais. A água, tão azul ao longe, ali parecia verde. Era impossível determinar o ponto preciso em que o verde se tornava azul.

– Bom dia, amiguinhos. Que tal conhecer o castelo de If? É só embarcar.

Erguemos a cabeça.

O sujeito tinha cara de marinheiro de mentirinha, enfiado num capote, com um quepe de oficial e pernas magras, perdidas numa calça branca grande demais para ele.

Não havia muitos turistas naquela época. Ele mostrava para nós um barco amarelo que balançava suavemente, com banquetas vermelhas e uma amurada que precisava desesperadamente de uma nova mão de tinta.

Quanta coisa se podia fazer em Marselha! Cinema, barcos, viagens que alguém lhe propunha assim, à queima-roupa. Bem que gostaria de conhecer o castelo de If, um castelo em pleno mar devia ser algo maravilhoso!

Lentamente, como que hesitante, Maurice fez que não com a cabeça.

– E por que não? Crianças pagam meia! Não vão me dizer que não dispõem dessa pequena soma! Vamos, subam!

– Não, balança muito, vamos ficar enjoados.

O homem riu.

– Pensando bem, acho que têm razão.

Tinha olhos claros e bons. Observou a gente mais atentamente.

– Pelo sotaque, logo se vê que não são daqui...

– Somos de Paris.

Chega a tirar as mãos dos bolsos de entusiasmo:

– Paris! Conheço bem Paris, meu irmão mora lá, é encanador na Porta de Itália.

Conversamos um pouco, ele queria saber como andavam as coisas por lá, se não estavam difíceis demais com os alemães. Em

Marselha, o mais difícil era a comida, não tinha mais nada, nos mercados da Rua Longue, atrás dos Reformés, na Plaine, só se encontravam abobrinhas; as pessoas faziam fila por um pé de alface e brigavam por uma batata.

– Olhem só minha calça.

E nos mostrou a cintura frouxa.

– Em um ano perdi 12 quilos! Venham, vou mostrar pra vocês o motor do meu barco.

Subimos, encantados. O leve balanço era agradável. Na proa, numa espécie de cabana de jardim, ficava o motor. Ele nos explicou para que servia cada coisa, da hélice ao carburador. Era um apaixonado por náutica – e um tagarela terrível, não foi fácil nos livrar dele.

Contornamos o porto pelo cais de Riveneuve, havia barris, enormes carreteis de corda, um cheiro salgado de aventura. Da Rua Fortia, eu esperava ver surgir uma legião de piratas. Tinha que admitir que aquilo era um pouco melhor do que os canais da Rua Marcadet, onde flutuavam nossos barquinhos de papel.

– Vamos pegar o barco pra atravessar?

– Vamos.

Era um barco de fundo chato. Os passageiros se espremiam atrás dos vidros para se proteger do vento. Nós ficamos na parte externa, nos deixando fustigar, sentindo o cheiro do sal penetrar nossa pele.

A viagem era curta, dois ou três minutos, não mais. Porém, dava para ver a cidade lá em cima: a Avenida Canebière era como um traço reto que cortava os telhados em dois.

Do outro lado do cais era bem diferente. Um labirinto de ruazinhas minúsculas com roupas penduradas em varais estendidos da janela de uma casa até a do outro lado da rua. No entanto, o sol nunca devia penetrar ali.

Passeamos um pouco. As ruas tinham escadas e a água suja escorria bem no meio por uma canaleta.

Comecei a me sentir inquieto. No vão escuro das portas, mulheres conversavam, a maioria sentada em cadeiras de palha, outras nas janelas, com os braços cruzados sobre o parapeito.

De repente, Maurice gritou.

– Minha boina!

Foi uma mulher enorme que a tirou, tinha peitos gigantescos e gelatinosos, ria com todos os dentes, revelando as obturações.

Por reflexo, tirei a minha e enfiei no bolso. Ainda não disse que usávamos boinas. As crianças de hoje em dia não usam mais, decerto têm a cabeça menos frágil do que as de antigamente.

O fato é que a boina de Maurice percorreu rapidamente um longo caminho. Em alguns segundos, deixou a cabeça de seu proprietário, foi lançada para trás pela mulher enorme até as mãos de uma moça seminua na penumbra de um corredor, e, de repente, uma voz nos fez erguer a cabeça.

Numa janela do primeiro andar, uma mulher ainda mais gorda que a primeira segurava entre seus dedos rechonchudos o precioso boné. Ela também ria.

– Venha, bonitinho, venha buscar.

Agoniado, Maurice observava sua bela boina basca girando entre os dedos da gorducha.

Olha para mim.

– Não posso deixá-la, vou ter que buscar.

Ainda sou novo, mas já conheço um pouco a vida. Tem mulheres parecidas com essas perto de Clignancourt e, na escola, os alunos maiores falavam muito delas no recreio. Seguro Maurice pelo braço.

– Não vá, Beniquet diz que elas passam doenças e pegam seu dinheiro.

Essa dupla perspectiva não parece seduzir muito meu irmão, mesmo assim ele insiste:

– Mas não posso deixar minha boina pra elas!

As moças continuam a rir. Uma resolve mexer comigo agora.

– E o menorzinho, vejam que fofo, foi logo tirando a dele, não tem nada de tolo.

Continuamos no meio da rua, e outras janelas se abrem. Daqui a pouco, o bairro inteiro estará ao nosso redor.

Uma mulher muito alta abre a porta do café vizinho, lembro até hoje da sua cabeleira ruiva, uma verdadeira chama que lhe descia até os rins. Gritou para aquela que segurava a boina:

– Maria, não tem vergonha de se meter com crianças? Devolva logo pra ele.

Maria continuou a rir com sua cara gorda, mas logo, obediente, nos devolveu a boina.

– Andem logo, sumam daqui, seus pestinhas!

Maurice pegou a boina no ar, enfiou-a até as orelhas e pusemos sebo nas canelas. Aquela rua subia quase tanto quanto Montmartre. Era mais suja, porém mais colorida. Perdemo-nos no bairro do Panier, e um relógio soou 10 horas!

Tínhamos esquecido o cinema: o mar, o barco, as prostitutas: motivos de sobra para se atrasar.

Foi o mar que nos serviu de referência. A partir do momento em que pudemos avistá-lo, ficou mais fácil. Voltamos ao porto e retomamos o grande bulevar que era a Avenida Canebière.

Três minutos depois, estávamos instalados na terceira fileira diante da tela, com as bolsas sobre os joelhos e as mãos enfiadas nos bolsos. Estávamos sozinhos, ou quase; a imensa sala não estava aquecida. Havia uma dupla de mendigos atrás de nós; ao redor de suas poltronas, uma montanha de pacotes e sacolas que impediam a passagem.

Primeiro passaram notícias, apresentadas por um homenzinho bigodudo que se chamava Laval e falava com a gente sentado atrás de uma mesa, com olhos globulosos que pareciam nos repreender. Depois vimos tanques na neve, e compreendi que eram alemães esperando a primavera para atacar Moscou. O narrador dizia que, apesar do frio, o moral dos homens estava alto, e víamos na tela dois soldados que agitavam diante da câmera as mãos cobertas de luvas brancas.

Depois, um trecho sobre a moda em Paris: mulheres dando voltas com os lábios pintados de preto, imensos chapéus e saltos altos. Tinham sido filmadas em ruas, diante de monumentos: a Torre Eiffel, o Arco do Triunfo e, para terminar, o Sacré-Cœur.

Por um curto instante, perdidos naquele cinema marselhês, revimos nosso bairro; e aquilo me recordou bruscamente que quase não tinha pensado em nossos pais desde a partida. Eles deviam estar pensando na gente, e eu adoraria poder lhes contar que tudo estava dando certo e que amanhã mesmo chegaríamos à nossa meta sãos e salvos.

A sequência se prolongou, e tive a esperança de que o diretor nos mostrasse suas modelos na Rua de Clignancourt, em frente ao salão do meu pai. Mas é claro que isso não aconteceu: os fotógrafos dos anos 1940 fugiam dos bairros populares como da peste. Buscavam o sublime e o grandioso: Versalhes, os chafarizes da Praça de la Concorde, Notre-Dame, o Panteão, nunca saíam desses lugares consagrados.

Houve um entreato interminável, e eu e Maurice ficamos brincando com as palavras que estavam escritas na cortina que cobria a tela. Eu dizia a primeira e a última letra, e ele tinha que adivinhar qual era a palavra. Quando acertava, era minha vez.

No final, ele ficou bravo, pois a palavra que eu tinha escolhido estava escrita em letras bem miudinhas; nos empurramos, trocamos tapas, socos, e a briga começou.

O passo pesado e quase paquidérmico de uma lanterninha que descia o corredor nos acalmou instantaneamente. Trocamos ainda alguns pontapés dissimulados por baixo do assento, e o filme começou.

Como era um cinema de sessões contínuas, assistimos três vezes, uma atrás da outra.

Vi muitos filmes desde então, alguns muito feios, outros muito bonitos, alguns cômicos, outros comoventes, mas nunca mais fiquei tão maravilhado quanto naquela manhã. Os estudiosos do cinema hitleriano deveriam considerar isto: a produção nazista foi capaz de fabricar uma obra que encantou completamente dois meninos judeus.

A propaganda faz coisas...

Saímos dali às 4 horas da tarde, com os olhos cheios de sonhos, mas também com uma bela de uma dor de cabeça, que o ar livre logo dissipou.

Estávamos bem descansados, mas eu sentia uma fome de lobo. Sem nem sequer me consultar, Maurice foi entrando numa confeitaria.

Numa estante de vidro, havia doces impossíveis, feitos sem ovo, nem manteiga, nem açúcar, nem farinha. O resultado era uma espuma rosada no meio de uma massa grudenta e resistente ao mesmo tempo, com uma uva-passa e um quarto de cereja em conserva por cima.

No quarto doce, pedi arrego.

Ainda de boca cheia, Maurice olhou para mim e disse:

— Ainda temos muito tempo antes do trem, o que vamos fazer?

Não demoro a me decidir:

— A gente podia ir ver o mar mais um pouco.

Não ousamos ir muito longe. Pegar o bonde estava fora de questão. Os poucos que circulavam estavam lotados, havia pencas de rapazes agarrados às portas. O máximo que fizemos foi ir até a catedral, lá onde começam as grandes docas, onde o porto mais se parece com uma fábrica, com seus guindastes, seus cabrestantes, seus aparelhos de levantamento e reparação de barcos. Fomos contornando as grades do cais como dois emigrantes que estivessem tentando embarcar clandestinamente.

Maurice apontou para o mar:

– Pra lá, fica a África.

Olho na direção apontada como se fosse ver surgirem macacos, leões, toques de tambores e dançarinos mascarados com saias de ráfia.

– E Menton, onde fica Menton?

Ele aponta para a esquerda.

– Para lá, perto da Itália.

Penso um pouco e acrescento:

– E o endereço, você tem o endereço?

– Sim. Mas, de qualquer jeito, vai ser fácil encontrar. Não deve haver muitos salões de cabeleireiro.

– E se tiverem trocado de ofício?

É a vez de Maurice parar para pensar. Então, ergue a cabeça:

– Por que você tem sempre que complicar tudo?

Está aí o tipo de frase que me deixa fora de mim.

– Quer dizer que sou eu que sempre complico tudo?

– Isso mesmo, você sempre complica tudo.

Rio com sarcasmo.

– E por acaso fui eu que deixei que roubassem minha boina?

Ele faz um gesto involuntário para verificar se o objeto em questão continua em sua cabeça.

– E lá é minha culpa se aquela velha tirou da minha cabeça? Você, que é tão bem-falante, devia ter ido buscar ela.

– A boina não era minha, você tinha era que deixar de ser otário.

Ficamos nos insultando por alguns minutos antes de voltar a caminhar a passo ligeiro. Essas briguinhas nos faziam um bem danado, era assim que mantínhamos nossos laços de fraternidade, e sempre nos sentíamos melhor depois de um bom arranca-rabo.

Começa a escurecer, hora de voltar para a estação. Pegamos um ônibus que para a cada 50 metros. Leva um bom tempo para chegarmos.

Subimos a escadaria ladeada por enormes estátuas simbólicas. Antes de entrar no grande saguão, olho para a cidade. Sei que a estação de uma cidade já não é a cidade, e que aqui, na estação Saint-Jean, já não estou mais realmente em Marselha. Marselha está ali, perdeu seu colorido com o passar das horas, seu zum-zum-zum ainda chega até mim, misturado ao gemido dos bondes. Sei que nunca a esquecerei, é uma bela cidade, uma cidade de sol, de mar, de cinema, de prostitutas, de barcos e de boinas roubadas.

Xixi no banheiro, no subsolo da estação.
O cheiro de cloro é forte e meus sapatos ressoam terrivelmente.
Subo de volta e me deparo com as pernas de dois policiais que bloqueiam a entrada.
Não me viram, estão de costas para mim.
Descer de volta? Melhor não, devem ter me ouvido.
Esgueiro-me entre eles, cuidando para não esbarrar.
– Com licença...
Deixam-me passar e sigo adiante devagarinho, com o andar ao mesmo tempo contido e espontâneo de quem nada deve e nada teme.
– Ei, você aí! Para onde está indo?
Sinto um suor frio escorrer por todos os meus poros. Será que nossa sorte acaba de virar?
Dou meia-volta e me aproximo deles. Têm caras realmente feias. Encontrei outros bem mais simpáticos depois, e posso dizer que estes eram mesmo do estilo buldogue. Tiro a boina com toda a educação.
Esse gesto, e talvez o fato de eu ter lavado as mãos e o rosto no banheiro, e de ter molhado o cabelo e me penteado, dividindo o cabelo numa linha reta, tudo isso pode ter agido a meu favor. Há momentos em que uma coisinha de nada pode determinar se nossa vida vai continuar ou acabar.
– Vou pegar o trem.

Eles são enormes e parecem gêmeos. Mantêm as mãos nas costas e balançam sobre os calcanhares.

– Isso a gente já sabe. Tem documentos?

– Não, estão com meu pai.

– E onde está seu pai?

Olho para trás, tem um bocado de gente no saguão, na outra ponta, perto do guichê de bagagens.

– Lá do outro lado, está cuidando das malas.

Continuam olhando para mim. Se me pedirem para levá-los até meu pai, estou ferrado.

– Onde mora?

– Aqui em Marselha.

– Em que rua?

– Na Avenida Canebière, em cima do cinema.

A mentira é uma coisa engraçada, sai sozinha e costuma funcionar, desde que não se fique pensando demais. Sinto vontade de acrescentar mais e mais, capaz de inventar toda uma autobiografia. Não resisto:

– Meu pai é o dono do cinema.

Se não me mandarem calar a boca logo, vou acabar contando que somos os donos da cidade inteira.

Não parecem muito impressionados, mas formulam a próxima pergunta já em outro tom.

– Quer dizer que vai bastante ao cinema?

– Sim, a cada novo filme que sai. Agora está passando *As Aventuras do Barão de Münchausen*, uma maravilha.

Não pensava que fossem capazes de sorrir. Mas quase conseguem.

– Está bem, pode ir.

– Até a vista, senhores.

Recoloco a boina e saio andando. Estou quase decepcionado por já ter acabado. Mas é melhor ter cuidado para não me seguirem, tenho que ficar esperto.

Maurice está à minha direita, sentado num banco, do lado de fora da sala de espera. Sigo direto em direção ao lugar onde disse que meu pai estava. Faço zigue-zagues entre as bagagens e os grupos de viajantes, e me arranjo para que o último vagão do trem fique entre mim e os dois meganhas.

Não fiz nenhum sinal ao meu irmão, que, por sua vez, não se mexeu. Deve ter compreendido que tinha alguma coisa errada.

O melhor a fazer por enquanto era ficar no meio da multidão, mas sem dar a impressão de estar me escondendo. E evitar que nos vejam juntos, Maurice e eu. Misturo-me aos grupos, mas, de repente, vejo-os vindo em minha direção.

Meu coração para de bater. Devia ter desconfiado que aqueles crápulas não iam deixar barato. E eu que estava tão orgulhoso por tê-los enrolado! É bom ficar sempre com um pé atrás: o momento em que acreditamos ter vencido é sempre o mais perigoso.

Os dois vêm vindo, devagar, sempre com as mãos nas costas.

Passam na frente de Maurice, que continua sentado ao lado de uma boa senhora. O sujeito ao meu lado, que está consultando o quadro de horários, deve ter uns 30 anos. Podia ser meu pai, por isso vai ser. Assumo uma expressão alegre e lhe pergunto que horas são.

Ele fica surpreso por duas razões: a primeira é que tem um relógio de três metros de diâmetro bem na nossa frente, a segunda, imagino, é que deve estar se perguntando por que sorrio tanto ao lhe perguntar isso.

Olha para mim um instante, com ar de troça.

– Não sabe ler as horas?

Dou uma risada alegre que parece surpreendê-lo ainda mais. Vai acabar achando que sou idiota. Com o rabo do olho constato que os policiais estão passando por nós, mas a uns 10 metros de distância. Com o barulho ambiente não vão escutar o que estamos dizendo.

— Sim, é claro que sei ler as horas!

— Nesse caso, é só levantar os olhos que ficará sabendo.

Os dois deram uma olhada para nós e passaram. Aquele senhor nunca soube que por alguns breves segundos foi, aos olhos de dois guardas, proprietário de um grande cinema no centro de Marselha e pai de um menino de 10 anos.

Viro-me um pouco e, de repente, sinto uma mão pousar em meu ombro. Tenho um sobressalto, mas é Maurice.

— O que houve?

Levo-o para trás de uma coluna e explico a situação.

Ele também parece preocupado, e tem boas razões para tanto.

— Ouvi as pessoas conversando, estão fazendo vários controles na estação. Na sala de espera da segunda classe tem um monte de gente detida. Estão controlando todo mundo.

Olhamo-nos sem dizer nada.

— O que vamos fazer?

Ele apalpa as passagens no fundo do bolso.

— Podemos sair da estação, mas aí perderemos as passagens, que só valem pra esta noite. Não me parece boa ideia ficar em Marselha. Onde dormir? Talvez possamos achar um hotel, mas aí também deve haver verificações.

— Olhe pra esquerda.

Um regimento inteiro de policiais acaba de entrar. O comandante tem um quepe cheio de linhas douradas, deve ser no mínimo um capitão.

Maurice murmura um palavrão.

O trem que devemos pegar ainda não chegou. À nossa frente, a plataforma está vazia, os trilhos mergulham na escuridão e vão se juntar lá adiante, onde a noite se faz mais espessa.

Tenho uma ideia:

— Se seguirmos os trilhos não chegaremos a outra estação?

Maurice faz que não com a cabeça.

– Péssima ideia, poderíamos ser atropelados e, além disso, tem caras trabalhando nos trilhos, aí mesmo é que seríamos notados.

Enquanto discutimos, os policiais se espalharam e agora exigem documentos das pessoas que esperam nas plataformas. Vejo alguns serem levados para a sala de espera. O círculo está se fechando, e estamos bem no meio dele.

No mesmo instante, o alto-falante anuncia a chegada do nosso trem. Há um momento de tumulto, os trens são poucos e lotados, por isso os passageiros pegaram o costume de se lançar avidamente sobre os raros assentos livres. Nós nos metemos na confusão e somos dos primeiros a entrar no trem. Mais uma vez, temos sorte: os controladores não tinham trancado as portas, e pudemos subir.

No corredor, Maurice me diz:
– Se houver um controle, a gente se esconde embaixo de um banco, não vão nos procurar ali.

Não fiquei muito convencido, mas não houve controle.

Com meia hora de atraso, o trem partiu, e soltamos um grande suspiro aliviado. Aquela era a última etapa.

A viagem foi longa, íamos devagar, quase parando, ou melhor, parando mesmo. Volta e meia o trem se detinha no meio do nada, ninguém entendia a razão. Ferroviários passavam ao lado do nosso vagão, e eu, meio sonâmbulo, ouvia suas vozes, seu sotaque, seus xingamentos.

Amanheceu quando estávamos passando por Cannes, e depois devo ter adormecido. Maurice me acordou, e, sem saber direito como, depois de ter passado por cima dos corpos deitados no corredor, me vi no meio de uma praça. Palmeiras balançavam suas folhas sobre minha cabeça, as primeiras palmeiras que via além daquelas, nanicas e retorcidas, entrevistas num domingo de verão em que minha mãe nos levou ao Jardim de Luxemburgo.

Quatro meses em Menton.

Dizem que a cidade mudou um bocado. Construíram arranha-céus como em todo litoral, mansões, novas praias, até a fronteira com a Itália e mais adiante. Durante a guerra, ainda era uma cidadezinha enriquecida graças aos turistas ingleses e a alguns milionários tuberculosos que tinham vindo terminar seus dias ao sol. Os grandes hotéis e o sanatório estavam ocupados pelo Estado-maior italiano e um mínimo de tropas que levavam ali uma *dolce vita*, tomando banhos de mar no verão e, no inverno, vagabundeando pelas ruas, pelos jardins, diante do antigo cassino. Eu era um menino turbulento, mas a cidade me enfeitiçou desde o primeiro instante com seu charme antiquado, suas arcadas, suas igrejas italianas, suas velhas escadarias e o velho trapiche de onde se podia avistar a cidade velha e as montanhas que mergulhavam no Mediterrâneo.

Assim que chegamos, nos oferecemos um verdadeiro banquete para os padrões da época num pequeno restaurante perto da estação. A garçonete gostou da gente e arranjou para nós os melhores bocados da cozinha.

Saímos dali meio pesados, mas dispostos a procurar nossos irmãos.

O salão ficava numa bonita construção, na esquina de uma rua larga que leva ao museu.

Foi Maurice o primeiro a ver. E a me dar um cutucão:

– Olha!

Apesar dos reflexos da vitrine, dá para ver o interior. O cara alto passando a navalha numa nuca inclinada é Henri, o mais velho.

Quase não mudou. Talvez um pouquinho mais magro. Ainda não nos viu.

– Vamos entrar!

O sininho sobre a porta tilinta. O outro cabeleireiro se vira para nós, a mulher que está no caixa nos olha, os clientes nos olham pelos espelhos, todo mundo nos olha, exceto Henri.

Ficamos parados de pé, no meio do salão.

A mulher que está no caixa intervém:

— Sentem-se, meninos...

Henri finalmente se vira e fica parado, com a navalha na mão.

— Ora, ora, ora, aqui estão os pequenos delinquentes!

Inclina-se e nos abraça. Continua cheirando bem, o mesmo perfume de sempre.

— Sentem-se, preciso apenas de dois minutos.

Com rapidez e habilidade, dá uma raspadinha abaixo das suíças, uma última tesourada atrás da orelha, uma espanada na nuca, mostra o resultado ao freguês no espelho e tira a toalha de seu pescoço.

— Pode me dar cinco minutos, senhora Henriette? Preciso falar com esses dois.

A patroa concorda e nós saímos.

Pega em nossas mãos e nos arrasta a grandes passos para a cidade velha; durante o trajeto, perguntas e mais perguntas:

— E o pai e a mãe? Como fizeram para cruzar a linha? Chegaram quando?...

Vamos respondendo juntos, até que consigo perguntar:

— E o Albert?

— Hoje é o dia de descanso dele, deve estar em casa.

— Onde é a casa de vocês?

— Já vai ver.

Subimos em direção à Igreja Saint-Michel através das ruas sinuosas. Escadarias descem para o mar, estamos na Rua Longue. Lembro-me de Marselha e do roubo da boina, lá também havia roupas penduradas das janelas. Um pequeno arco une os dois lados da rua na altura do primeiro andar das casas.

Quase sob o arco, Henri entra por uma porta baixa. Descemos uma escada de degraus altos e estreitos.

— Não façam barulho, vamos fazer uma surpresa.

Gira a chave na fechadura, e nos encontramos numa pequena sala de jantar com um grande balcão provençal, uma mesa redonda e três cadeiras. Pela fresta da porta do quarto, percebemos Albert, que lê deitado na cama.

– Trouxe convidados!

Albert estranha.

– O que está fazendo aqui? Não devia estar no salão?

– Adivinha quem está aqui?

Albert não costuma ter muita paciência. Salta da cama e entra na sala.

– Ora, ora, ora, os pequenos delinquentes!

Saltamos em seu pescoço, estamos muito contentes, a família volta a se encontrar.

Eles nos servem limonada, pão e chocolate. Pergunto como conseguem todo esse luxo, e Henri me explica que, com um pouco de astúcia, é possível se virar.

Contamos nossas aventuras desde o início. Não se cansam de nos ouvir, e os cinco minutos de Henri se tornam uma boa hora. Também nos contam como tinha sido para eles. Houve um controle da polícia alemã no trem, e um jovem muito magro foi o primeiro a apresentar seus documentos, todo sorridente, a inocência e a bonomia encarnadas.

O alemão leu, soletrando com dificuldade:

– Rauschen...

Gentilmente, o jovem o ajudou:

– Rauschenberger. Simon Rauschenberger.

O policial fez cara feia:

– Você é francês?

O gentil jovem sorridente confirmou com a cabeça.

– De Paris, distrito XVI, Rua de Alésia.

O alemão coçou o queixo, perplexo.

– E qual é sua religião?

Rauschenberger deu uma tossidinha discreta.

– Católica, naturalmente. Mas atenção...

E erguendo um dedo sacerdotal:

– Católica ortodoxa!

Claramente traumatizado, o policial devolveu os documentos. E nem sequer pediu os de Henri e Albert, que estavam ali ao lado.

– Ainda temos muito para contar, mas, por ora, precisamos alojar esses dois.

– Para quebrar o galho, vamos pôr um colchão na sala. Tem lençóis e cobertores no armário, ficarão como reis, e arrumarão a cama vocês mesmos.

Henri voltou para o trabalho. Albert esquentou água na cozinha e encheu uma grande bacia onde nos lavamos com um sabão preto, uma massa viscosa que estava dentro de uma lata. Não cheirava a rosas, mas desensebava muito bem. Estava mais do que necessitado, meu último banho tinha sido em Paris.

Colocamos roupas limpas, embora um pouco amarrotadas, que tiramos de nossas bolsas, e nunca me senti tão leve.

– Agora – disse Albert –, vocês vão fazer compras. Aqui está o dinheiro e uma lista. Hoje é dia de festa.

Subimos as escadas, cada um com uma bolsa de compras, atravessamos a rua e fomos dar na praia de Sablettes, ao pé da cidade velha.

A areia estava dura, a praia não era muito grande, mas não tinha ninguém. Alguns barcos de pesca, com suas redes suspensas, e umas ondinhas que mal chegavam a rebentar. Corremos, pulamos, dançamos, gritamos, estávamos bêbados de alegria e de liberdade. Dessa vez, tínhamos recuperado pra valer nossa amada liberdade.

Já com os cabelos e os sapatos cheios de areia, acabamos nos jogando nela, depois nos molhamos um pouco e saímos dali a contragosto.

Nas pracinhas, pescadores jogavam bocha, conversando no dialeto da região, que se parecia com o italiano.

Nas lojas, sempre perguntavam nossos nomes, e Maurice respondia: "Somos irmãos de Henri e Albert". Aí as coisas ficavam fáceis, todo mundo parecia conhecê-los. Mesmo sem cupom, o açougueiro nos vendeu um pedaço de carne gigante, e a verdureira, quatro quilos de batata, seis ovos, uma alface e 100 gramas de farinha peneirada.

Decididamente, nossos manos pareciam se virar bem.

Voltamos para casa carregados como mulas.

– Irmãos Joffo, descascar batatas!

De facas na mão, nos instalamos na cozinha, e foi então que notei, surpreso, que da janela tínhamos vista para o mar. Devíamos estar pelo menos no quinto andar!

Morar no quinto andar e descer escadas para chegar em casa me parecia algo um tanto mágico.

Preparamos o banquete, e, quando Henri chegou com uma garrafa de vinho, a mesa estava posta, as batatas douravam na frigideira e eu não me aguentava mais, parecia que a saliva ia escorrer pelo queixo.

Nem me lembro direito da refeição. Albert nos serviu meio copo de vinho, deve ter sido isso que acabou comigo. Depois do queijo (10% de gordura, já era outra coisa), ouvi Maurice falar da estrela amarela, do padre de Dax, dos policiais de Marselha e adormeci na mesa, com a cabeça sobre os braços.

Dormi por 17 horas seguidas.

Os três dias seguintes foram maravilhosos.

Henri e Albert saíam cedo, eu e Maurice levantávamos lá pelas 9 horas e, depois de tomar café da manhã, íamos jogar futebol na praia. As bolas eram raríssimas naquela época. Foi a proprietária do apartamento que nos emprestou uma, e meu amor pelo futebol data daquela época. Maurice era o goleiro. Fazíamos "traves" com nossos casacos e eu chutava até perder o fôlego, urrando de triunfo quando fazia um gol.

Tínhamos a praia inteira para nós. Raros passantes nos observavam do alto do parapeito.

Fazíamos compras e preparávamos nosso próprio almoço, já que Henri e Albert comiam com seus patrões. Eu era o especialista em macarrão. Depois de cozida a massa, colocava numa forma com um pouco de *cancoillote*, um queijo amanteigado que era fácil de encontrar por ali e que substituía o *gruyère*, e punha no forno para gratinar: uma delícia.

À tarde, saíamos para explorar a região, e o território de nossas investigações crescia a cada dia. No segundo, na Baía de Garavan, descobrimos uma enorme mansão de venezianas fechadas. Estava cercada por um longo muro e, através do portão fechado por uma pesada corrente, dava para ver um jardim verdejante, que mais parecia uma floresta virgem. Tarzan devia andar por ali, e eu me admirava por não vê-lo saltando de galho em galho,

O lugar estava deserto. Os proprietários deviam estar longe. Talvez a guerra os tivesse feito fugir, talvez estivessem mortos. O fato é que não estavam ali.

Com a ajuda dos galhos baixos de uma pereira e de uma pequena escada, penetramos no coração desse paraíso.

Havia estátuas por baixo das trepadeiras e uma piscina vazia, de azulejos amarelos, coberta de musgo. Brincamos uma tarde inteira ali dentro, escalando pedestais, fazendo intermináveis duelos, até que soaram 6 horas na Igreja Saint-Michel.

Voltamos correndo para casa, pois era nossa tarefa pôr a mesa e arrumar o apartamento.

Depois do rápido jantar, fomos nos deitar. Uma vez na cama, Maurice foi logo dizendo:

– Olha só, Jo, a gente tá se divertindo bastante, mas não acha que poderíamos tentar ganhar algum dinheiro?

Apontou para o quarto dos nossos irmãos e acrescentou:

– Assim poderíamos ajudar um pouco.

Estava na cara que eles ganhavam bem, mas duas bocas a mais para alimentar faziam diferença, ainda mais que o apetite era grande. Maurice tinha dado a eles o que sobrara dos 20 mil francos, mas tinha razão, não podíamos ser sustentados pelos dois até o fim da guerra. E tinha mais uma coisa: desde que deixamos Paris, nos acostumamos a contar unicamente com nossos próprios recursos: estávamos descobrindo o prazer de nos virar, crianças, num mundo de adultos.

Não creio que nossa decisão de trabalhar tenha vindo de uma enorme consciência moral de nossa parte. Simplesmente, ganhar a vida com a nossa idade tinha se tornado a melhor das brincadeiras, mais interessante, no fundo, do que nossas peladas na praia ou nossas vagabundagens em mansões abandonadas.

Depois das 4h30 da tarde, horário em que terminavam as aulas, encontrávamos às vezes garotos da nossa idade. Tivemos que ouvir alguns "Quem vem de Paris tem meleca no nariz, quem de Paris vem não tem vintém", mas, nessa idade, estar de posse de uma bola de futebol pode resolver muitas coisas.

Em alguns dias tinha me tornado amigo de um menino da minha idade, chamado Virgilio, que morava numa antiga casa da Rua Bréa.

Depois de algumas partidas de tava (com um osso de vaca) na frente da casa dele, me contou que durante as férias cuidava do gado numa fazenda de montanha perto de Sainte-Agnès. Pagavam razoavelmente bem, o patrão era gentil, mas ele só podia trabalhar nas férias.

Resolvi falar disso com Maurice naquela mesma noite, orgulhoso por já ter um projeto. Foi então que o encontrei na Rua Longue, com um grande avental azul e os cabelos e as sobrancelhas sujos de farinha. O danado tinha se antecipado e já estava trabalhando na padaria do fim da rua.

Peguei algum dinheiro com Henri e, no dia seguinte, às 8 horas da manhã, fui até a praça do mercado e peguei o ônibus para Sainte-Agnès.

Com a cara encostada na janela, vi o mar se afastando enquanto o latão ia sacolejando, cuspindo a fumaça preta do gasogênio e subindo a estrada a 15 por hora. A cidadezinha estava meio abandonada. Era um vilarejo tipicamente provençal, daqueles que se veem em cartões-postais e que atraem turistas que gostam de pedras velhas.

Nas ruazinhas, ainda mais sinuosas que as de Menton, encontrei um velhinho tocando um burro carregado de lenha e perguntei o caminho para a fazenda do senhor Viale. Era o nome que Virgilio tinha me passado.

Ele me explicou, não sem dificuldade, e me vi subindo uma trilha montanhosa, totalmente perdido num cenário grandioso de rochedos, escarpas e ravinas.

Tinha comigo minha inseparável bolsa e, enquanto subia a trilha cada vez mais abrupta, ia mordendo uma grande bolacha que Maurice tinha trazido da padaria na véspera. Ele agora abastecia a família toda em matéria de pão, farinha e doces. Eu queria fazer minha parte em matéria de leite, manteiga, queijo, tudo o que desse para levar da fazenda.

Era evidente que, se fosse trabalhar ali, teria de ficar morando. Virgilio tinha me avisado que eu dormiria num quartinho em que uma das paredes era uma pedra da própria montanha. Nada muito confortável, mas não era isso que ia me deter.

Finalmente, cheguei a um pequeno planalto que ia aos poucos se alargando. As plantações em terraços desciam até o vale e, depois de dois ou três quilômetros de caminhada solitária, encontrei a sede da fazenda.

Tinha uma velha cabana no meio, de telhas romanas amareladas pelos anos de sol, mas o proprietário edificara ao lado uma casa alta, que lembrava mais os galpões de periferia entre Saint-Denis e Pierrefitte do que uma construção meridional. Havia também hangares de blocos de concreto e telhas de zinco que deviam servir de celeiro e depósito.

Avancei com cuidado, pois imaginava que houvesse cachorros, mas consegui penetrar no pátio sem que nenhum deles aparecesse.

Fui até a porta da casa e bati.

Foi a senhora Viale que abriu.

Embora eu fosse ainda muito novo, aquela figura me impressionou imediatamente por sua estranheza. Mais tarde, lembrando dessa mulher, me dei conta da razão de tamanha surpresa, embora então não entendesse o porquê. Ela tinha pertencido à alta sociedade parisiense, e me contou muitas vezes que seus pais moravam em Saint-Germain. Seu pai era diplomata. Ela tinha aprendido golfe, equitação, bordado, piano, cravo, e passava longas horas lendo os grandes escritores em seu quarto luxuosamente decorado, bebendo chocolate quente.

Aos 22 anos, embora cortejada por muitos pretendentes, ainda não tinha feito sua escolha entre os diversos candidatos à sua mão – e foi no inverno desse ano de 1927 que começou a tossir de maneira estranha. Uma vez, teve uma crise violenta de tosse enquanto tomava um café no restaurante Lasserre, crise que deixou uma mancha escura no fino lenço de musselina usado para abafar a tosse. Sua mãe a levou ao médico, que diagnosticou uma infiltração no pulmão esquerdo.

Naquela época, para uma jovem de sua classe social, o tratamento prescrito era este: ir morar em Menton.

Sua mãe a instalou numa mansão afastada da cidade e do sanatório, para não se misturar com a ralé, e ali ela viveu com uma dama de companhia e uma cozinheira.

A dama de companhia tinha 17 anos, a cozinheira, 64.

Ao cabo de alguns meses, revigorada pelo ar puro, começou a fazer passeios pelo campo, usando um simples bastão como bengala.

Num dia de primavera de 1928, seguindo uma trilha acidentada, torceu o tornozelo. Ficou três horas sentada numa pedra, pensou que nunca ia passar ninguém, que não seria resgatada e que morreria de insolação apesar de seu chapeuzinho. Estava começando a esperar a chegada dos abutres quando ouviu passos sobre o cascalho: o senhor Viale, proprietário e trabalhador, estava voltando para sua fazenda.

Tinha cerca de 30 anos e um bigode à la Clark Gable, só que mais espesso. Pegou a moça no colo e a levou para a casa dele.

Catorze anos depois, ela não tinha saído dali.

Foi um escândalo só. Casaram-se três meses depois apenas no civil, pois o senhor Viale era agnóstico, e a família dela rompeu com eles.

Ela se adaptou muito bem a sua nova condição de fazendeira, dando milho às galinhas, trocando a palha dos estábulos, rachando lenha, capinando, semeando, colocando em todos os seus gestos a distinção e a elegância que são o resultado de uma educação requintada.

Contou-me essa história pelo menos quatro vezes na primeira semana que passei na fazenda. Enquanto alimentava os animais, ouvia uma peça de Händel, Bach ou Mozart, que colocava num fonógrafo, no volume máximo. Em seu quarto, havia pilhas de discos de 78 rotações, embalados em capas cinza furadas no meio para que se pudesse ver o nome do disco. Também lia muito, e me emprestou as obras completas de Anatole France, por quem nutria especial admiração. Confessou ler também Pierre Loti de vez em quando, mas considerava isso uma recreação culpada a que sucumbia periodicamente, como um membro da academia que devora romances policiais às escondidas.

Antes mesmo que o senhor Viale chegasse, eu já sabia que conseguiria o emprego e que meu trabalho não consistiria tanto em limpar os estábulos dos raros animais restantes, nem em tirar o mato que cresce depois da chuva ao pé das cepas de vinha, mas sobretudo em escutar a patroa, com a bunda num pufe e uma xícara de chá na mão.

Quando o patrão chegou, expliquei que tinha conversado com Virgilio, que precisava de trabalho e que faria tudo o que ele mandasse, etc.

Ele aceitou na hora. Até hoje acho que foi mais para agradar sua mulher do que para eu realmente ajudá-lo nos trabalhos da fazenda. Eu não era nem alto nem forte, e mesmo estufando o peito não devo tê-lo impressionado muito. Mas o importante foi que consegui o emprego, e, já naquela noite, dormi no quartinho descrito por Virgilio. O salário foi combinado, e adormeci feliz como um rei: estava trabalhando, não era mais um peso para os meus irmãos, ia ganhar meu próprio dinheiro. Aquela não era a estação do trabalho duro, e eu saía de manhã com o patrão para "bricolar", como ele dizia. Consertávamos muros de pedra, e minha função era segurar o fio de prumo; também preparava a argamassa e a levava para o senhor Viale, que tapava buracos na parede da casa velha montado numa escada. Passei duas manhãs limpando garrafas com uma escova, usando luvas de borracha grandes demais para mim, que chegavam até meus cotovelos. Nunca tinha visto tantas garrafas na minha vida, o porão estava cheio delas.

Comia com eles, e a senhora Viale me contava outros detalhes de sua vida pregressa: sua visita à exposição no parque de Bagatelle, em julho de 1924, sua festa de debutante, a primeira valsa vienense dançada com um oficial italiano, etc.

O senhor Viale escutava fumando seu cachimbo, depois se levantava.

Eu me dispunha a acompanhá-lo, mas ele me detinha com um gesto.

– Descanse um pouco, trabalhou duro essa manhã.

Não me atrevia a dizer que preferia ir com ele para as plantações ou arrumar o telhado do hangar a escutar a infindável narrativa sobre a alta sociedade do entreguerras. Sabia que aquilo também fazia parte do meu trabalho, era um acordo tácito entre mim e ele.

Dez dias se passaram assim, entre as galinhas, os patos, a argamassa, Anatole France e as eternas histórias da minha querida patroa. Comia muito bem e tinha esquecido a guerra. Meus patrões não pareciam se preocupar muito com ela. Ele achava que não adiantava nada ficar falando disso, ela considerava que a guerra era uma coisa indigna, feita por pessoas mal-educadas e vulgares, e que as pessoas de bom gosto deviam falar de outros assuntos.

Uma noite, depois da sopa, uma sopa grossa cujos legumes inteiros misturados com longos fios de macarrão caíam no estômago como cimento quente, perguntei ao senhor Viale se podia ir à cidade no dia seguinte, uma segunda-feira, para ver meus irmãos. Partiria no ônibus da manhã e estaria de volta às cinco da tarde.

Ele não viu nenhum inconveniente nisso e, enquanto sua esposa jogava xadrez comigo, jogo em que ela tinha me iniciado, colocou um envelope na mesa: meu pagamento.

Desci a montanha na manhã seguinte, como previsto, levando, além do meu dinheirinho, uma caixa de sapato cheia de ovos embrulhados em jornal e um bom quilo de toucinho magro, inestimáveis tesouros. Já podia ver a omelete gigantesca que eu e Maurice faríamos para o almoço.

Agradeci e parti para Sainte-Agnès. Lembro de ter me virado para olhar a fazenda perdida no meio do vale, cercada de montanhas, essa fazenda onde uma vida tinha se construído, uma vida feliz, embora tão diferente do que deveria ter sido. Vi a senhora Viale atravessar o pátio, do tamanho de um soldadinho de chumbo, pensando que ali seria um bom lugar para viver até o retorno da paz. Estaria a salvo de tudo, bastaria viver e esperar.

Teria sentido uma dor profunda se, naquele instante, soubesse que nunca voltaria à casa dos Viale, nem jamais iria revê-los.

Tinha certeza de que encontraria meus irmãos em casa. Segunda-feira os comércios eram obrigados a fechar, e eles deviam aproveitar para enrolar na cama. Talvez Maurice já tivesse descido para brincar na praia.

Ao descer do ônibus na praça do mercado, de frente para o chafariz, sentia comichão nos pés de vontade de chutar a bola e marcar alguns gols. Subi a Rua de Paris a toda velocidade, segurando firme minha bolsa para não quebrar os ovos, depois peguei a Rua Longue. A porta da casa estava aberta, e logo entrei em nosso apartamento.

Ao contrário do que tinha imaginado, estavam todos de pé. Albert e Maurice estavam de pijama, tomando o café da manhã. Henri estava terminando de tomar um café perto da janela, usava um terno azul escuro, camisa branca e gravata. Havia uma mala fechada num canto da mesa.

Antes de fechar a porta eu já sabia que tinha acontecido alguma coisa.

Abraçamo-nos, e Albert me chamou de "pequeno caipira" com uma alegria forçada. Fui logo perguntando:

– O que foi que aconteceu?

Ninguém me respondeu, e Maurice me serviu uma caneca de café com leite desnatado sem desapertar os dentes. Henri, que estava com cara de quem não dormiu à noite, resolveu me colocar a par da situação.

– Recebemos más notícias.

Tinha uma carta em cima do armário, com um monte de carimbos, a maioria deles representando uma águia.

Engoli em seco.

– Nossos pais?

Albert fez que sim com a cabeça.

– Melhor dizer de uma vez, eles foram detidos.

Eu tinha me esquecido de tudo naqueles últimos dias, vivendo nas minhas montanhas, longe dos homens, com uma senhora que me contava belas histórias e um valente fazendeiro. Aquilo tinha bastado para que tudo desaparecesse. Bruscamente, fui trazido de volta à dura realidade, e senti um gosto amargo na boca. Consegui balbuciar:

– Como foi?

Henri retomou a palavra e me explicou o essencial. Meu pai e minha mãe tinham deixado Paris, já que a situação para os judeus piorava a cada dia. Uma noite, fizeram uma enorme busca no bairro, da qual eles escaparam por pouco. Então decidiram abandonar tudo, pegaram ônibus e mais ônibus – os trens tinham se tornado impraticáveis para quem não tinha a *Ausweiss*, a carteira de identidade fornecida pelos alemães –, e finalmente chegaram perto de Pau, completamente esgotados. Tinham conseguido cruzar a linha de demarcação depois de muitas peripécias, mas acabaram sendo detidos pelas autoridades de Vichy e jogados num campo de detenção. De lá conseguiram enviar a carta que meus irmãos tinham acabado de receber.

O que Henri não me contou foi que o campo onde estavam detidos era um campo de trânsito, de onde, todos os dias, partiam trens que levavam os prisioneiros para verdadeiros campos de concentração.

Li a carta. Foi meu pai que escreveu. Minha mãe só tinha acrescentado uma linha depois da assinatura dele: "Beijo vocês todos. Coragem!".

Não se queixavam de nada, e dava para ver que tinha sido escrita às pressas. Mesmo assim, ele dizia no final: "Se encontrarem os dois pequenos delinquentes, coloquem-nos na escola, é muito importante, conto com vocês para isso".

Ergui os olhos para meus irmãos.

– E o que vamos fazer?

Henri apontou para a mala:

– Está vendo, vou atrás deles.

Eu não estava entendendo bem.

– Mas, se for lá, vão prender você. Se sabem que eles são judeus, saberão que você é também.

Albert sorriu com tristeza:

– Foi o que eu disse ontem à noite. Mas conversamos madrugada adentro e concordamos quanto a um ponto: temos que tentar fazer alguma coisa.

E ficou brincando com a colher, tentando equilibrá-la na beira da caneca.

– Voltarei o quanto antes – disse Henri –; enquanto isso, Albert continuará no salão e, ainda esta tarde, vai matricular vocês na escola. Foi legal vocês terem trabalhado, mas eu fiz mal em não cuidar bem de vocês. Nosso pai está numa situação difícil, mas mesmo assim pensou nisso. Vocês vão fazer o que ele disse e estudar direitinho, certo?

Maurice e eu não gostamos nem um pouco da ideia, mas não tínhamos como dizer não.

– Certo.

Dez minutos depois, Henri tinha partido.

Ao meio-dia, fizemos uma maravilhosa omelete com toucinho. Albert ficou extasiado com meu pagamento e, sobretudo, com o que eu tinha trazido. Mas era uma alegria falsa, apenas de superfície.

Às 13h30 entrávamos no pátio da escola. Albert pediu para falar com o diretor.

O diretor quis ver nossos históricos escolares, e foi com alívio que pensei que eles deviam estar bem guardados sob uma pilha de outros na escola primária da Rua Ferdinand Flocon, no distrito XVIII de Paris, a mais de mil quilômetros dali. Ficamos esperando de braços cruzados o fim daquele palavrório, com a esperança secreta de que, sem documentos e sem históricos, seria impossível nos matricular. Não entendia tudo o que estavam dizendo, mas parecia que as dificuldades eram insuperáveis.

Finalmente, após uma longa negociação, o diretor, um homem de fisionomia bem típica do sul da França, com um enorme relógio de pulso que me fascinava particularmente, se recostou na poltrona com um suspiro profundo.

Olhou para mim e para Maurice de cima a baixo, farejando dois possíveis pestinhas, e disse:

– Está bem, de acordo, considerem-se matriculados, vou conduzi-los até seus professores.

Maurice ficou verde. Eu devia estar com a mesma cor.

– Agora mesmo? – gaguejou.

O diretor franziu as sobrancelhas. Para ele, essa pergunta devia representar nosso primeiro ato de insubordinação. Nossa visível falta de entusiasmo era uma ofensa e uma infração notória.

– Naturalmente, agora mesmo – disse em tom severo.

Albert teve piedade de nós.

– É melhor deixar para amanhã de manhã, ainda tenho que comprar mochilas e cadernos para eles.

O diretor resmungou, contrariado:

– E não se esqueça do quadro de giz individual, vão precisar dele. A escola fornece os livros.

Deixamos o escritório, saudando-o respeitosamente.

No pátio, ouvimos uma voz fazendo um ditado. Logo reconheci aquele ambiente.

Maurice continuava fulo da vida.

– Que babaca, esse cara, já queria nos enfiar numa sala de aula, sem sequer nos deixar tomar fôlego.

Albert ria.

– Acho melhor vocês andarem na linha, ele já farejou as pestes que vocês são.

Graças às pessoas que tinha conhecido no salão, Albert conseguira cupons para comprar roupas, e nossa última esperança se foi: logo me vi diante de um espelho velho, nos fundos da loja de um alfaiate, com o maldito uniforme: bata preta com uma listra vermelha. Para Maurice, a mesma coisa, um tamanho acima.

Em seguida, fomos atrás da mochila, do estojo e dos cadernos. Não tinha escapatória, estávamos prontos para a escola.

Albert foi ver uns amigos, e nós, depois de deixar as compras em casa, fomos chutar tristemente nossa bola.

Não conseguimos entrar no espírito do jogo, então corremos pelo trapiche até o cassino, fechado desde o início da guerra e cuja pintura estava começando a descamar.

Maurice me contou sobre seu trabalho na padaria, e eu expliquei como fazia argamassa e como lavar milhares de garrafas o mais rápido possível. Tudo no mais melancólico dos tons.

Embora não falássemos disso, não parávamos de pensar em nossos pais. Não ia ser naquela noite nem na próxima que nosso pai nos contaria histórias de arrepiar os cabelos sobre os *pogroms* da Europa do Leste. Agora era ele que estava vivendo um *pogrom*, o pior de qualquer história.

À noite fizemos outra omelete, dessa vez com batatas, e Albert nos mandou dormir cedo.

Apagou a luz às 8 horas e proclamou:

– Amanhã, escola!

Custei para adormecer. Naquela hora estaria jogando xadrez com a senhora Viale. Decididamente, eram tempos perturbados, não se podia estar certo de nada.

Na manhã seguinte, descobri que meu professor era uma professora.

Na verdade, nada mais natural, uma vez que os homens tinham ido para a guerra, morrido ou sido feitos prisioneiros, e só restavam professoras ou aposentados, que tinham sido reempregados para educar os jovens franceses naqueles anos de ocupação. Maurice pegou um desses, um velhinho de barbicha que tinha se aposentado havia décadas e que tentava 300 vezes por dia impor silêncio a uma matilha desvairada de 35 alunos, em meio a uma chuva de bolinhas de papel.

A cada noite meu irmão me contava histórias que faziam supor que participava ativamente das batalhas, fabricando aviõezinhos complexos e galinhas de papel, ganhando bolinhas de gude e não aprendendo absolutamente nada.

Não tive a mesma sorte, mas a verdade é que nossa professora era jovem, eu a achava bonita e simpática, e, sem me dar conta, estudava bastante.

O governo de Vichy, julgando que as crianças francesas poderiam estar sofrendo privações, mandava distribuir todo dia, às 4 horas da tarde, biscoitos vitaminados que suscitavam as mais complexas e intermináveis transações. Para os mais mirrados, a enfermeira da escola distribuía pastilhas supervitaminadas e colheradas de óleo de fígado de bacalhau. Na mesma hora, na França inteira, ocupada ou não, alunos de 6 a 14 anos engoliam o purgante com a mesma careta de nojo.

Como eu não ganhava a pastilha, negociava com meu vizinho a dele em troca de bolinhas de gude. Depois recuperava no recreio, pois estava com a pontaria cada vez melhor. Aliás, os irmãos Joffo logo ganharam fama de ter boa mira, o que sempre é apreciado numa região onde o jogo oficial é a bocha.

Maurice recorria a todas as artimanhas possíveis, perdia partidas de propósito, para fazer acreditar que seu jogo decaíra, mas mesmo assim ia ficando difícil arranjar adversários.

Eu retomei minha camaradagem com Virgilio, e nos tornamos verdadeiros amigos. Sempre parávamos na frente da casa dele depois da aula e ficávamos jogando, até o anoitecer, partidas de tava, que ele preferia às bolinhas de gude. Gostava tanto que jogava o ano inteiro, o que é excepcional nos meios escolares, nos quais a molecada costuma mudar de brinquedos ao longo dos meses e das estações.

Os dias iam passando e a vida não estava tão ruim assim, mas continuávamos sem notícias de Henri e dos meus pais.

Toda noite, dava uma olhada na velha caixa de correio pendurada na porta, mas nem sinal de cartas, e já fazia oito dias que Henri tinha partido.

Albert estava cada vez mais nervoso. Percebia isso em cada gesto seu. Fumava sem parar e estava sempre de mau humor.

Seguindo o princípio de que sempre se deve tentar alguma coisa, mesmo quando tudo indica que não há nada a fazer, anunciou uma noite que, se não tivéssemos notícias até o fim da semana (era quinta-feira), ele partiria na segunda-feira... Deixaria dinheiro e a gente teria que se virar. Se não voltasse em 10 dias, deveríamos deixar Menton e ir até um vilarejo do Maciço Central, onde morava uma das nossas irmãs mais velhas, escondida lá há mais tempo do que nós.

– Entenderam bem?

Eu tinha entendido muito bem que a gente tinha se separado, voltado a se encontrar, e que agora ia se separar de novo. Aquilo nunca teria fim?

A lâmpada iluminava apenas um círculo preciso sobre a mesa. Nossos rostos ficavam na sombra, apenas nossas mãos viviam na luz.

Já tinha terminado as lições de casa, mas empurrei meu prato para pegar o livro de geografia. Tinha que decorar o resumo de um texto sobre as hidrelétricas para a manhã seguinte.

Maurice se levantou em silêncio e empilhou os pratos na pia, era o seu dia de lavar a louça.

No momento em que estava abrindo a torneira, ouvimos uma chave na fechadura: Henri entrou, com o rosto radiante. Albert ficou pálido.

– E então?

— Estão livres!

Não houve intervalo entre a pergunta e a resposta. Henri soltou sua mala e tirou a gravata como um herói de romance policial; depois, sentindo o cheiro de omelete que ainda pairava no ar, comentou:

— Pelo jeito, passaram bem enquanto eu corria a França atrás de nossos queridos pais...

Só tinha sobrado um ovo, e Albert o pôs para cozinhar enquanto Henri começava seu relato. Já sem sapatos, remexia os dedos do pé dentro das meias.

Era uma longa história. Pela primeira vez fomos dormir tarde desde que a escola tinha começado.

Assim que chegou a Pau, Henri se informou sobre a localização do campo e logo o encontrou. As famílias judias estavam presas no estádio de futebol da cidade. Centenas delas. Os detidos ficavam em barracas. Os policiais os vigiavam. Nenhuma visita era permitida. Fazia-se necessário obter uma audiência com o comandante do campo, mas ele quase nunca as concedia. Essa decisão tinha também razões econômicas, pois a afluência dos recém-chegados poderia perturbar a circulação dos alimentos na cidade. A 200 metros da entrada, havia um barzinho no qual os policiais vinham tomar café antes de pegarem no serviço, café em que o dono colocava uma boa dose de aguardente em troca de uma moeda suplementar entregue através de um aperto de mão.

Henri, sem saber muito o que fazer, estava bebendo no balcão. Puxou conversa com um policial, que lhe disse que não havia o que fazer. Henri contou que seus pais tinham sido detidos por engano, que eram pessoas modestas, que nunca tinham feito política, que não eram judeus, e que seu pai estava vindo trabalhar no salão de cabeleireiros onde ele era empregado. O policial tinha se mostrado compadecido, mas tinha ido embora sem oferecer ajuda, e Henri estava a ponto de sair também quando o policial voltou com um sargento, que lhe estendeu uma tesoura.

– Será que poderia dar uma desbastada? Estou de serviço e não tenho tempo de ir até o centro. Acontece que o capitão não perdoa os cabelos longos e tenho medo de perder minha folga. Como o François disse que você é cabeleireiro...

Logo estavam nos fundos do bar. O sargento pôs um guardanapo no pescoço, e Henri, com a tesoura, uma navalha emprestada pelo dono do bar e a água da cafeteira fez o melhor corte de sua vida.

Todos ficam satisfeitos. Henri não aceita pagamento, mas pede ao sargento que interceda junto ao coronel que comanda o campo para que aceite recebê-lo.

O sargento hesita um pouco e acaba dizendo: "Não prometo nada, mas esteja na saída do estádio amanhã às 10 horas da manhã, verei o que consigo".

Henri passa a noite num hotel perto do famoso castelo de Henri IV, hotel que, seja dito de passagem, estava cheio de baratas.

Às 10 horas, se apresenta no posto de guarda. É mandado embora pelas sentinelas, volta, teme, por um instante, ser preso também, até que finalmente vê o sargento da véspera chegando pelo corredor central, entre as barracas que têm cada uma um número pintado com alcatrão.

O sargento o faz entrar e o leva até um barracão de blocos de concreto afastado dos outros. No caminho, lhe diz mais ou menos isto:

– O coronel concordou em receber você, mas tome cuidado, ele está uma arara. É sempre meio assim, mas hoje está pior que o normal.

Henri agradeceu, bateu à porta indicada, entrou numa sala onde esperou 10 minutos, numa segunda onde esperou 20 e, finalmente, numa terceira onde um homem de bigode grisalho, nariz adunco e careca não lhe deu tempo nem de se apresentar. Seu discurso foi curto e grosso:

— Henri Joffo, seja breve e não esqueça que ao entrar aqui está arriscando perder sua liberdade sem obter a de seus pais. Por certo está informado de que temos ordens para deter todos os judeus.

— Mas, senhor diretor...

Não era fácil lidar com aquele sujeito, e Henri percebeu isso logo de saída.

— Não admito nenhuma exceção. Tenho aqui cerca de 600 suspeitos e, se soltar um que seja sem razões válidas, terei que soltar os outros também.

Henri então mergulhou de cabeça. Era a passagem que ele tinha maior dificuldade de contar.

— Senhor diretor, eu sou francês, lutei em Dunquerque e em Flandres na campanha da Bélgica. Se vim aqui falar com o senhor, não foi para mendigar um favor ou solicitar uma exceção que o senhor teria o dever de recusar, venho para informá-lo de que houve um equívoco e que ninguém é judeu em nossa família.

O diretor fez uma careta e, naturalmente, perguntou que provas tinha daquilo. Henri o descreveu para nós com tamanha riqueza de detalhes que tenho a impressão de ter assistido à cena e visto esse homem, soldado tacanho mas honesto, e a atitude militar usada por Henri deve ter impressionado favoravelmente.

— Em primeiro lugar, é fácil ver que minha mãe é católica, o senhor tem em mãos a certidão de nascimento e a carteira de identidade dela. Seu nome de solteira é Markoff, e eu desafio quem quer que seja a encontrar um judeu russo chamado Markoff. Além disso, os Markoff são descendentes diretos do ramo mais novo dos Romanov, portanto, da família imperial, com que temos parentesco.

Henri se deu ao luxo de acrescentar:

— Qualquer um que tenha conhecimentos históricos da Rússia tzarista sabe que seria completamente impossível que um membro da família imperial fosse judeu, isso teria feito desabar todas as igrejas da Grande Rússia cristã e ortodoxa.

– E quanto ao seu pai?

Essa era a parte difícil. O grande blefe.

– O senhor não ignora, meu coronel, que todos os judeus foram destituídos da nacionalidade francesa pelas autoridades alemãs. Ora, meu pai é francês, como pode averiguar nos documentos que tem em sua posse. Se ele é francês, é porque não é judeu, não existe opção intermediária. Para confirmar, basta o senhor telefonar para a prefeitura de Paris.

Bebíamos cada palavra de Henri, que ia falando e fumando todos os cigarros de Albert, pegando um atrás do outro no maço deixado sobre a mesa. Em outras situações seu dono certamente teria impedido isso de acontecer, mas naquele momento nem estava notando.

– Foi um golpe arriscado – comentou Henri –, mas eu achava que meus argumentos eram suficientemente sólidos e que ele não ia se dar ao trabalho de telefonar. Não me parecia alguém pessoalmente comprometido com a caça aos judeus, algo me dizia que aquele trabalho de carcereiro não o agradava e que libertaria duas pessoas tendo razões para isso. Mas estava enganado. Assim que terminei minha frase, ele pegou no telefone.

Henri imitou a cena, colocando em seu ouvido um telefone imaginário:

– Telefonista? Por favor, Paris, a prefeitura de polícia, serviço de pesquisas de identidade.

Henri retomou sua voz normal e confessou:

– Não foi fácil continuar com uma expressão tranquila. Devia mesmo manifestar a satisfação de alguém que vai ter seus argumentos confirmados, pois o desgraçado não tirava os olhos de mim enquanto esperava no telefone; se tivesse percebido em meu comportamento um vestígio de insegurança, eu estaria perdido e iria parar no compartimento reservado aos recém-detidos.

Deu mais um trago em seu cigarro e o esmagou no pires que servia de cinzeiro. A fumaça agrediu meus olhos.

— Enquanto aguardávamos, eu ainda tinha uma esperança, a de que não fosse possível estabelecer comunicação entre Pau e Paris. Afinal, era uma grande distância, e bem que algum circuito podia estar danificado, ou algo do tipo. Eu me agarrava ao que podia. Também pensava que, mesmo que conseguisse falar com Paris, talvez não obtivesse a informação, imaginava enormes arquivos, toneladas de papéis poeirentos, a imagem que se costuma ter da burocracia... A espera se estendia, e eu ia ficando mais confiante com o passar dos minutos. Em algum momento, cansado de perder tempo, ele iria desistir, maldizer a incompetência dos serviços responsáveis e nos liberar.

Mas não foi o que aconteceu. Eu podia ver a cena, escutar as vozes no meu cérebro de criança. A de Henri, a voz seca e clara do coronel, e um grasnar distante do outro lado da linha, uma voz recoberta às vezes pelo barulho e da qual dependia a vida ou a morte dos meus pais e do meu irmão.

— Alô, é do serviço de pesquisas de identidade?

— ...

— Aqui é o coronel T., do campo de trânsito de Pau. Gostaria de uma informação a respeito de Roman Joffo, com dois F, morador da Rua de Clignancourt, cabeleireiro. Ele foi destituído da nacionalidade francesa?

— ...

— O filho dele está aqui comigo, e...

— ...

— Não, a mãe não é judia, e ele garante que o pai também não.

— ...

— De acordo, espero na linha.

Quando vejo alguém telefonando, sempre observo o olhar que lança a quem está na sua frente. Como sua atenção está em outro lugar, quem telefona olha de uma maneira diferente, distante, como se estivesse olhando para uma pedra, uma cadeira, um objeto um pouco incômodo que o surpreende por sua presença e sua forma. Imagino que fosse esse o olhar que o comandante do campo lançava ao meu irmão.

– Sim, estou escutando.

– ...

– Isso, Joffo, Rua de Clignancourt, 86...

– ...

– Certo, entendido.

– ...

– Perfeitamente, muito obrigado.

O coronel desliga, olha para Henri, que está de pernas cruzadas, observando tranquilamente o céu pela janela.

Levanta-se e diz:

– De fato, seu pai não perdeu a nacionalidade francesa. Darei ordens para que seja liberado, assim como sua mãe.

Henri se levanta e faz uma reverência:

– Meus respeitos, coronel, e muito obrigado.

Meia hora depois, os três estavam juntos. Henri os abraçou, pegou as malas, e andaram até a ponto de ônibus. Só deixaram extravasar sua alegria e seu nervosismo quando estiveram a salvo, trancados no quarto do hotel.

Foi a vez de Albert pegar um cigarro.

– E como eles estão?

– Bem, um pouco mais magros e precisando de descanso: dormiram por horas a fio. Já estavam até conformados, tinham certeza de que seriam deportados.

Henri olhou para mim e para Maurice.

– Ficaram muito felizes quando disse que vocês estavam com a gente, mandaram beijos.

– Mas onde estão agora? – perguntou Maurice.

– Em Nice. Ainda não iremos visitá-los, precisam de algum tempo para se instalar. Assim que estiverem prontos, vão nos avisar, e aí iremos vê-los.

Perguntei então:

– E como foi que o cara de Paris disse que o pai não era judeu?

Henri voltou a ficar sério.

– Pensei muito nisso, e conversei com o pai também. Há várias explicações possíveis. A primeira é que a destituição ainda não tivesse sido registrada, um atraso nas papeladas, um equívoco, sempre é possível. Ou então...

Vi que ele estava hesitando.

– Ou então?

– Ou então o cara que respondeu disse qualquer coisa porque não encontrou o dossiê... ou fez de propósito.

Houve um silêncio, rompido por Albert.

– Disso eu duvido muito. O pessoal da prefeitura de polícia de Paris deve ter sido escolhido a dedo, e me surpreenderia muito que entre eles haja um amigo dos fracos e oprimidos, capaz de arriscar seu cargo e sua pele para salvar pessoas que nem conhece. Eu opto pela primeira explicação: um atraso nos registros.

Ficamos todos pensativos.

– De qualquer jeito – lançou Maurice –, nunca saberemos por quê. Mas o importante é que deu tudo certo, é isso.

Eu estava com uma ideia na cabeça, e me aventurei timidamente.

– Talvez tenha sido outra coisa.

Henri me lançou um olhar zombeteiro.

– Atenção, o grande detetive Joseph Joffo vai revelar os segredos do mistério! Pode dizer, estamos escutando.

Continuei com minha ideia:

– Talvez tenha sido o coronel!

Olharam para mim sem compreender.

– Como assim? – disse Albert. – Explique-se.

– Ora, talvez tenham dito no telefone que o pai era judeu, mas ele disse o contrário para poder soltá-los.

Continuaram me olhando, mas com uma expressão diferente. Pareciam querer encontrar um segredo entre meus olhos, onde começa o nariz, e eu me senti constrangido sob a intensidade dos seus olhares.

Henri foi o primeiro a reagir:

– Caramba, está aí uma hipótese que nem sequer passou pela minha cabeça.

Albert olhou para Henri:

– Acha que esse cara seria capaz de uma boa ação dessas? Combina com o jeito dele? Com sua função? Com seu caráter?

Henri pôs os cotovelos sobre os joelhos e pareceu se perder na contemplação dos azulejos vermelhos do chão da cozinha.

– Não sei não – acabou dizendo. – Para ser sincero, acho que não, não consigo imaginar ele... Parecia tão rígido, tão cumpridor das regras, o sargento tinha me dito que era um sujeito durão, rigoroso... mas vai saber! Pensando bem, nunca se sabe.

E olhando para mim:

– Sabe de uma coisa, Jo, se um dia você não souber o que fazer da vida, pode se tornar escritor de romances policiais.

Fiquei todo cheio de mim e fui dormir com a certeza absoluta de ter encontrado a solução: um herói que escondia sua generosidade sob uma máscara desagradável e rabugenta era uma hipótese bem mais sedutora do que um simples erro administrativo.

Sim, meus pais – e meu irmão – tinham sido salvos assim.

De lá para cá, confesso que mudei de opinião.

Quatro dias depois da chegada de Henri, recebemos a primeira carta de Nice. Estavam se virando bem. Num bairro um pouco afastado, tinham alugado um apartamento e dois quartos no andar de cima. Além disso, meu pai já tinha se informado: seria fácil para Albert e Henri conseguirem trabalho num salão da cidade.

E ele também trabalharia, é claro. A alta temporada estava se aproximando, a cidade ia ficar cheia. Em linhas plenas de amargura, nos dizia que "apesar das desgraças que se abateram sobre a França", os hotéis, o cassino e as casas noturnas continuavam lotados, como se a guerra só existisse para os pobres. Terminava pedindo que esperássemos mais um pouco, e dali a um mês ou dois poderíamos ir para Nice. Então voltaríamos a nos reunir, como em Paris.

Para mim, "um mês ou dois" era um prazo bastante impreciso e, sobretudo, muito longo. Estava ansioso para revê-los e para conhecer aquela magnífica cidade, cheia de gente e de hotéis de luxo. A palavra *palace* me fazia sonhar. Na minha cabeça de criança, não havia muita diferença entre *palace hotel* e palácio, e eu imaginava Nice como um sem-fim de colunas, de abóbadas, de saguões luxuosos frequentados por mulheres cobertas de joias e de peles, fumando longos cigarros em piteiras ainda mais longas.

Mas, antes de realizar esse sonho, devia continuar lavando a louça, fazendo compras e indo à escola. Era o período de exames, e eu estava bastante preocupado com a prova de geometria.

Felizmente, havia as peladas na praia, as partidas de tava com Virgilio e o cinema aos domingos, quando Henri e Albert deixavam a gente ir.

Passaram-se duas semanas. Consegui a média necessária nas provas, o que Maurice achou medíocre e foi pretexto para uma bela briga em plena Praça Saint-Michel, debaixo dos insultos das pessoas apoiadas em suas janelas.

Estava começando a esquentar. O sol brilhava cada vez mais, e as árvores nos jardins das casas chiques de Garavan se cobriam de botões e de folhas.

Logo poderíamos começar a tomar banhos de mar, e, para não perder tempo, uma tarde, depois da escola, fomos comprar calções de banho. Maurice escolheu um azul com listras brancas, e eu, um branco com listras azuis. Ambos tínhamos certeza de ter escolhido o mais bonito.

Vesti o meu naquela noite mesmo, depois do jantar, e fiquei dando cambalhotas na cama sob o olhar de desprezo de Maurice, que estava enxugando a louça.

Foi nesse momento que bateram na porta.

Volta e meia alguém batia, amigos do Albert e do Henri passavam ali, troçavam um pouco da gente, e meus irmãos saíam para jogar sinuca ou beber com eles.

Mas desta vez eram dois policiais.

— Boa noite, o que desejam? — perguntou Albert.

O mais baixinho tirou um papel da carteira e o desdobrou com uma lentidão exasperante.

— Albert e Henri Joffo moram aqui?

— Eu sou Albert, mas meu irmão não está em casa.

Albert tinha bons reflexos. Se tivessem vindo prendê-los, Henri teria assim uma chance de escapar, caso eles não revistassem a casa.

Henri entendeu na hora, e eu o vi ir silenciosamente para o quarto, pronto para se esconder debaixo da cama, se fosse o caso.

Logo pensei no pior: o erro de Paris devia ter sido notado, e o comandante do campo, alertado, ia agora mandar prender toda a família.

Devíamos ter nos mudado assim que Henri voltou. Era muita imprudência da nossa parte.

— Qual é o assunto?

— Tem sua carteira de identidade?

— Sim, vou buscar.

Albert entrou, pegou a carteira no bolso do paletó que estava pendurado no dorso de uma cadeira e deu uma olhadinha para nós que significava "fiquem tranquilos, vai dar tudo certo".

Maurice continuava enxugando o mesmo prato, já pra lá de seco, com um movimento regular do pano. E eu ali, de calção de banho em cima da cama.

— Aqui está.

Houve um barulho de papel sendo desdobrado e ouvi o policial dizer:

— Aqui estão duas convocações, uma para você e uma para seu irmão. Os dois devem se apresentar na prefeitura de polícia em até dois dias. De preferência, amanhã mesmo.

Albert limpou a garganta

— Mas... qual é o assunto?

— É para o S.T.O.

Houve um curto silêncio, e aquele que ainda não tinha falado acrescentou.

— Sabe como é, todos têm que fazer...

— É claro – disse Albert.

O policial continuou:

— A gente só traz as convocações, não somos nós que as escrevemos...

— Claro, claro.

— Bom – concluiu o policial –, era isso. Boa noite, e desculpem o incômodo.

— Que é isso. Boa noite.

A porta se fechou e meu coração retomou seu ritmo normal.

Albert veio até a mesa, e Henri saiu do quarto.

— O que é esse tal de S.T.O.? – perguntou Maurice.

Henri suspirou, tenso:

— Serviço de Trabalho Obrigatório. Isso quer dizer que vamos para a Alemanha cortar o cabelo dos Fritz. Ou, pelo menos, é o que eles pensam.

Olhei para eles aterrorizado. Decididamente, a tranquilidade não tinha durado muito tempo.

Finalmente, sentei e fiquei ouvindo a conversa.

O conselho de guerra foi breve, pela simples e boa razão de que estavam todos de acordo: estava fora de questão ir para a Alemanha e se jogar na goela do lobo. Sendo assim, tínhamos que sair de Menton, onde os policiais certamente voltariam atrás dos meus irmãos.

Henri olhou ao redor, para a pequena sala de jantar provençal. Senti que ele gostava daquele lugar, e é bem verdade que tínhamos nos acostumado a ele e sentiríamos falta.

– Bom, é isso, vamos ter que partir.

– Quando? – perguntou Maurice.

– Amanhã de manhã. Vamos fazer as malas agora e ao amanhecer partimos, melhor não enrolar.

– E pra onde a gente vai?

Albert se virou para mim com a expressão de alguém que vai fazer uma boa surpresa ou está trazendo um presente.

– Vai gostar, Jo. Vamos para Nice.

Estava feliz, mas tive dificuldade para dormir. É sempre quando vamos embora que nos damos conta de que nos apegamos às coisas. Ia sentir falta da escola, das ruas antigas, do meu amigo Virgilio, até da professora. Bom, o importante é que ia rever meus pais e conhecer a cidade dos 100 mil palácios, a cidade de ouro à beira do mar azul.

VII

— Marcello! Marcello!

Saio atrás de Maurice, que atravessa em diagonal a Praça Masséna. Troto o mais rápido que posso, mas é difícil correr com uma cesta de vime em cada braço, ainda mais cheias de tomates. Na da esquerda, tomates alongados, *olivettes*; na da direita, redondinhos, meus preferidos, que são chamados aqui de *pommes d'amour* (maçãs do amor).

Quatro quilos cada cesta, não é pouco.

O soldado à nossa frente parou. O sol ilumina seu rosto. Ri ao me ver correndo desajeitado.

Se não fosse seu esplêndido nariz quebrado e seus cabelos crespos, resplandecentes de brilhantina, pareceria o ator Amedeo Nazzari. Porém, Marcello tinha passado noites demais no ringue de uma pequena associação esportiva da periferia para ainda ter um perfil grego.

— Me dê os tomates.

Fala bem francês, quase corretamente, mas com um sotaque catastrófico. Está sempre rindo.

— Venha comigo, vamos no Tite.

Tite é um boteco perto do porto onde costumamos nos encontrar para fazer as trocas. Ali se encontram moradores de Nice aposentados e, sobretudo, soldados italianos, os colegas de Marcello que cantam árias e tocam violão antes de montar guardas folclóricas nos pontos estratégicos da cidade.

Aqui estamos; é bem pequeno, a dona Rosso sempre deixa a porta da cozinha aberta, e o ambiente cheira a cebola 24 horas por dia.

Os amigos de Marcello estão ali, três militares que nos recebem de braços abertos. Conheço os três: tem um estudante romano alto, de óculos, que parece um inglês e imita Benjamino Gigli na *Tosca*; um carpinteiro parmesão (nascido em Parma: antes de conhecê-lo, achava que só queijos podiam ser parmesãos) e um cabo veneziano, mais velho, que era empregado dos correios antes da guerra, motivo pelo qual seus amigos o chamam de carteiro. Este é muito meu amigo, frequentemente jogamos partidas de dama.

Com um gesto triunfal, Marcello afasta os copos de vinho branco da mesa e pousa os dois cestos de tomates.

– Aqui está o tesouro!

Entre si, falam em italiano. Carlo (o estudante romano) estende para nós a garrafa de azeite de oliva que estava escondida atrás do balcão.

Os absurdos da intendência militar italiana tinham feito com que as despensas das tropas de ocupação ficassem lotados de latas de atum e sardinha e, sobretudo, de garrafas de azeite.

Por mais que as tropas se queixassem, não paravam de chegar caminhões de azeite. Finalmente, os soldados tinham se dado conta de que tinham ali uma boa moeda e podiam trocar azeite por legumes, tomates, hortaliças, escapando assim de seus eternos enlatados.

Marcello tinha nos contado isso, e nós tínhamos entrado em acordo com um plantador que vendia seus produtos perto do mercado de flores: nós lhe fornecíamos azeite em troca de tomates e algum dinheiro; com esse dinheiro e alguns maços de cigarro que o cabo nos arranjava, comprávamos arroz no mercado negro e o trocávamos por sacos de farinha; entregávamos a farinha no Tite, onde o parmesão fabricava massas. Recebíamos, então, uma comissão, com a qual comprávamos mais tomates... Fazia dois meses que estávamos nesse tráfico, e nosso tesouro secreto não parava de crescer.

Passando diante dos grandes hotéis, como o Negresco e o Ruhl, Maurice me mostrava as fachadas luxuosas e dizia, esfregando as mãos:

— Se isso continuar assim por mais algum tempo, compraremos um hotel desses.

A vida era bela.

O cabo veneziano coça a barba e põe a mão no tabuleiro.

— Uma partidinha, *bambino*?

Não tenho tempo. Já são 11 horas, e tenho que levar o azeite para o feirante, que deve estar me esperando há meia hora.

Marcello já está cortando os tomates em rodelas numa grande saladeira.

— Só está faltando um pouco de tempero verde... Umas folhinhas de... não sei como se diz...

— Salsinha.

— Isso, salsinha!

Troco uma olhadela com Maurice. Isso é mais difícil do que parece. Talvez o açougueiro do porto tenha. Conheço-o um pouco. É fumante...

Viro-me para o carteiro.

— Consegue dois maços esta tarde?

— *Si, ma* tenho que procurar. Às 4 horas.

— *Va bene*.

Com dois maços, consigo um belo feixe de manjericão, um bife de 100 gramas e ainda algum dinheiro, se souber negociar.

— "*E lucevan le stelle*"...

Carlo canta em falsete enquanto prepara o vinagrete.

Engulo um refresco oferecido por ele e saio com Maurice.

O sol está forte; atravessamos a rua para seguir pela sombra.

— Vou até a caserna. Um amigo do Marcello tem café de verdade e está interessado em espuma de barbear.

— E sabe onde conseguir a espuma?

Maurice fica pensando. Ele se tornou um catálogo ambulante, sabe onde encontrar, em pleno racionamento, manteiga, ovos, gravatas e, por certo, espuma de barbear.

— No armazém da Rua Garibaldi deve ter. Lembra, aquele que nos vendeu um quilo de lentilha?

Suspira, enxuga a testa:

— Vou nessa. Você descola o manjericão?

— Sim. A gente se encontra em casa?

— Combinado. Caramba, como ia ser bom se tivéssemos bicicletas.

É o nosso grande sonho, seria o ideal. Mas uma bicicleta é bem mais difícil de arranjar que alguns quilos de tomate. Além disso, teríamos que descolar pneus, que custam os olhos da cara, cinco pacotes de cigarro cada um — isso, os usados. É verdade que ganharíamos tempo e economizaríamos sola de sapato, pois, de tanto andar pra lá e pra cá, nossos calçados acabam rapidinho, para o desespero de nossa mãe.

O fato é que, depois de entregar o azeite, não tenho o que fazer até a uma da tarde. Vou almoçar, depois voltar ao Tite e pegar os cestos e os cigarros, levar os cestos para a cidade velha, tentar conseguir manjericão com o açougueiro e voltar para o porto. A tarde vai ser cheia.

Até lá, vou passear um pouco à beira-mar.

Gente que não acaba mais, principalmente na frente dos hotéis. Muitos oficiais italianos na parte externa dos restaurantes, à sombra dos guarda-sóis, com seus uniformes brilhantes. Para eles, a guerra tem sido bem agradável. Há mulheres também, muito elegantes, com vestidos daqueles que não se conseguem com simples cupons. São as mesmas em quem Henri e Albert fazem penteados no salão que fica na frente do hotel Adriatique.

Nossos irmãos também estão se arranjando bem! Não trabalham mais num salãozinho qualquer como o de nosso pai em Paris ou o de Menton. Agora estão num de alto luxo, a nata da elite de Nice passa pelas mãos habilidosas dos irmãos Joffo!

Também trabalham em domicílio, em grandes apartamentos ou nas suítes do Majestic ou do Negresco.

Nossos pais se acostumaram muito bem com o novo apartamento, e, se não fosse a cerimônia noturna de ouvir a Rádio Londres,[1] teria a impressão de estar passando ótimas férias na praia.

Pois são mesmo férias – estamos em pleno verão, e meu sonho quase se realizou: estou livre nesta cidade cintilante e dourada, onde o dinheiro parece fácil de ganhar e onde todas as cadeiras de praia estão ocupadas por uma multidão despreocupada que protege o rosto do sol cobrindo-o com um jornal.

Estranho jornal, aliás, que não para de proclamar vitórias alemãs: no *front* da União Soviética, os tanques progridem; chegaram a uma cidade que se chama Stalingrado e que logo cairá em suas mãos.

À noite, no rádio, apesar de mal sintonizado, também ouço falar muito de Stalingrado, mas as notícias não são as mesmas. Dizem que muitos alemães morreram durante o inverno, que as lagartas dos tanques patinam na lama, e que tudo o que é blindado está grudado no chão.

---

[1] Em 1940, a BBC Rádio Londres iniciou suas transmissões, em francês, para a França ocupada pelos nazistas, marcando o início de um compromisso diário com o povo francês durante os quatro anos seguintes. As transmissões eram operadas por franceses que conseguiram fugir para a Inglaterra, e, além de transmitir notícias que neutralizavam a propaganda alemã, estimulavam o povo francês a se rebelar contra o invasor. A Rádio Londres também desempenhou um papel importante na comunicação com a Resistência Francesa. (N.E.)

Em quem acreditar? À noite, ao deitar, penso que os alemães vão perder, que dessa vez eles estão ferrados, e durmo cheio de esperança; mas, de manhã, na banca da Rua Carnot, leio as manchetes e vejo fotos de *bunkers* e generais com suásticas cujos rostos resplandecem de orgulho e confiança: a União Soviética está prestes a se render e, graças ao bloqueio do Atlântico, um desembarque aliado é completamente impossível.

Falava disso com Maurice, na praia, mas era difícil imaginar, enquanto nadávamos alegremente num mar quente e transparente, que havia campos cobertos de neve e de lama, noites repletas de metralhadoras e de aviões... Eu chegava ao ponto de duvidar da realidade daquela guerra, parecia impossível que em algum lugar houvesse frio, combates, morte.

O único ponto negro em nosso horizonte: setembro.

Em setembro teríamos que voltar para a escola. Havia uma pertinho de casa, na Rua Dante. Passava diante dela todas as manhãs, antes de começar minhas vadiagens. Acelerava o passo para não ficar deprimido vendo as salas de aula no fundo de um pátio estreito, que a folhagem de seis enormes plátanos mantinha constantemente numa sombra fresca.

Deixo a praia e entro no miolo da cidade. A igreja está ali, mais 20 metros e estarei em casa.

– É você, Joseph?

O barulho de fritura quase encobre a voz da minha mãe.

– Sim.

– Vá se lavar antes de ir pra mesa. O Maurice está contigo?

Começo a me ensaboar com uma espécie de massa esverdeada que escorrega entre os dedos e não produz a menor espuma.

– Não, mas já vai chegar. Foi no armazém da Rua Garibaldi pra conseguir espuma de barbear.

Meu pai entra, passa a mão na minha cabeça, parece de bom humor.

— Vocês e esses rolos...

Eu sabia que, no fundo, ele gostava que a gente se virasse. Um pouco mais acima na rua, havia uma família com dois filhos mais ou menos da mesma idade que a gente. De vez em quando íamos lá, e eles vinham à nossa casa, mas eu detestava aqueles moleques. Eram muito metidos, e Maurice tinha enfiado um belo soco na cara do mais velho, o que lhe valeu um dia de castigo e minha admiração irrestrita. O argumento principal de nosso pai para justificar nossos "rolos" aos olhos de nossa mãe era este: "Você preferia que eles fossem como os filhos da família V.?." Ela se calava por um momento e balançava a cabeça como alguém que não está lá muito convencido. Então dizia:

— Só acho melhor não esquecer que estamos sob uma ocupação. Esses italianos parecem gentis, mas pode ser que um dia...

Eu e Maurice respondíamos, então:

— Os italianos? Conhecemos todos eles!

Papai ria, perguntava como andava nosso pé-de-meia, se extasiava com nossos ganhos e um dia até o ouvi comentar com a mãe:

— Sabia que eles querem comprar o hotel Negresco? E o pior é que às vezes acho que são capazes de conseguir!

Mais tarde me dei conta de que ele se preocupava, e soube que olhava com frequência para o relógio quando demorávamos. Mas ele tinha compreendido que o aprendizado de vida que estávamos tendo era algo único, que não devia ser estragado. Que, andando pra lá e pra cá pelo porto e pela cidade velha, carregando garrafas de azeite, sacos de lentilha ou maços de cigarro, estávamos aprendendo mais sobre a vida do que num banco de escola ou se simplesmente fôssemos à praia como dois parisienses de férias.

Engoli rapidinho a comida, bebi o caldo de ameixas direto no prato e me levantei ao mesmo tempo que meu irmão.

— E agora, pra onde vão?

Maurice começou uma longa e complicada explicação: o dono do armazém tinha vendido toda a espuma de barbear, mas podia conseguir mais em troca do conserto de alguns sapatos de couro; por isso, ele tinha que convencer o sapateiro da Rua Saint-Pierre a fazer o serviço por um ou dois litros de azeite, que era a base de nossas trocas.

Papai, que estava escutando, tirou a cara do jornal:

– Por falar em sapateiro, vou lhes contar uma história.

Aquela era a única coisa capaz de nos acalmar.

– É a história de um homem que diz a outro: "Para que os homens vivam tranquilos, é muito simples, basta matar todos os judeus e todos os sapateiros". O outro olha para ele, surpreso, e, depois de pensar por algum tempo, pergunta: "Mas por que os sapateiros?".

Meu pai se calou. Houve um silêncio um pouco estranho, só minha mãe riu.

Perguntei:

– Mas por que os judeus também?

Papai sorriu com amargura e, antes de voltar à leitura do jornal, disse:

– Foi justamente essa a pergunta que não veio à mente do homem em questão, e é por isso que essa história é engraçada e ao mesmo tempo trágica.

Saímos dali pensativos. O sol continuava escaldante. A cidade fazia sua sesta; nós, não.

Na praça, assistimos à troca da guarda. Os soldados suavam dentro dos uniformes. Cada um tinha um fuzil no ombro, mas o último segurava com a mão livre o braço de um bandolim.

Decididamente, a guerra estava bem longe dali.

O pátio está cinza e brilha sob a chuva. Faz frio, o professor acende a estufa da sala todas as manhãs.

Volta e meia, enquanto queimo os neurônios com um problema de geometria ou fico de língua de fora tentando desenhar um mapa dos grandes rios da França (o Garona e o Ródano tudo bem, mas o Sena e o Loire sempre tendem a se aproximar nos meus cadernos), ele se levanta, põe mais um pouco de lenha, e uma onda de calor mais densa vem nos envolver. A chaminé atravessa a sala de ponta a ponta e fica presa no forro por arames – forro, aliás, cheio de bolinhas de papel mata-borrão longamente mastigado, encharcado de saliva, que seca lá em cima em disquinhos duros e achatados que se soltam em um ou dois dias, para nossa grande alegria.

Com grande barulho de sapatos e rangidos de bancos, nos levantamos. O diretor acaba de entrar. Um gesto, e voltamos a nos sentar. É um homem magro, de calças de cintura alta. Vem uma vez por semana nos ensinar canto. Atrás dele, dois alunos mais velhos carregam um harmônio e o instalam sobre a escrivaninha. É uma espécie de piano pequeno, com uma alavanca do lado e um som particularmente desagradável.

O diretor olha para nós.

– Vamos ver se fizeram progressos. Camerini, para o quadro: desenhe uma pauta e uma bela clave de sol.

A lição começa. Não tenho o menor jeito para música e misturo as notas: até consigo reconhecer as mais baixas, mas assim que passam da linha do lá, começo a me perder.

– Agora vamos ensaiar nosso canto. Quero ouvi-los cantar com o coração. Para refrescar a memória de vocês, vou pedir a François que cante sozinho a primeira vez.

François é o pior aluno da sala, sujo de tinta até os punhos, com olhos que parecem debochar de tudo. Raramente sai da escola com os outros, já que sempre fica de castigo. Contudo, é o preferido do diretor, porque tem uma voz maravilhosa. Aquele rei da bagunça, atirador de papeizinhos com elástico e recordista em levar castigos tinha a mais bela voz de sopranino que já ouvi. Quando cantava no pátio, eu chegava a parar de jogar futebol. Aliás, ele sabia tirar proveito do seu talento e cantava em troca de lápis, bastões de alcaçuz e outros mimos.

– Vamos lá, François, estamos ouvindo.

Em meio ao silêncio total, a voz pura de François se eleva:

"*Allons enfants de la patrie-ie...*"

Ouvimos com admiração. Aquilo poderia durar para sempre, mas logo termina.

O diretor ergue as mãos como um maestro.

– Agora, atenção, todos juntos.

Cantamos com entusiasmo. Sabemos que aquela não é uma simples aula de canto, que através daquela música ele está tentando nos comunicar algo importante.

Quando contava isso para o meu pai, ele se admirava de que o diretor nos fizesse cantar aquela música: um pai de aluno podia se queixar às autoridades, o diretor podia ter incômodos... Eu ignorava que aquele homem magro de calças levantadas demais era um dos chefes da rede de Resistência do sul da França.

Quatro e meia.

Lá fora, a chuva parou.

O diretor escolhe os dois maiores da sala:

– Levem o harmônio para minha sala.

Seus olhos me procuram, e ele acrescenta.

– Joffo, amanhã de manhã não se esqueça de arrancar a folha do calendário, senão confiarei a responsabilidade a outro aluno.

– Sim, senhor.

Olho para o calendário em cima da mesa: 8 de novembro.

É um dia importante, aniversário da minha mãe, que deve ter feito um bolo. E nós lhe daremos um presente. Maurice topou abrir nosso cofre para comprar um broche dourado representando um cavalo-marinho com pedras vermelhas nos olhos.

Com a volta às aulas, nossos negócios diminuíram. Primeiro porque temos menos tempo; segundo porque passou a estação dos tomates. Sei que agora o que está em voga é negociar vinho. Há uma triangulação vinho-combustível-cigarros, mas isso está bem além de nossas possibilidades. Ainda ganhamos algum dinheiro em setembro graças a chocolates, mas as oportunidades se tornaram mais raras, e a concorrência dos adultos foi nos esmagando.

Mesmo assim, íamos de vez em quando ao Tite. Eu jogava damas com o carteiro, Carlo cantava, e Marcello, depois de alguns copos de vinho branco, narrava com palavras e gestos sua última luta na Itália, contra um peso-médio de Ferrara, nocauteado no oitavo assalto.

Para piorar nossa situação, a intendência italiana tinha finalmente percebido que estava enviando azeite demais para as guarnições da Côte d'Azur, o que teve como efeito suprimir nossa principal moeda de troca.

Marcello enxugava a testa depois de seu combate simulado e, como todos os soldados do mundo, mostrava a foto da noiva, procurando minha aprovação:

— *Non è bela, Giuseppe?*

Enquanto saboreava meu refresco, eu olhava compenetrado, me esforçando para bancar o entendido, uma foto tremida, com os cantos amassados, de uma garota loira sorrindo, o que me deixava surpreso, pois acreditava que todas as italianas tinham cabelos castanhos.

— Muito bonita, Marcello, muito bonita.

Feliz, Marcello caía na gargalhada e me dava um empurrão que quase me derrubava no chão.

— Ela é horrorosa, Giuseppe, horrorosa, você não entende nada de mulheres, *niente, niente*.

Eu não sabia o que dizer, o bar inteiro zombava da minha cara.

— Então por que noivou com ela?

Marcello continuava a rir.

– Porque o pai dela é dono do salão de treinamento, *capice*? *Molto dinaro*, muito, muito dinheiro...

Eu balançava a cabeça, incomodado com a ideia de que Marcello pudesse se casar por dinheiro, o que me parecia muito estranho, e humilhado por não entender nada de mulheres.

Diante da minha expressão desconcertada, Marcello me pegava pelos ombros e dizia para o seu Rosso me servir outro refresco, o que logo me consolava.

Mamãe recebeu os presentes com entusiasmo; foi logo pondo o broche no vestido e nos beijou. Beijou também seu marido, que, junto com nossos irmãos mais velhos, tinha comprado para ela uma máquina de costura Singer, o que era um presente e tanto. Ela poderia agora fazer muito mais coisas sem precisar ficar passando a agulha com a mão o dia inteiro na frente da janela.

Admiramos a demonstração que ela fez imediatamente com um pedaço de tecido que estava no armário. Funcionava muito bem, era um modelo acionado por um pedal e uma correia que transmitia o movimento para a agulha.

– É realmente um presente digno de uma Romanov, concluiu Henri.

A piada era gasta, mas continuava a nos divertir. Muitos anos antes, uma menina judia tinha deixado seu país usando documentos falsos. Ela os guardara e eles tinham salvado sua vida mais uma vez não fazia muito tempo, quando foram presos em Pau.

Ela foi para a cozinha e voltou com o bolo, um delicioso Kouglof com passas e amêndoas.

Nosso pai comeu um pedaço e se levantou. Estava na hora da rádio inglesa, e desde que estávamos em Nice ele nunca tinha perdido um programa.

– Depois nos contará as notícias – disse Henri –, eu não saio daqui antes de terminar esse bolo!

Papai concordou com a cabeça e, enquanto continuávamos a comer e falar, eu o vi pela porta entreaberta colar o ouvido no alto-falante e girar o minúsculo botão sintonizador.

Albert nos contava seus problemas com uma cliente especialmente difícil, que afirmava que Hitler era um homem excepcionalmente inteligente, já que tinha chegado ao comando do próprio país e mesmo da Europa. Foi então que papai voltou, meio pálido.

– Eles desembarcaram! – anunciou.

Ficamos ali, de boca cheia, olhando para ele.

Ele se inclina para mamãe e pega suas mãos.

– Feliz aniversário! Os Aliados desembarcaram no Norte da África, na Argélia e no Marrocos. Desta vez, é o início do fim: tendo que lutar contra um novo *front*, os alemães estão perdidos.

Maurice pula da cadeira e vai buscar um atlas na estante do quarto dos nossos pais. Nós nos debruçamos sobre o mapa do Magrebe.

Avalio as distâncias: Argel – Nice, alguns centímetros de papel azul, basta atravessar o mar e estão aqui. Não temos mais nada a temer.

Henri reflete, de sobrancelhas franzidas. É o estrategista da família. Sua unha cobre a Tunísia.

– Não entendo por que não desembarcaram ali também. Aposto que agora as tropas ítalo-alemãs, engrossadas pelo Afrika Korps, vão ocupar o país. Na minha opinião, é um erro.

– Devia telefonar para o Eisenhower – zomba Albert.

– O fato é – murmura nosso pai – que os Aliados tomaram mais uma capital, e para mim isso significa que a Alemanha está, no mínimo, começando a perder.

Terminei de comer o bolo imaginando soldados que corriam de fuzil na mão em meio a camelos e cidades brancas, enquanto os alemães fugiam em disparada, afundando-se nas areias do deserto.

A partir dessa noite, começou lá em casa uma cerimônia que, imagino, a maior parte das famílias francesas conheceu bem. Sobre um mapa preso na parede, enfiávamos bandeirinhas ligadas entre si por linha de costura. Cada bandeirinha era um alfinete com um retangulozinho de papel colado. Levamos a minúcia ao ponto de colorir esses retângulos de vermelho para os russos e com listras brancas para os norte-americanos, com uma estrelinha no canto esquerdo. A rádio de Londres proclamava nomes que anotávamos rapidamente, e, sobre as cidades recém-conquistadas, plantávamos as bandeiras da vitória.

Uma vez libertada Stalingrado, foi a vez de Kharkov e Rostov. Eu queria plantar logo uma bandeira em Kiev, para acelerar as coisas, mas essa cidade demorou para ser libertada.

Tínhamos que cuidar do mapa da África também, só que aí tinha um problema: estava havendo uma grande batalha em El Alamein, mas era impossível encontrar El Alamein no mapa! Eu xingava os fabricantes de mapas, incapazes de prever os lugares dos grandes fatos históricos, mas o que me encheu de entusiasmo foi o desembarque dos Aliados na Sicília, em 10 de julho de 1943.

Lembro muito bem, só restavam três dias de aula, pois as férias começavam dia 14. Já não fazíamos grande coisa, desde o início da semana os recreios se alongavam, tornando-se maiores que o tempo de estudo.

E o tempo estava lindo! O inverno tinha sido duro na região, a primavera, tardia e o verão, repentino. Estávamos no auge da excitação, tudo acontecendo ao mesmo tempo: o sol, as férias e a aproximação dos Aliados. Estávamos incontroláveis.

Durante as aulas, cada vez que alguém batia na porta para pedir uma informação, a lista da cantina, giz, um mapa ou o que fosse, metade da turma se levantava, gritando: "São os americanos!".

Nas ruas, os italianos passeavam imperturbáveis, como se tudo aquilo não lhes dissesse respeito. Os uniformes de oficiais começaram a reaparecer nas mesas dos cafés, moças ainda mais bonitas e mais bronzeadas que no ano anterior os acompanhavam de novo, e, ao passar na frente deles, eu sonhava ser um desses belos militares de botas reluzentes relaxando em confortáveis poltronas de ratã.

Com os dias bonitos, voltaram também os tomates, e retomamos nossas atividades.

Graças a um colega, consegui uma bicicleta. Era meio pequena para mim, e meus joelhos encostavam no guidão, mas era só ficar um pouco para trás no banco. Com arame, prendemos na garupa um caixote que nos servia de bagageiro. Agora estávamos preparados, e logo engordaríamos nosso pé-de-meia.

No último dia de aula, houve a costumeira distribuição de prêmios. Como não havia livros para dar, os prêmios eram simples diplomas. Maurice, que tinha crescido muito e estava se tornando um cara forte, ganhou um prêmio de ginástica. Eu ganhei o de leitura e voltei para casa todo orgulhoso. O futuro sorria para mim: dois meses e meio de liberdade, uma bicicleta e, ao que tudo indicava, até a volta às aulas, a França já estaria livre. Se tudo corresse bem, poderia continuar meus estudos na Rua Ferdinand Flocon, em Paris.

Subo a ladeira pedalando de pé, freio e desço.

Apoio o pedal no meio-fio e pego o saco de farinha no fundo do caixote. Não tem mais do que 100 gramas, mas já dá para mamãe fazer um bolo. Consegui em troca de uma lata de carne em conserva, resultado de uma negociação anterior.

Encontro Maurice na escada. Ele me segura, demonstrando grande excitação:

– Venha comigo!

– Espera, vou deixar a farinha...

– Rápido, te espero lá embaixo, vai rápido.

Entro, largo a farinha, desço pulando os degraus e, no final, escorregando pelo corrimão.

Maurice já está correndo na frente.

– Espera! Vou pegar a bicicleta...

Ele faz sinal para eu não pegar, então o sigo, correndo também. O suor escorre em minha testa, para nas sobrancelhas e goteja pelas têmporas.

Já estamos quase fora da cidade. Passamos pelo campo que antigamente era reservado aos ciganos e hoje serve para as crianças do bairro jogarem futebol e chegamos ao lixão.

Com o sol, o cheiro não é dos mais agradáveis, e as moscas zumbem loucamente. Escalamos uma encosta cheia de papéis sujos e molas enferrujadas e alcançamos o topo de um monte de lixo.

Maurice para, ofegante, e eu o alcanço. Tem dois outros meninos ali, agachados. São amigos de Maurice, um deles eu já vi no pátio da escola.

– Olha só o que encontramos.

Observo por cima dos ombros deles.

Sobre uma camada de lixo, quatro fuzis. Os canos brilham ao sol. Parecem estar em excelente estado.

– Onde encontraram isso?

Paul, o amigo de Maurice, se vira para mim.

– Debaixo de uma viga. E posso te dizer uma coisa: ontem não estavam ali.

– Tem certeza?

Paul dá de ombros.

– Venho aqui todos os dias e, se estivessem aí antes, pode crer que teria percebido. Foram deixados esta noite.

Fico com vontade de tocar num deles, segurar na mão, mas nunca se sabe, esses troços são capazes de disparar sozinhos.

O garoto que ainda não disse nada pega um fuzil e, com um gesto rápido, manobra a alavanca do extrator. Um cartucho bate na minha perna e cai no chão.

– Não banque o imbecil!

Só podem ser armas italianas abandonadas ali por soldados.

Penso que elas poderiam ser úteis para os membros da Resistência, mas como entrar em contato com eles? Quanto a vendê-las, até seria possível, mas um tanto complicado.

Maurice toma a iniciativa:

– O melhor a fazer é escondê-las de novo. Vamos pensar no que fazer e não contar nada pra ninguém. Amanhã nos encontramos de novo e decidimos.

Voltamos pelo caminho da praia; meu irmão parece preocupado. Pergunto:

– De onde podem vir essas armas?

– Parece que há vários soldados italianos desertando, dizem até que Mussolini foi deposto.

Fico estupefato.

– Mas por quem?!

– Não faço ideia. Sabe o que devíamos fazer? Vamos até o Tite nos informar um pouco, mas nem uma palavra sobre os fuzis!

– Combinado.

A cortina estava fechada diante do bar, para manter a sala na penumbra. Estava fresco lá dentro, fresco e escuro como numa caverna. Senti o suor do rosto secar rapidamente.

A maioria dos soldados que conhecíamos tinha partido. Carlo tinha sido enviado para a Sicília com o colega parmesão, a fim de barrar o avanço aliado. Parece que a presença deles não foi suficiente, já que a Sicília foi tomada em menos de seis semanas.

Deviam estar presos num campo americano, ou talvez tenham conseguido fugir antes da derrota. Não conseguia imaginar que estivessem mortos.

Meu amigo carteiro também tinha desaparecido. Marcello recebeu uma carta, datada de um mês antes, em que ele explicava que devia partir com seu novo regimento para um porto da Calábria. Na carta, mandava lembranças para Giuseppe (ou seja, eu), e, quando Marcello leu essa passagem, tive vontade de chorar.

Quanto a Marcello, tinha se tornado *barman* da cantina militar e parecia decidido a passar o resto da guerra preparando coquetéis na Côte d'Azur.

Os novos fregueses do Tite eram mais jovens, porém menos alegres. Um deles, um rapaz muito sério e afável, que tinha estudado contabilidade numa escola de Milão, se tornou meu amigo.

Nessa tarde, ele estava sentado estudando francês com o auxílio de um dicionário e de uma gramática (que tinha trocado por cigarros com um aluno da escola).

Sorriu para nós, e me instalei à sua mesa. Ele queria aprender francês até o fim da guerra. Assim, quando voltasse, poderia conseguir um emprego melhor. Era um rapaz do tipo trabalhador.

Não era fácil para mim explicar a regra dos particípios passados, e eu estava passando um aperto para fazê-lo entender a concordância no caso dos verbos pronominais, quando, com um suspiro, ele fechou o livro.

– Vamos desistir, Jo. De qualquer jeito, não terei tempo suficiente.

Olhei para ele, surpreso.

– Por quê?

Ele arrumou os livros tristemente.

– Porque logo partiremos.

– Seu regimento vai ser deslocado?

– Não é isso, todos os italianos partirão.

Eu não compreendia direito o que ele estava querendo dizer. Com toda a paciência, tentando cometer o mínimo de erros, ele me explicou.

– Mussolini não está mais no poder, agora quem manda é Badoglio, e todos sabem que ele vai assinar a paz com os americanos. Dizem que até já se encontraram. E se a paz for assinada, voltamos para casa.

A esperança me iluminou.

— Mas então, se vocês partirem, estaremos livres!

Ele olhou para mim com uma expressão de pena.

— Que nada, se nós partirmos, os alemães virão.

O bar, já sombrio, se tornou ainda mais escuro. Maurice veio sentar ao meu lado e entrou na conversa.

— Tem certeza?

O italiano fez um gesto de "não tem saída".

— Certeza ninguém tem, mas é fácil entender que, se assinarmos a paz com os Estados Unidos, automaticamente estaremos entrando em guerra contra a Alemanha. Então será preciso partir e lutar dentro do nosso próprio país.

Maurice continuou:

— E você quer lutar contra os alemães?

Ele se recostou na poltrona, desabotoando a gola do casaco.

— Ninguém quer lutar. Alguns de nós inclusive já partiram.

Pensei nos quatro fuzis encontrados no lixão.

— Há desertores? — perguntou Maurice.

Ele fez que sim com a cabeça:

— Não conhecia essa palavra em francês, mas é isso, há desertores.

Bebeu um grande gole e, quando largou o copo vazio com um gesto cansado, fiz a pergunta que não queria calar havia alguns minutos:

— E você, o que vai fazer?

Seu olhar passeou pelas raras garrafas que havia nas estantes do bar.

— Não sei, não gosto da guerra. Preferia voltar pra casa e ficar tranquilo lá, mas é perigoso abandonar o exército, posso ser fuzilado.

— E o Marcello? O que ele vai fazer?

Meu amigo tossiu e esfregou com a unha uma mancha que havia na mesa.

— Não sei, não falamos sobre isso.

Quando saímos do bar, me dei conta de que Marcello já devia ter partido, talvez já tivesse cruzado a fronteira e reencontrado sua loira horrorosa, que eu tinha achado tão bonita. Talvez até já estivesse novamente boxeando. O fato é que bem que ele podia ter se despedido da gente!

Nos dias seguintes, os soldados italianos desertaram em massa. No dia 8 de setembro, chegou a notícia oficial: o marechal Badoglio tinha assinado o armistício perto de Siracusa. As unidades atravessavam a fronteira para continuar a guerra, dessa vez contra os alemães.

No salão de cabeleireiro, um oficial veio cortar o cabelo e propôs a meus irmãos que partissem com ele, acreditando que a guerra tinha terminado na Itália.

Na manhã seguinte, Nice acordou sem ocupantes. No entanto, as ruas estavam sombrias, os rostos, preocupados, os passantes se esgueiravam pelas paredes. Londres tinha anunciado que Hitler estava enviando 30 divisões de elite para além dos Alpes, e que ocuparia toda a península.

No dia 10 de setembro, um trem parou na estação, e mil alemães desembarcaram. Havia S.S. e civis entre eles, homens da Gestapo.

A segunda ocupação tinha começado. Sabíamos que não teria nada a ver com a precedente e que não veríamos mais soldados segurando fuzis com uma mão e bandolins com a outra.

VIII

São 6 horas da tarde.

Como um dia é longo quando não se pode sair. Passei a tarde lendo *Miguel Strogoff* e ajudando minha mãe a tirar os carunchos do pouco feijão que nos resta.

Acabaram-se nossas vadiagens. Vamos ficar olhando os ponteiros do relógio até a chegada de Henri e Albert, e cada minuto que passa é um minuto de angústia: faz três dias que a Gestapo se instalou no hotel Excelsior, e a maioria dos hotéis foi requisitada. A Kommandantur fica na Praça Masséna, e as ações já começaram: por enquanto, vários judeus presos a partir de denúncias, mas as buscas por bairro não devem tardar.

Meu pai anda pra lá e pra cá. As persianas estão fechadas, lá fora ainda faz sol.

Seis e cinco.

– Cadê esses dois?

Ninguém responde à minha mãe, cada vez mais preocupada.

Não temos mais notícias dos V. Não podemos ir ver se partiram ou se continuam na casa deles: dizem que quando acontece uma detenção, os alemães deixam uma "ratoeira" montada no lugar por vários dias.

Passos na escada, são meus irmãos.

Todos se precipitam sobre eles.

– E então?

Henri se senta pesadamente, enquanto Albert vai até a cozinha beber um copo d'água. Escutamos seus grandes goles.

– Muito simples – diz Henri –, temos que partir o quanto antes.

Papai coloca a mão no ombro dele.

– Explique-se.

Henri lhe dirige um olhar cansado. Dá para sentir que o dia foi pesado.

– Passamos o dia cortando o cabelo de alemães que não paravam de falar, certos de que ninguém os entendia. O que diziam era confuso, mas em termos gerais era isto: todos os judeus devem ser detidos e colocados no hotel Excelsior. Nas sextas-feiras, são enviados à noite em comboios especiais para os campos alemães. São vagões gradeados e prioritários, que passam na frente até dos trens que carregam tropas e armas. Ficar aqui é o mesmo que comprar uma passagem só de ida para a Alemanha.

Papai se senta e coloca as palmas das mãos sobre a mesa.

– Meus filhos, Henri tem razão. Teremos de nos separar mais uma vez. Nesses últimos dias, pensei bastante e decidi o que vamos fazer. Em primeiro lugar, vamos permanecer fiéis a um método que sempre funcionou até agora: partiremos dois a dois. Henri e Albert irão amanhã mesmo para a Savoia. Devem chegar a Aix-les-Bains, tenho o endereço de uma pessoa que os esconderá lá. Joseph e Maurice, escutem bem: também partirão amanhã, mas para Golfe-Juan. Irão até uma espécie de acampamento que se chama Moisson Nouvelle (Seara Nova). Teoricamente, é uma organização paramilitar ligada ao governo de Vichy,[2] uma espécie

---

[2] O governo de Vichy (nome da capital do governo) foi o Estado francês dos anos 1940-1944. Era um governo colaboracionista, apoiando os nazistas e opondo-se às Forças Livres Francesas. O chefe de Estado, durante esses quatro anos, foi o marechal Pétain. (N.E.)

de apêndice dos Compagnons de France.³ Mas, na prática, é outra coisa, vocês logo vão perceber.

– E vocês, o que vão fazer?

Meu pai se levanta.

– Não se preocupem com a gente, macaco velho não cai do galho. E agora, pra mesa, devem dormir cedo hoje pra estar em forma amanhã de manhã.

E foi mais um jantar pré-separação, um jantar daqueles em que se ouve o barulho dos talheres batendo nos pratos. A voz do meu pai ou dos meus irmãos mais velhos interrompia às vezes o silêncio, quando ficava pesado demais.

Quando entrei no quarto, encontrei minha bolsa sobre a cama. Tinha esquecido completamente dela, mas estava ali, e, ao olhar para ela, tive a sensação de já não estar mais em Nice e sim na estrada, andando sem parar em direção a um destino que não conseguia alcançar.

"Moisson Nouvelle".

Tem uma grande placa em cima do portão. De cada lado da placa, um franquisque pendurado, aqueles machados de dois gumes, usados pelos guerreiros francos, pintados com as cores da bandeira da França.

Atrás da cerca, adolescentes de calções azuis, camisetas e boinas. Carregam sacos de lona cheios de água, cortam lenha, parecem escoteiros. Está aí uma coisa que nunca me seduziu.

---

³ Movimento fundado após o armistício de junho de 1940, para recrutar e orientar a juventude e colocá-la a serviço da nação. Seus membros, profundamente comprometidos com os valores da comunidade, participaram da reconstrução do país, trabalhando com postura militar: culto ao chefe, regras rígidas, muita disciplina. Mesmo sendo uma organização independente, os Compagnons receberam, desde sua criação, apoio e subvenções do governo de Vichy. Em janeiro de 1944, sob suspeita – correta – de que estava envolvida nas atividades da Resistência, a associação foi extinta. (N.E.)

Maurice também não parece muito encantado.

– E aí, entramos ou não entramos?

Trouxemos uma parte do nosso dinheiro, e chego a pensar em propor ao meu irmão seguir a estrada em direção ao norte. Poderíamos nos esconder numa fazenda, trabalhar por algum tempo... Por outro lado, esse acampamento pró-marechal Pétain deve ser o último lugar onde os Fritz virão procurar dois jovens judeus. A escolha se impõe, portanto: segurança em primeiro lugar.

– Vamos entrar.

Empurramos o portão juntos.

No mesmo instante, um grandalhão meio pateta, cujas coxas magricelas desaparecem debaixo de um calção largo demais, vem ao nosso encontro, bate os calcanhares e faz uma continência esquisita, mistura de saudação romana, nazista e militar.

Maurice a devolve, acrescentando ainda mais alguns floreios.

– Novos recrutas? Quem os enviou?

Não vou com a cara do sujeito, e Maurice parece ter a mesma sensação.

– Gostaríamos de ver o chefe do acampamento, o senhor Subinagui.

– Sigam-me.

Dá meia-volta e, com passos pequenos e rápidos, nos conduz a uma cabana construída um pouco acima das tendas. Quase na soleira da cabana, eleva-se um grande mastro branco, como o de um navio. Como não tem vento, a bandeira francesa parece meio caída.

O grandalhão bate na porta, abre-a, dá um passo, junta os calcanhares, faz uma continência e fala com voz anasalada:

– Dois novatos desejam lhe falar, senhor diretor.

– Obrigado, Gérard, pode nos deixar.

Gérard dá meia-volta e sai em grandes passos, fazendo tremer o frágil assoalho com suas botas.

Devíamos parecer aterrados, pois o diretor nos faz sinal para nos aproximarmos e nos sentarmos.

– Não se assustem. Gérard é um excelente rapaz, mas seu pai era militar e o criou numa atmosfera um pouco particular.

Subinagui era um homem muito moreno, sem cabelos no alto da cabeça e com uma expressão indefinível nos olhos. Eu tinha a impressão de que ele já sabia tudo sobre nós antes mesmo que disséssemos qualquer coisa. Seu porte e sua agilidade me fascinaram: mesmo naquele reduto obscuro, cercado de arquivos metálicos, cadeiras velhas, pastas e toda uma série de objetos poeirentos, dava a impressão de se deslocar com grande leveza, como se estivesse no palco de um teatro sem nenhum cenário.

– Conversei com o pai de vocês e aceitei recebê-los, embora não tenham a idade exigida. Mas os dois são bem crescidos. Acho que estarão bem aqui e... em segurança.

Não disse mais nada a respeito disso, era inútil.

– Portanto, de agora em diante, farão parte da Moisson Nouvelle, e vou lhes explicar como funciona a vida no acampamento. A princípio, têm duas possibilidades: podem ficar dentro do acampamento e cuidar da cozinha e da limpeza (é claro que também podem se divertir um pouco depois das horas de serviço); ou podem trabalhar fora e voltar ao acampamento nas horas prescritas. Nesse caso, terão aqui teto e comida em troca de aproximadamente três quartos do salário que ganharão.

– Que tipo de trabalho? – perguntou Maurice.

– Já ia chegar nisso: podem ajudar os plantadores da região ou subir até Vallauris, onde instalamos uma olaria. Vendemos nossos produtos, o que nos permite manter a comunidade. A escolha é de vocês.

Olhei para Maurice.

– Eu gostaria de tentar a cerâmica.

O diretor olhou para meu irmão:

– E você?

– Também.

Subinagui riu diante do tom pouco convicto de Maurice.

– É um belo sacrifício de sua parte. Tenho a impressão de que não gostam muito de se separar.

Nenhum de nós dois jamais responderia a uma observação como essa, e ele também não insistiu.

– Combinado, então. Trabalharão em Vallauris. Dormirão aqui esta noite e partirão amanhã de manhã. Desejo-lhes boa sorte.

Apertou nossas mãos e saímos dali mais animados. Do lado de fora, Gérard nos esperava. Bateu mais uma vez os calcanhares, fez sua adorada continência e nos intimou a segui-lo.

Atravessamos o acampamento. Tudo parecia limpo. Os pratos já estavam sobre as longas mesas apoiadas em cavaletes. O ambiente cheirava a areia, pinheiro e água sanitária.

Dentro da tenda cáqui, Gérard nos indicou duas camas com cobertores dobrados e dois lençóis costurados entre si que eram chamados de saco de carne.

– A sopa é servida às 6 horas – disse Gérard. – A bandeira, arriada às 7, toalete às 8h30, cama às 9, luzes apagadas às 9h15.

Bateu os calcanhares pela enésima vez, saudou e saiu com passo mecânico.

Ouvimos uma voz vinda de debaixo de uma das camas:

– Não se preocupem, ele é meio biruta, mas no fundo é um bom rapaz.

Uma cabeça surgiu: uma juba dura, dois olhos cor de café e um nariz arrebitado. Acabávamos de conhecer Ange Testi.

Enquanto eu arrumava minha cama, ele me contou que devia estar naquele momento descascando batatas, mas que tinha saído sob o falso pretexto de uma cólica e estava descansando um pouco antes da sopa. Pretendia, aliás, se apresentar à enfermaria no dia seguinte e obter, sob o mesmo pretexto, alguns dias de folga.

Estiquei as cobertas e perguntei:

– E é bom viver aqui?

— Sim, o lugar ideal, tem muitos judeus.

Tive um sobressalto, mas ele tinha dito aquilo inocentemente, deitado em seu colchão. É verdade que, por mais que me esforce, tenho dificuldade de lembrar de Ange na vertical. Ele tinha uma forte propensão a se deitar, qualquer que fosse a hora, assim que podia.

— Você é judeu?

— Eu não, e você?

Deu uma risadinha.

— Longe disso: batizado, com catecismo, primeira comunhão, confirmação e, pra completar, cantor do coro da igreja.

— E como veio parar aqui?

Cruzou as mãos sob a nuca e lançou ao redor um olhar de buda bem-aventurado:

— Pois bem, como vê, estou em férias.

Ofereceu-me um cigarro, mas recusei.

— É sério, estou em férias, vou te explicar, mas, se não se importa, vou voltar pra debaixo da cama, porque se o responsável pela cozinha me pegar aqui de papo pro ar talvez não fique muito feliz.

Deitado no chão, portanto, me contou sua história.

Ele era de Argel, nascido em pleno Bab El Oued, e quis passar férias na França, já que seu pai e seu avô sempre falavam maravilhas da metrópole. Estava visitando Paris, hospedado na casa de um primo, passeando pelos Champs-Elysées bem no momento em que os americanos desembarcaram no Norte da África.

A notícia não o deixou muito triste, sobretudo quando compreendeu, depois de um dia ou dois, que, enquanto a guerra durasse, não poderia voltar para Argel.

Continuava a rir debaixo da cama:

— Você se dá conta? Se a guerra durar mais 10 anos, terei 10 anos de férias!

Acontece que o seu primo parisiense teve a estranha ideia de se casar, e Ange se viu sem casa e com pouco dinheiro. Atraído pelo sol, foi indo para o sul e parou à beira do mar que não podia cruzar.

Mendigou por alguns dias até que, por acaso, passou na frente do acampamento, fazia agora uns três meses. Entrou, contou sua história, e Subinagui o acolheu. Desde então, descascava batatas, varria o acampamento e, sobretudo, fazia longas sestas.

– Pensando bem, em Argel eu passava o dia inteiro vendendo sapatos na loja do meu pai. Aqui me canso menos e, quanto mais a separação durar, mais contente ficarei ao rever os meus.

Maurice, que tinha ido dar uma volta, retornou e entrou na conversa.

– Quantas pessoas tem no acampamento?

– Umas 100, em média. Uns partem, outros chegam... Mas, vão ver, vive-se bem aqui.

Eu começava a me arrepender de ter escolhido trabalhar em Vallauris. Sentia que eu e Ange seríamos bons amigos.

Às 6 horas, um sino nos avisou que era a hora da janta. Graças a Ange, que conhecia todos os esquemas, logo encontramos um lugar no banco mais próximo da cozinha. As panelas eram enormes, e um garoto de seus 15 anos, que depois eu soube que era holandês, nos servia, segurando com as duas mãos uma concha gigantesca.

O barulho era ensurdecedor. Havia dois belgas ao meu lado – eles também esperavam o fim da guerra para voltar para casa. Na frente, um loirinho que se chamava Masso, Jean Masso, cujos pais moravam em Grasse. Senti que ele também poderia se tornar um amigo.

Depois da janta, nos reunimos em formação militar diante da bandeira. Achei aquilo muito estranho, acho que nunca tinha ficado em posição de sentido a não ser para brincar com os amigos.

Vi a bandeira descer lentamente do mastro.

Então, quase todos foram para as tendas centrais, que eram circulares, como circos, jogar damas, cartas, ludo... Outros prefeririam passear do lado de fora, e havia também alguns tocadores de gaita e de violão, o que me fez pensar nos italianos. Onde estariam àquela hora?

Jogamos uma partida de dominó, Ange, Jean, Maurice e eu, e, às 9 horas, estava na cama. O responsável pela tenda dormia do outro lado da fileira de camas. Parecia gentil, mas severo o suficiente para que não houvesse nenhuma bagunça depois da hora de deitar.

No escuro, acima de mim, ouvia o murmúrio do vento nas folhas das árvores que rodeavam o acampamento. Havia também o zumbido dos insetos, mas não era isso que me incomodava, e sim os mil ruídos produzidos pela vida em comunidade: cochichos de dois tagarelas, rangidos das madeiras das camas, roncos, tosses, suspiros; sentia ao meu redor a presença confusa dos corpos deitados, as respirações se misturavam, produzindo um sopro contínuo e caótico. Nunca tinha vivido isso e demorei um bocado para conseguir dormir.

O apito agudo perfurou meus tímpanos, e pulei da cama assustado. Os garotos ao redor já estavam dobrando as cobertas e o "saco de carne", trocando os primeiros empurrões e correndo sem camisa para os lavabos.

Ange Testi era o único que não parecia ter pressa de sair da cama.

– Maurice e Joseph Joffo, rápido, para o almoxarifado!

Herdei três camisetas, um calção e três pares de meias, tudo da mesma cor azul cobalto.

Vesti as roupas e meu moral caiu um bocado, me senti um verdadeiro recruta.

– Os dois vão para Vallauris?
– Sim.
– Então, a caminho!

Partimos em pequenos grupos. Essa Moisson Nouvelle pode ser um bom esconderijo, mas a vida ali não parece sopa.

Há 10 outros rapazes nos esperando. O diretor está com eles e nos cumprimenta com um sorriso que me restitui um pouco de ânimo.

– Doze, pronto. Podem ir. Trabalhem bem e façam belos potes para nós. Até a noite.

Os jardins estavam cheios de rosas tardias; havia no ar ainda fresco um cheiro de pétalas murchas, e avançávamos em desordem, apesar das exortações do chefe do grupo, que tentava nos fazer marchar em fila e cantar a célebre canção "Maréchal nous voilà" (Marechal, estamos aqui).

Vallauris não fica longe de Golfe-Juan, pertence ao mesmo município. Um vilarejo com uma pracinha e, um pouco afastada, uma construção alta de dois andares com o telhado desabado. Era entre essas velhas paredes que ficava o ateliê de olaria dos Compagnons de France.

Ao longo de uma parede, alinhavam-se as produções mais recentes: vasos de todas as formas e tamanhos, gorduchos, magros, esbeltos, com bico, sem bico, com uma alça, duas alças, envernizados, não envernizados. Logo me vi diante de um torno e de um bloco de argila: se vira, rapaz!

Nessa primeira manhã, descobri uma coisa muito importante: podemos gostar de um ofício e passar a detestá-lo rapidamente se as condições em que o praticamos são ruins.

Eu tinha vontade de fazer meus próprios potes; gostava de ver e sentir o bloco de argila girar entre meus dedos, percebia que com uma ínfima pressão das mãos em concha, a forma seria outra, mais fina, diferente. E o que queria era realizar um modelo que fosse meu, isto é, inventar, improvisar um volume que fosse diferente de todos os que estava vendo alinhados contra a parede. Mas o mestre responsável por mim – que não foi com minha cara desde o início – não concordava com isso. Talvez tivesse razão, talvez seja necessário, antes de ser um criador, ser primeiro um imitador, praticar escalas antes de tocar uma sinfonia. Isso parece evidente, mas, até hoje, não estou convencido.

Seja como for, a cada vez que tentava dar à minha obra um toque pessoal, era expulso do banquinho, e, com dois toques rápidos, o chato restabelecia a proporção correta, aumentava novamente a barriga que eu tentava diminuir. Depois eu retomava e, mesmo sem querer, diminuía aquele volume que me parecia um erro estético berrante.

Depois de duas horas jogando esse jogo, o mestre parou o torno e olhou para mim com perplexidade:

— Não tem o mínimo senso das proporções. Já vi que vai ser difícil.

Resolvi tentar a sorte:

— Não posso fazer um sem modelo pra me divertir?

Tinha cometido o pior dos erros. Recebi um sermão urrado em meus ouvidos e fui me encolhendo pouco a pouco sob o peso dos argumentos: a arte da olaria não é uma diversão, antes de fazer sem modelo é preciso saber copiá-los, é forjando que alguém se torna forjador, ser oleiro não é fácil, etc., etc.

Pensei que ele fosse ter um ataque.

Quando parou de gritar, esmagou meu bloco com a palma da mão e disse:

— Recomece. Voltarei em 10 minutos.

Recomecei. Ele voltou, reclamou e me fez ficar atrás de um dos seus discípulos, que parecia estar grudado no torno há 30 mil anos com a missão de não perder um de seus gestos e reproduzi-los com total exatidão.

Para mim era uma tristeza ver aqueles vasos sendo moldados, iguaizinhos a todos os outros.

Voltei para o meu torno depois dessa longa tortura, mas estava na hora do almoço.

Maurice não parecia muito mais feliz do que eu. Pelo jeito, os Joffo não nasceram para trabalhar com o barro.

Depois de comer, voltei. O mestre também, e, duas horas mais tarde, a cabeça latejando com seus conselhos-latidos, barro até o cabelo e pingando de suor, disse para mim mesmo que, se não quisesse sucumbir à tentação de lhe meter um bloco de argila na cabeça, era melhor abandonar definitivamente o ofício de oleiro.

Assim se perdem as vocações: naquele dia tive minha única experiência com essa arte que ganharia, ali mesmo onde a exerci, a importância que todos sabem.

Que fique registrado: fui oleiro em Vallauris.

O fato é que a primeira coisa que fizemos ao voltar para Golfe-Juan foi conversar com Subinagui.

— Não vai dar pé, a olaria e eu não fomos feitos um para o outro.

— Digo o mesmo — reforçou Maurice —, incompatibilidade total e comprovada.

Subinagui nos ouviu com sua costumeira calma, que nenhuma catástrofe parecia capaz de abalar. Então perguntou:

— Poderiam me explicar o que os incomodou tanto?

Exclamei:

— Na verdade, gostei, gostei muito mesmo. Mas não consigo fazer do jeito que o...

Seu gesto me interrompeu e, quando nossos olhos se encontraram, li claramente neles que ele não me condenava, que não partilhava as concepções pedagógicas do mestre oleiro e que, no fundo, aprovava minha reação. Fiquei reconfortado, sobretudo quando, depois de consultar uma ficha, ele acrescentou.

— Se estiverem de acordo, vamos tentar a cozinha. Espero que se sintam melhor. É um trabalho menos artístico, mas na certa terão mais liberdade.

Maurice agradeceu. Eu estava contente. Ia poder conviver com Ange, e todo mundo sabe que, numa coletividade, a cozinha é o lugar onde se pode ficar por dentro das melhores transações.

Subinagui nos acompanhou até a porta e pôs a mão em nossos ombros.

– Fizeram bem em vir falar comigo. Qualquer coisa, estou aqui.

A partir daí começaram três semanas maravilhosas.

Aquela cozinha era mesmo um lugar encantado. Maurice ajudava um açougueiro profissional e passava os dias cortando bifes e jogando truco, sendo que a segunda atividade o ocupava bem mais que a primeira. Quanto a mim, lembro de mexer panelões de purê, temperar enormes saladas e cortar carradas de tomates, sempre em companhia de Masso e Ange, que chegava até a abandonar seus esconderijos para trabalhar comigo. Formávamos um trio inseparável.

Havia todo um tráfico dentro do acampamento, principalmente de açúcar e farinha. Pessoalmente, cheguei a roubar algumas bananas, biscoitos e tabletes de chocolate para degustar com os amigos, mas nunca participei de nada maior. Não que tivesse me tornado o mais honesto dos homens, mas não suportava a ideia de decepcionar Subinagui. Sabia das dificuldades que ele tinha para abastecer o acampamento, ele vinha com frequência conversar com o chefe da cozinha, e dava para sentir sua tensão quando a caminhonete que trazia mantimentos não chegava.

Havia noitadas de descontração em que se tocava violão, e eu gostava do cheiro dos pinheiros e do mar quando a noite caía, o vento varria o calor do dia e, com a exceção de Gérard, sempre mecanicamente frenético, relaxávamos e retomávamos em coro as melodias lançadas pelo cantor. Aquilo fazia bem, evocava a paz.

Mas as notícias circulavam ali. Chegavam com os fornecedores e com os que voltavam das saídas que o diretor autorizava facilmente. Sabíamos que a guerra continuava. A coisa andava feia na Itália, os alemães tinham capturado regimentos inteiros de seus ex-aliados, e eu me perguntava onde estariam nossos amigos do Tite... Marcello estaria morto? Teria sido feito prisioneiro? Ou vivia agora como civil? E os outros? O fato é que os alemães continuavam fortes e se mantinham firmes; apesar de todos os esforços, os anglo-americanos não conseguiam avançar, continuavam bloqueados ao sul de Nápoles, e parecia que a cidade jamais cairia em suas mãos.

Os alemães estavam recuando na União Soviética, mas muito lentamente, o que me deixava em dúvida. Masso até falava do mito da defesa elástica: como se eles estivessem se preparando para um salto prodigioso que dominaria o planeta inteiro.

Falávamos pouco sobre isso no acampamento. Havia adolescentes enviados por famílias convictamente "pétainistas", e alguns deles eram explicitamente pró-alemães. As conversas morriam quando estes se aproximavam, e Maurice tinha me alertado para não fazer nenhuma confidência, nem mesmo aos meus melhores amigos.

Havia razões para isso: além das notícias da guerra, chegavam até nós outras informações que podiam ser resumidas numa fórmula: intensificação da caça aos judeus. Pude ouvir algumas palavras sobre isso, trocadas entre Subinagui e o cozinheiro-chefe, enquanto recolhia os pratos do refeitório.

O tempo das sutilezas tinha passado. Todo judeu, ou mesmo qualquer pessoa suspeita de ser, era enviada para os campos alemães.

Falei disso com meu irmão, mas, para variar, ele estava mais bem informado do que eu.

Uma manhã, lá pelas 10 horas, enquanto eu limpava o fogão, ele veio falar comigo, com seu grande avental azul marinho.

– Jo, eu estava pensando numa coisa: se os alemães fizerem uma batida aqui e nos interrogarem, logo vão saber que somos judeus.

Fiquei paralisado, segurando meu pano.

– Mas por quê? Até agora...

Ele me interrompeu, e fiquei escutando. Algum tempo depois, agradeci aos céus por tê-lo escutado atentamente.

– Subinagui falou comigo. A Gestapo não está nem mais abrindo enquetes, eles estão se lixando pros documentos. Se dissermos que nosso sobrenome é Joffo e que nosso pai tinha um estabelecimento na Rua de Clignancourt, ou seja, em pleno bairro judeu de Paris, será mais do que suficiente pra sermos mandados para a Alemanha.

Devo ter empalidecido, pois ele fez um esforço para sorrir.

— Estou dizendo isso só pra que você entenda que, se houver uma batida, temos que inventar outra história, uma outra vida. E acho que já sei o que podemos fazer. Vem comigo.

Larguei o pano e o segui até a outra ponta da cozinha, enxugando as mãos no meu calção já ensebado.

— Olha o que vamos fazer: conhece a história do Ange?

— É claro! Ele já contou umas 100 vezes!

— Pois bem, a nossa vai ser parecida.

Fiquei atônito, sem compreender direito aonde ele queria chegar.

— Não está entendendo?

Também não queria ser tomado por mais burro do que realmente era, por isso respondi:

— Estou. Vamos dizer que viemos passar férias na França e que não podemos voltar por causa do desembarque.

— É isso! A vantagem dessa história é que eles não podem entrar em contato com nossos amigos ou nossos pais porque eles ficaram lá. Vão ser obrigados a acreditar em nós.

Aquilo ficou dando voltas na minha cabeça. Parecia meio impossível inventar um passado completamente novo sem cair em contradição no momento de um eventual interrogatório. Perguntei:

— E onde a gente morava?

— Em Argel.

Olhei para ele. Imaginava que Maurice já tivesse previsto tudo, mas tinha que me assegurar disso fazendo as perguntas que talvez um dia nos fossem feitas.

– Qual é o trabalho dos pais de vocês?

– Nosso pai é cabeleireiro, nossa mãe, do lar.

– E onde vocês moram?

– Na Rua Jean Jaurès, número 10.

Ele não hesitou nem um segundo, mas aquilo me pareceu exigir uma explicação.

– Por que na Rua Jean Jaurès?

– Por que sempre tem uma Rua Jean Jaurès, e o número 10 porque é fácil de lembrar.

– E se quiserem que a gente descreva o salão, a casa, tudo isso, como vamos fazer pra dizer a mesma coisa?

– Muito simples, é só descrever nossa casa da Rua de Clignancourt, assim não vai ter erro.

Balanço afirmativamente a cabeça. Parece mesmo que ele pensou em tudo. De repente, ele se levanta brutalmente, me pega pelo ombro e me sacode gritando:

– E *onte focê fai no escola, benininho*?

– Na mesma rua, Jean Jaurès, um pouco mais abaixo, não lembro o número.

Ele me dá um soco de satisfação.

– Muito bem, geralmente você é meio retardado, mas parece que está começando a ter reflexo. Segura essa!

O direto me atinge na barriga, recuo, faço uma finta e tomo distância. Ele gira ao meu redor, dançando.

Masso aparece, olha para nós e exclama:

– Aposto no maior e mais forte.

Naquela mesma noite, quando já estávamos deitados, me apoiei no travesseiro e me inclinei sobre o espaço que separava minha cama da de Maurice.

– Tem um furo no seu plano.

Ele também se ergueu. Eu via sua camiseta branca recortada sobre os cobertores marrons.

— Por quê?

— Porque Subinagui tem nossos documentos, sabe de onde viemos e, se os Fritz o pressionarem, será forçado a contar pra eles.

— Não esquenta. Vou falar com ele. A gente pode confiar nesse cara.

O silêncio se instalou; uns já dormiam, outros liam com lanternas por baixo das cobertas. Antes de voltar a deitar, ele acrescentou:

— Sabe, acho que não somos os únicos aqui nessa situação.

Fiquei observando na penumbra o retângulo mais escuro da foto do marechal Pétain, pendurada no mastro central do dormitório, e tive um impulso de gratidão pelos "Compagnons de France", pensando que, para os que estavam sendo perseguidos pelos alemães, aquele tipo de organização podia ser bem útil.

— E aí, irmãos Joffo, vocês vêm comigo?

O motor da caminhonete está ligado, e Ferdinand, prestes a embarcar.

O motorista olha para nós. É ele que traz mantimentos nas sextas-feiras, almoça no acampamento e volta para Nice à uma da tarde.

Hoje é sexta, são 13 horas, é o momento de embarcar. Ouvi rumores na cozinha: há contas não pagas aos estabelecimentos que fornecem comida ao acampamento. Dois deles andam pegando pesado na cobrança e têm nos enviado sacos cada vez mais leves.

Ferdinand tem 24 anos. Uma tuberculose o fez passar quatro anos num sanatório e sair do exército. É o intendente do acampamento, o braço direito de Subinagui. Vai a Nice resolver esses problemas.

Estávamos ali por acaso. Eu ia encontrar Ange, e Maurice tinha na mão o baralho com que jogava suas intermináveis partidas de truco. O convite nos pegou desprevenidos. Uma tarde em Nice? Maravilha!

— E pra voltar?

— Pegaremos o ônibus da noite. E aí, vêm ou não vêm?

"Nunca hesitar".

– Vamos lá!

É uma proposta irresistível. Com o uniforme, não corremos nenhum risco, e queremos saber como andam nossos pais. Tenho a impressão de que só de ver a fachada da casa, a maneira como estão dispostas as persianas, saberei se ainda estão ali. E talvez dê mesmo para arriscar uma visitinha rápida...

A caminhonete faz uma curva fechada, patinando um pouco no cascalho, e atravessa o portão. Eu me seguro como posso para não cair. A lona não foi colocada e o vento quase me impede de respirar. Acomodo-me do outro lado, junto a Maurice, onde o tubo de gasogênio forma um abrigo.

Ferdinand, que está do lado do motorista, se vira para nós:

– ...alguém em Nice?

O motor faz um barulho abominável, e os solavancos não ajudam nem um pouco. Ponho as mãos em volta da boca, formando um megafone, e grito:

– O quê?

– Conhecem alguém em Nice?

É Maurice que responde:

– Não, vamos apenas passear!

O motorista dirige como um louco. A caminhonete balança de um lado para o outro da rua, jogando-nos como bonecos.

Começo a ficar enjoado. Sinto que o macarrão do almoço quer voltar para o ar livre.

Paramos bruscamente. O motorista xinga Deus e o mundo: acaba de perceber que está andando com um pneu furado. O estepe está em estado lamentável, mais remendado que uma meia velha, mas é o que temos. Voltamos a rodar. A pausa me fez bem: meu estômago parece ter voltado ao lugar.

Já estamos chegando a Nice. De repente, após uma curva, vejo a baía. É emocionante rever a cidade. Entre as casas minúsculas que formigam ao redor do cais, onde estará o bar do Tite? E a casa de meus pais, perto da igreja?

Ferdinand conversa com o motorista e, no sinal vermelho, se vira para nós.

— Vamos descer na próxima esquina. Vou ver um amigo na Rua de Russie, coisa rápida. Vocês me esperam alguns minutos, depois mostro a vocês onde fica a rodoviária e aí vocês ficam livres para passear.

— Combinado.

A caminhonete para, e nossos pés tocam a calçada de Nice.

— Adiante.

Não é fácil acompanhar Ferdinand, alto e magro: seus passos são enormes. Tanto quanto seu pomo de adão e seu nariz.

— É aqui. Volto em dois minutos.

Mal termina de falar e já desapareceu por uma porta.

Eu não lembrava do quanto essas ruas eram quentes. Alguns poucos prédios nos separam do mar, mas bastam esses obstáculos para que nenhum frescor chegue ali. As ruas estão desertas. Na esquina, cresceu toda uma floração de cartazes. Plantada no asfalto, uma espécie de árvore cujas folhas são grandes flechas amarelas com palavras góticas. Lembro de ter visto "plantas" semelhantes em Paris antes de partir.

— Por que ele está demorando tanto? — murmura Maurice.

Eu acho difícil saber se passou muito ou pouco tempo, já que não temos relógio.

— Talvez não faça nem dois minutos que ele saiu.

Maurice quase tem um treco:

— Você não tem noção! Faz mais de 10!

Está aí o tipo de coisa que me irrita.

— Como pode saber que já passaram 10 minutos?

Maurice assume aquele ar de superioridade que me deixa exasperado.

— É simples, dá pra saber. Se não é capaz de perceber a diferença entre dois minutos e meia hora é porque você é mesmo uma anta.

Dou de ombros.

— Continuo achando que não dá pra saber há quanto tempo estamos esperando.

— Seu burro — murmura Maurice.

Resolvo deixar quieto. Está quente demais para brigar. Sento no chão, à sombra de uma parede.

Maurice fica batendo o pé, passa duas, três vezes diante de mim e, de repente, se decide:

— Vou dar uma olhada. De qualquer jeito, a gente se vira pra achar a rodoviária. Não vamos passar a tarde toda aqui esperando.

Abre a porta e entra.

Tenho que admitir que ele tem razão. Estamos perdendo tempo, esperando ali naquela rua sufocante. Acho que me acostumei com o campo e não suporto mais o calor urbano, que parece brotar das paredes em vez de vir do sol.

Agora é Maurice que não volta. Só faltava essa!

Se ao menos eu tivesse algo com que brincar. Mas meus bolsos estão vazios, e nem sequer há pedrinhas para ficar jogando.

Vou até o fim da rua e volto contando os passos.

Trinta e cinco na ida, trinta e seis na volta.

Quer dizer que dou passos mais longos quando vou do que quando volto? Ou foi a rua que dilatou com o calor? Ou me enganei ao contar. O fato é que estou horrivelmente entediado.

Puxa, o que esses dois estão fazendo?!

Estava tão contente por vir a Nice, e no entanto... Primeiro, quase vomito na caminhonete; agora, apodreço de tédio diante dessa porta. Resolvo entrar.

O pátio é agradável. Tem hera numa das paredes e um caramanchão ao fundo. Alguns brinquedos jogados perto de um montinho de areia.

Nada de zelador. Apenas uma escada à minha frente.

Atravesso o pátio e ponho o pé no primeiro degrau.

A parede se lança sobre mim, as palmas das minhas mãos dão com tudo nela. Uso-as como anteparo para não bater de cabeça.

Sinto uma dor aguda nas costas, me viro para trás.

Ele está ali. Foi quem me empurrou com o cano da metralhadora. O verde escuro do uniforme impede a luz de entrar.

Talvez vá me matar. A metralhadora está apontada para o meu nariz. Onde está o Maurice?

Ele se inclina para mim. Cheira a cigarro. Sua mão aperta meu braço, e as lágrimas inundam meus olhos. Aperta com força, muita força.

Abre a boca.

– Judeu – ele diz –, judeu.

Com um empurrão, me joga contra uma porta lateral, que vibra com o choque.

Vem para cima de mim, e levanto o cotovelo para proteger o rosto. Mas não bate. Abre a porta e me empurra mais uma vez. Entro aos trancos e barrancos. A porta volta a se fechar.

Maurice está ali. Ferdinand também. E mais duas mulheres. Uma delas chora, está com a testa toda machucada.

Sento, completamente aturdido. Não consigo entender, aquilo é um pesadelo. Fazia calor, era verão, eu estava na rua, livre. Atravesso um pátio, sou empurrado com violência, e agora estou aqui, preso nesse quarto.

– O que está acontecendo?

Tenho dificuldade em pronunciar as palavras e temo ter falado numa voz trêmula, uma voz fininha e ridícula.

Ferdinand está com os olhos mais arregalados do que nunca, e molhados de lágrimas. Maurice também está com um rosto muito diferente, talvez nunca mais voltemos a ser quem éramos antes.

– É minha culpa – sussurra Ferdinand. – Caímos numa "ratoeira". Aqui ficava um centro de resistência que fornecia documentos falsos e contatos pra passar a fronteira até a Espanha.

Maurice olha para Ferdinand.

– Mas por que veio aqui? Precisava ir pra Espanha?

Ferdinand confirma.

– Com os rumores que estavam correndo no acampamento ultimamente, entrei em pânico. Eu tinha esse contato e queria dar o fora antes que os alemães fizessem uma batida em Golfe-Juan.

Fico olhando para ele, ainda sem compreender.

– Mas por que tanto pânico?

Ferdinand olha para a porta e faz uma espécie de careta:

– Porque sou judeu.

Olha para nós, e vejo seu pomo de adão subir e descer.

– Mas não se preocupem, assim que souberem que não são judeus, soltarão vocês.

– Assim espero – murmura Maurice.

Olha para mim. Não precisa ter medo, mano. Aprendi a lição, está tudo guardado na minha cabeça, não cometerei nenhum erro.

– Mas, e você, Ferdinand? O que vai fazer? Sabe o que vai dizer pra eles?

Um soluço sacode seu corpo inteiro.

– Não sei... Estou completamente desorientado. Tinha preparado tudo pra conseguir essa identidade falsa, e quando parecia que ia ver uma luz no fim do túnel...

As mulheres também o observam chorar. São jovens, 20, no máximo 25 anos. Parecem não se conhecer, estão imóveis em suas cadeiras.

Esse quarto sem janelas é estranho... de repente, entendo: tem uma janela que deve dar para o pátio, mas o armário foi empurrado para tapá-la e desencorajar qualquer tentativa de fuga. Só vi um soldado, mas deve haver outros.

Tive a impressão de que, ao me jogar no quarto, o alemão não trancou a porta. Mas verificar isso ou tentar fugir na certa significaria levar uma bala na cabeça.

— E o que vai acontecer agora?

Maurice fechou os olhos, parece até estar dormindo, mas responde na hora.

— Seremos interrogados, e, quando se derem conta do equívoco, nos deixarão partir.

É uma perspectiva bastante otimista. Inútil falar com Ferdinand: encolheu-se na cadeira e está balançando o corpo, embalando uma dor insuportável. As mulheres continuam caladas, e talvez seja melhor assim, não conversar com elas. Faz um calor horrível no quarto. A rua até parece fresca em comparação.

Vejo que todos estão suando. Tenho a impressão de que se a luz fosse apagada, faria menos calor. Como se a lâmpada fosse sua fonte. Associo o escuro ao frescor.

— E se apagássemos a luz?

Todos se sobressaltam. Deve fazer horas que estamos ali calados, cozinhando em nosso próprio suor.

Uma das mulheres, a que está machucada na testa, sorri para mim.

— Acho melhor não. Eles poderiam achar que estamos tramando alguma coisa, tentando fugir.

Tem razão. O soldado que me jogou ali parece adorar distribuir coronhadas.

— Por favor, que horas são?

Foi Maurice quem perguntou à moça. Ela tem um fino bracelete com um pequeno relógio retangular.

— 5h15.

— Obrigado.

Faz três horas que estamos aqui.

Não veio mais ninguém, ninguém mais foi pego além de nós.

O cansaço vai me invadindo pouco a pouco, minha bunda dói de tanto ficar sentado. Talvez tenham nos esquecido. Aliás, estão pouco se lixando para nós. Devem estar atrás dos responsáveis pelo esquema, os cabeças, homens procurados há tempo, mas nós, o que representamos aos olhos deles? Absolutamente nada! Que grande resultado para uma caçada: duas mulheres amedrontadas, dois moleques e um grandalhão magricela e tuberculoso. Agora que nos pegaram, os alemães podem ter certeza de que ganharão a guerra!

Imagens rodam na minha cabeça, passam debaixo das pálpebras que a luz forte demais enche de um amarelo doloroso.

Não consigo entender a violência daquele soldado. Seus empurrões bruscos, a metralhadora apontada, seus olhos, principalmente... Parecia que o sonho de sua vida seria me enterrar na parede: por que isso?

Sou inimigo dele?

Nunca nos vimos, não fiz nada para ele, e ele quer me matar. Acho que foi nesse instante que compreendi minha mãe e outras pessoas que vinham ao salão em Paris: elas diziam que a guerra era uma coisa absurda, e eu não concordava. Acreditava que na luta armada havia uma espécie de ordem, uma razão de ser que eu desconhecia, mas que existia na cabeça dos líderes e responsáveis. As imagens que apareciam no cinema, antes dos filmes, apresentavam regimentos que desfilavam ordenadamente, bem alinhados; os tanques rodavam em longas linhas, indivíduos de feições sérias, engravatados ou cheios de condecorações, conversavam, assinavam documentos, falavam com propriedade e convicção. Como poderia pensar que tudo aquilo era absurdo? Os que diziam isso não compreendiam, julgavam a partir de sua própria ignorância. Mas a guerra, aos olhos do menino que eu era, não se parecia com o caos, com a desordem, com a polícia. Até no meu livro de História, além das belas imagens que a representavam como pitoresca e exaltante, ela parecia enquadrada por acordos, tratados, reflexões, decisões... Como imaginar que Filipe II, Napoleão, Clemenceau e todos os ministros, conselheiros... toda essa gente cheia de saber e que ocupava os postos mais elevados não passaria de um bando de loucos?

Não, a guerra não podia ser absurda. Os que diziam isso eram ignorantes.

E, de repente, eis que essa guerra deliberada, feita por adultos de gravatas e medalhas, acabava por jogar uma criança, eu, a coronhadas, num quarto fechado, me privando da liberdade, a mim, que não tinha feito nada, que não conhecia nenhum alemão... Era isso que mamãe queria dizer – e tinha toda razão. Para piorar, era possível que...

A porta se abriu.

Agora são dois e estão rindo, segurando suas armas.

– Pra fora, rápido, rápido.

Empurra-empurra, pego na mão de Maurice: que não nos separem.

Tem um caminhão lá fora.

– Rápido, rápido.

Minha cabeça gira, corro atrás das duas mulheres. Uma delas torce o pé com seus saltos de madeira. Ferdinand arfa atrás de mim.

Dois oficiais esperam no caminhão que está no fim da rua.

Entramos na traseira. Não tem banco, ficamos de pé.

Um dos soldados sobe atrás de nós, o outro fecha a tampa de ferro e também sobe proferindo xingamentos, meio atrapalhado com sua metralhadora.

Agarramo-nos uns nos outros. O caminhão dá a partida. Calamo-nos, afastamos os pés para não cair.

Vejo apenas as ruas que vão ficando para trás.

O caminhão para bruscamente. Os soldados abrem a placa de ferro e descem.

– Andem, rápido.

Estamos de novo na rua, e logo reconheço o lugar.

À minha frente, o hotel Excelsior, a sede da Gestapo em Nice.

IX

Uma multidão no saguão de entrada, adultos, crianças, malas. Homens que correm de um lado para o outro com listas e pastas em meio aos soldados.

Uma barulheira medonha. Perto de mim, um casal de cerca de 70 anos. Ele é calvo e está com sua roupa de domingo; ela é pequena, e deve ter feito uma permanente há pouco tempo. Está toda elegante e segura na mão um lenço da mesma cor que sua echarpe. Os dois parecem muito calmos, apoiados numa coluna, olhando para uma menininha de 3 ou 4 anos que dorme no colo da mãe. De vez em quando se entreolham, e eu sinto medo.

Apesar de ser ainda tão novo, acho que entendi na hora que aqueles dois se olhavam como pessoas que viveram juntas a vida toda e que serão separadas. Que terão de fazer sozinhas, cada uma do seu lado, o resto do caminho.

Maurice se inclina para um homem sentado numa bolsa.

– Para onde o senhor vai?

O homem parece não ter ouvido, seu rosto permanece imóvel.

– Para o campo de Drancy.

Disse isso com simplicidade, como se diz "obrigado" ou "tchau", sem a menor ênfase.

De repente, uma grande balbúrdia. No alto da escadaria acabam de aparecer dois S.S. e um civil, que segura uma lista espetada num retângulo de papelão. À medida que pronuncia os nomes, olha ao redor para ver se alguém se levanta e marca a folha com uma caneta.

A chamada é longa. Contudo, pouco a pouco o saguão vai se esvaziando; uma vez nomeadas, as pessoas saem por uma porta lateral. Um caminhão as levará até a estação.

– MEYER, Richard. 729.

O senhor idoso não se deixa perturbar, abaixa-se lentamente, pega sua maleta e avança sem pressa.

Admiro essa lentidão, essa segurança, sei que nesse instante ele não tem medo. Não, seus sacanas, nós não temos medo nenhum de vocês!

– MEYER, Marthe. 730.

A senhorinha pega uma maleta ainda menor que a de seu marido. Sinto um nó na garganta, acabo de vê-la sorrir.

Eles se encontram na porta. Fico feliz por não serem separados.

Nossos dois guardas continuam ali. O que bateu em mim está fumando. Observo-o às escondidas. É estranho constatar que tem uma cara normal, de modo algum uma cara de assassino. Então, por quê?

O saguão já está praticamente vazio. S.S. continuam passando pra lá e pra cá com papéis nas mãos. Parecem estar executando um trabalho importante e difícil. Logo estaremos sozinhos, apoiados contra a parede do fundo.

Com um estalo dos dedos, um oficial chama os dois soldados que estão com a gente. Eles obedecem imediatamente. Agora estamos sozinhos, o saguão está vazio.

Percebo que não soltei a mão do meu irmão.

Que horas serão?

Um civil desce a escada e olha para nós enquanto ajeita o nó da gravata. Talvez nos diga para ir embora.

Apontando para nós com o dedo, fala em alemão com alguém que não vejo e que está no andar de cima.

Faz um sinal para nós, e subimos.

Faz tempo que estou com vontade de fazer xixi, mas tenho medo. No primeiro andar, há oficiais alemães e intérpretes franceses. Chegamos a um corredor que dá para várias portas.

– Documentos!

As duas mulheres e Ferdinand apresentam os seus.

O intérprete entra numa sala e sai logo em seguida.

– Vocês duas, entrem!

Ficamos no corredor, sem ninguém nos vigiando. Ouve-se um barulho abafado de máquinas de escrever e de vozes que vêm do andar de cima, mas não escuto nada do que está sendo dito na sala onde as moças entraram.

Maurice olha para mim e fala com maxilares que parecem ter dificuldade em se desapertar.

– Aguente firme, Joseph.

– Vou aguentar.

A porta se abre. As duas moças saem chorando. Mas dá para perceber que não bateram nelas, o que aumenta um pouco minha coragem.

Elas descem a escada, e nós continuamos esperando. Isso me faz lembrar de quando minha mãe me levava ao dentista, em Paris.

O intérprete aparece. É nossa vez. Entramos junto com Ferdinand.

É um quarto do hotel, mas sem cama. No lugar desta, uma mesa com um S.S. atrás. Na faixa dos 40, de óculos. Parece cansado e boceja várias vezes.

Está com os documentos de Ferdinand nas mãos e olha para ele. Não diz nada, mas faz um sinal para o intérprete.

– Você é judeu?

– Não.

O intérprete tem uma vozinha de criança e um sotaque do sul da França, na certa é dali mesmo de Nice. Parece um freguês do salão do meu pai cujo nome não gosto nem de lembrar.

– Se não é judeu, por que tem documentos falsos?

Não olho para Ferdinand. Sei que se olhar para ele vou fraquejar.

– Como assim? Esses são os meus documentos.

Após uma breve conversa em alemão, o S.S. fala, e o intérprete traduz:

– É fácil saber se você é judeu ou não, por isso, é melhor você confessar de uma vez, senão vai nos deixar de mau humor e apanhar, o que seria uma tolice. Em suma, vá logo dizendo e tudo fica resolvido.

Do jeito que ele fala, parece que é só o cara dizer que é judeu para terminar tudo e ficar livre.

– Não, eu não sou judeu.

O S.S. não precisa de tradução. Levanta-se, tira os óculos, vai para a frente da mesa e para diante de Ferdinand.

O tapa que dá na cara de nosso amigo quase o derruba. Ao segundo golpe, ele cambaleia e recua com lágrimas nos olhos.

– Pare – diz Ferdinand.

O S.S. aguarda. O intérprete o encoraja a confessar:

– Vamos, conte tudo, de onde você é?

Com um fiapo de voz, Ferdinand fala:

– Eu saí da Polônia em 1940. Meus pais foram detidos. Passei pela Suíça e...

– Está bem, está bem, veremos isso mais tarde. Reconhece que é judeu?

– Sim.

O intérprete vai até ele e lhe dá um tapinha amigável no ombro.

– Não acha que teria sido mais fácil dizer isso logo? Vamos, pode descer. Mostre isso para a sentinela lá embaixo.

Estende um tíquete verde para Ferdinand. Logo ficarei sabendo o que significa esse tíquete verde.

– Agora, vocês dois. São irmãos?

– Sim. Eu me chamo Maurice, e ele, Joseph.

– Maurice e Joseph do quê?

– Joffo.

– E são judeus.

Não é uma pergunta e sim uma afirmação. Tento ajudar Maurice.

– Não, isso é mentira.

O intérprete fica surpreso com minha veemência. Maurice não lhe dá tempo de se recompor.

– Não, não somos judeus, somos da Argélia. Posso lhe contar nossa história.

O intérprete franze as sobrancelhas e conversa com o S.S., que recolocou os óculos e nos examina. O alemão faz uma pergunta. Compreendo cada vez melhor, é realmente muito parecido com o ídiche. Mas não posso deixá-los perceber que estou entendendo.

– E o que estavam fazendo na Rua de Russie?

– Estávamos chegando do acampamento dos Compagnons de France. A gente só estava esperando o Ferdinand, ele disse que ia ver um amigo.

O S.S. gira um lápis entre os dedos.

Maurice ganha segurança e começa a contar a história que inventamos: nosso pai cabeleireiro em Argel, a escola, as férias, o desembarque que nos impede de voltar, tudo bem encaixadinho. De repente, a única coisa em que não tínhamos pensado.

– E vocês são católicos?

– É claro.

– Então foram batizados, correto?

– Sim. E também fizemos a primeira comunhão.

– Em que igreja?

E essa agora! A voz de Maurice ressoa mais clara do que nunca.

– Na igreja La Buffa, aqui em Nice.

O intérprete coça a barriga.

— E por que não em Argel?

— Mamãe quis que fosse na França, ela tinha um primo aqui na região.

Ele olha para nós, escreve algumas linhas num caderno e volta a fechá-lo.

— Muito bem. Vamos verificar se o que estão dizendo é verdade. Para começar, passarão pela visita médica. Assim saberemos se são circuncidados.

Maurice não vacila. Tento também permanecer impassível.

O intérprete olha para nós.

— Entenderam o que eu disse?

— Não. O que é circuncidado?

Os dois ficam nos olhando. Talvez você tenha ido longe demais, Maurice. Eles poderiam nos fazer pagar na mesma hora por tamanha segurança. O fato é que, de qualquer jeito, agora estamos ferrados.

No andar de cima, um soldado nos empurra pelas escadas. Tudo vai ser descoberto. Não ligo, pularei do trem em movimento, não irei para a Alemanha.

Vamos para outro quarto, sem nenhum móvel. Estão ali três homens vestidos de branco.

O mais velho se vira para nós quando entramos.

— Essa não, não vamos passar a noite toda aqui. Meu horário terminou já faz uma hora.

Os dois outros resmungam e tiram seus guarda-pós. Um deles é alemão.

— O que são esses dois moleques aí?

O soldado que nos acompanha mostra um papel para ele. Enquanto isso, os dois outros vestem seus paletós.

O velho lê. Tem sobrancelhas muito pretas, que contrastam com seus cabelos grisalhos.

— Tirem seus calções e suas cuecas.

Os dois outros continuam a conversar. Ouço palavras, nomes de ruas e de mulheres. Apertam a mão do médico que vai nos examinar e saem.

O doutor senta numa cadeira e faz sinal para nos aproximarmos.

O alemão que nos trouxe está atrás de nós, perto da porta. Estamos de costas para ele.

Com a mão direita, o médico levanta a camisa de Maurice, que está escondendo seu pênis, mas não diz nada.

Depois examina o meu.

– E afora isso, vocês não são judeus!

Visto novamente meu calção.

– Não, não somos judeus.

Ele suspira e, sem olhar para o soldado, que continua aguardando, diz:

– Não deem bola pra ele, não entende francês. Estamos sozinhos aqui, podem me dizer a verdade, não sairá desta sala. Vocês são judeus.

– Não – diz Maurice. – Fomos operados quando pequenos porque a pele estava grudada, só isso.

O médico balança a cabeça.

– Uma fimose, certo. Imaginem só, todo mundo que vem aqui teve uma fimose na infância.

– Não era uma... isso aí que o senhor está dizendo, era só a pele que estava grudada.

– E onde foram operados?

– Em Argel, num hospital.

– Que hospital?

– Não faço ideia, éramos muito pequenos.

Vira-se para mim:

– Sim, lembro que nossa mãe veio nos ver e nos trouxe balas e um livro.

– Que livro?

— *Robin Hood*, com ilustrações.

Silêncio. Ele recua em sua cadeira e olha alternadamente para Maurice e para mim. Não sei o que lê em nossos olhos, provavelmente algo que o incita a mudar de método. Com um gesto, manda o soldado sair.

Vai até a janela e olha para a rua, banhada pela luz alaranjada do sol poente. Suas mãos brincam com a cortina. Lentamente, começa a falar.

— Eu me chamo Rosen. Sabem o que quer dizer quando um homem se chama Rosen?

Entreolhamo-nos.

— Não.

Acrescento educadamente:

— Não, doutor.

Ele se aproxima e põe as duas mãos sobre meus ombros:

— Isso significa simplesmente que sou judeu.

Ele nos deixa digerir a novidade e acrescenta, depois de apontar para a porta com o queixo.

— Isso significa também que comigo vocês podem se abrir.

Tem olhos muito penetrantes e quase pretos. Eu continuo calado, mas Maurice reage mais rápido:

— Está certo, o senhor é judeu, mas nós não. Só isso.

O médico não responde. Vai até o cabide, tira um cigarro do bolso do paletó que está pendurado ali e o acende. Continua a nos observar através da fumaça. Impossível saber o que está se passando na cabeça desse homem.

De repente, murmura como que para si mesmo: "Estão de parabéns!".

A porta se abre, e aparece o S.S. de óculos que nos interrogou. Faz uma curta pergunta. Da resposta que o médico lhe dá, retenho apenas uma frase – que salvou nossa vida: "*Das ist chirurgical gemacht*" (foi feita cirurgicamente).

Fomos conduzidos a um dos quartos que devia servir antes para os funcionários do hotel. Não dormi. Às 6 da manhã, novo interrogatório. Desta vez, separados.

O S.S. que me interroga é bem diferente do primeiro. Volta e meia para de perguntar e põe umas gotinhas no nariz. O intérprete também é outro e pronuncia os erres à italiana. Assim que entrei na sala, senti certa cumplicidade com ele, tenho a impressão de que vai me apoiar. Um intérprete que está do lado da gente faz toda a diferença num interrogatório. Às vezes, basta uma palavra, uma entonação para mudar tudo.

– Descreva o quarto da sua casa na Rua Jean Jaurès.

Sei que vão comparar meu depoimento com o de Maurice, mas quanto a isso não teremos problemas.

– Dormia no mesmo quarto que meu irmão. Minha cama ficava perto da janela, a dele, perto da porta. O assoalho era de madeira e tinha um tapetinho vermelho ao pé de cada cama. Cada um tinha uma mesa de cabeceira com um abajur, o meu era rosa e...

– Não fale tão rápido, preciso traduzir.

Formula uma longa frase em alemão. O S.S. assoa o nariz e acrescenta alguma coisa. O intérprete assume uma expressão aborrecida.

– Seu irmão disse que o seu abajur era verde.

– Ele se enganou, o meu era rosa.

– Tem certeza?

– Absoluta.

Conversa em alemão. O intérprete me diz rapidamente:

– Tem razão, ele disse que o dele era verde. E os dois irmãos mais velhos de vocês, o que faziam?

– Trabalhavam no salão cortando cabelo também.

– E se metiam em política?

– Não faço ideia, nunca ouvi eles falarem disso.

– Seu pai lia jornais?

— Sim, todas as noites depois do jantar.

— *Alger Republicain*, ou algum outro?

Atenção. Pode ser que esteja me ajudando, mas também pode ser uma armadilha. Acho que ele está do meu lado, mas sei que não devo confiar em ninguém.

— Puxa, não sei que jornal era.

— Está bem, pode sair.

Atravesso os corredores e volto ao mesmo quarto, onde Maurice me aguarda.

A porta se fecha. Os soldados nunca a trancam, mas seria loucura tentar sair.

Tem uma janela. Estamos no último andar. Debruçamo-nos. Se alguém nos observar pelo buraco da fechadura, nem sequer poderá saber que estamos falando.

— Mais uma coisa — diz Maurice. — No domingo íamos tomar banho de mar, mas não nos lembramos do nome da praia.

Penso com meus botões que em nossa história tem muitas coisas cujos nomes não lembramos.

— Mas pode acrescentar que tinha uma mesquita por perto, numa praça.

Guardo tudo na memória e tento encontrar um detalhe que torne nossa história mais convincente. De repente, tenho uma iluminação.

— E se tivéssemos um amigo árabe?

Maurice ri com sarcasmo.

— Sei, que se chamava Mohamed... Não, não inventa demais, senão depois a gente vai acabar se enrolando. Conhecia algum árabe em Paris?

— Não.

— Pois bem, em Argel também não, pronto.

Fico pensando.

— Só que em Argel é mais frequente encontrar árabes do que em Paris.

— Não, a gente morava no bairro dos europeus e não tinha amigos árabes.

Isso me parece meio forçado, mas fico quieto. Soube depois que era mesmo possível viver na Argélia e não se relacionar com árabes. Aquele Maurice Joffo parecia até conhecer a fundo as contradições da França colonialista.

É quase meio-dia, e estou morrendo de fome. Faz 24 horas que não como nada. Passos no corredor, é o intérprete.

— Joseph Joffo, interrogatório.

O terceiro desde ontem à noite. Isso não vai acabar nunca!

O mesmo S.S. resfriado. Dessa vez, está chupando uma pastilha para a garganta.

— Do que vocês brincavam na escola?

Essa é fácil. Poderia ficar dois dias respondendo.

— Pega-pega, esconde-esconde, polícia e ladrão, bola, bolinha de gude, com boca e sem boca... tava, também. O intérprete interrompe meu discurso e traduz. Percebo que não sabe como traduzir "tava". Talvez as crianças alemãs não brinquem disso.

— Posso mostrar como se joga com algumas moedas.

Ele ri, tira algumas moedas do bolso e estende para mim. Pego cinco e coloco na palma da mão, jogo-as para cima e volto a pegar três com as costas da mão.

O oficial me observa com atenção. Continuo a demonstração. O intérprete ri, e sinto que a atmosfera se descontrai um pouco, mas logo o alemão se recompõe.

— Descreva a cidade para nós.

— Muito grande, tem o mar, papai nos levava pra tomar banho aos domingos, quando o dia estava bonito. Também tem uma praça, perto da Rua Jean Jaurès, com uma mesquita branca e muitos árabes ao redor. Também tinha uma grande avenida e...

Começo a descrevê-la. Uso a Avenida Canebière de Marselha como modelo: os cafés, os cinemas, as grandes lojas. Dez anos depois, descobri que tinha reinventado a Rua de Isly com maior precisão do que se realmente a conhecesse.

— ...o porto é muito grande, e sempre estava cheio de barcos.

— Que tipo de barcos?

Lembrava-me dos de Marselha. Os de Argel deviam ser parecidos.

— A maioria tinha o casco vermelho e preto, com uma ou duas chaminés. Geralmente duas.

— Fale-nos dos seus amigos e dos amigos do seu irmão.

— Não tínhamos os mesmos amigos, porque estávamos em turmas diferentes na escola. O meu melhor amigo era o Zérati. Um dia...

Duas horas depois, soube que Maurice também falou de Zérati. O nome deve ter lhes parecido suficientemente argelino para que nos deixassem em paz pelo resto do dia.

Por volta das 7 horas, um soldado nos conduziu à cozinha, onde comemos um prato de sopa, de pé, diante de fileiras de panelas empretecidas.

Começa a segunda noite. Pergunto-me se terão detido nossos pais. Se o fizerem e eles tiverem documentos falsos, teremos que fingir não conhecê-los. Não, seria horrível, melhor nem pensar nisso.

O sono tarda e a sopa não desce. Mas não devo vomitar, preciso ter forças para os próximos interrogatórios, não posso fraquejar. Deus dos judeus, dos árabes e dos católicos, fazei com que eu não fraqueje!

Distingo o quadrado mais claro da janela. Maurice respira regularmente ao meu lado. Amanhã talvez estejamos livres. Talvez.

Seis dias.

Faz seis dias que estamos presos. Houve ainda mais um interrogatório na manhã do terceiro dia e outro na tarde do quarto. Há dois dias, nada. Maurice perguntou ao intérprete que encontrou num dos corredores do hotel: parece que nosso dossiê está em trâmite, que os alemães aguardam uma informação mais clara para tomar uma decisão final: nos liberar ou nos deportar.

Os departamentos estão sobrecarregados de trabalho. Ouve-se um burburinho constante no grande saguão, nos dois salões e nos corredores do hotel. As escadas estão sempre cheias de civis, S.S. e militares. Tem os departamentos de identificação, de verificação, de entrega de salvo-condutos, de controle dos domicílios. Frequentemente, encontramos as mesmas pessoas nos corredores, pálidas, enrugadas pelo cansaço e pelo medo; um homem no segundo andar espera de pé faz três dias. Chega ao amanhecer e sai ao cair da noite. Quem será? O que quer? Que documento vem buscar em vão? Tudo me parece totalmente incompreensível, sobretudo o contraste entre os urros dos S.S. dando ordens nas escadas (sinto em seus gestos e vozes que adorariam bater e matar) e, por outro lado, essas pesquisas meticulosas, todos esses carimbos, rubricas, toda essa meticulosidade que me impressiona. Como podem ser ao mesmo tempo assassinos selvagens e burocratas tão aplicados?

O fato é que, desde ontem, o sargento encarregado da cozinha do Excelsior arranjou um esquema vantajoso para ele: faltam auxiliares, nós os substituímos. Na primeira manhã, fiquei feliz em sair do quarto; mas logo mudei de ideia: depois dos legumes, tem a salada, a lavação dos pratos, a limpeza da cozinha... Mais de 60 S.S. e empregados comem ali. Ontem à noite, estava tão cansado que custei a dormir, cheguei a ouvir o sino de uma igreja soar 2 horas. Talvez fosse o da igreja La Buffa.

Às 7 horas da manhã, vieram nos acordar, temos que descer para a cozinha. Quando cansarem de nos fazer trabalhar, vão nos matar, posso sentir. Sinto também que o meu moral não para de baixar. Deve ser por causa dessa dor de cabeça que está me incomodando, desde o último interrogatório estou com uma enxaqueca permanente.

Ontem, ao subir para o quarto, vi o médico indo embora. Estava sem o guarda-pó branco, e quase não o reconheci. Ele nos viu. Pareceu surpreso e passou bem rápido. Desapareceu pela porta giratória.

Por que será que tentou nos salvar, já que condena centenas, diariamente? Porque teve pena de dois meninos? Nada menos seguro: ontem tinha um monte de judeus no salão com bilhetes verdes, alguns com seus filhinhos no colo, crianças bem menores, bem mais fofas, bem mais enternecedoras que nós.

Talvez então porque não dissemos nada, porque admirou nossa teimosia e pensou: "Aí estão dois que se agarram à vida com todas as forças, merecem não perdê-la, vou dar uma ajudinha". É possível. Mas terá feito isso conscientemente? Talvez o tenha feito sem se dar conta direito e ainda nem tenha entendido seu gesto... Sei lá, e, além disso, tenho dificuldade de pensar, com essa dor de cabeça. Maurice pediu aspirina, mas não tem.

– Olha!

Enquanto descemos para o saguão, ele para e segura meu braço com força. O grande salão formiga de gente, tenho a impressão de que as detenções são cada vez mais numerosas. Só então me dou conta de que é sexta-feira, dia de partida dos comboios. Quem ele viu?

– À direita, perto da coluna.

Então vejo os três de calção. Jean Masso e mais dois do acampamento. O mais alto estava do meu lado em Vallauris, no meu primeiro e último dia como oleiro.

Jean me viu. Ergue os braços, seu rosto se ilumina. Sinto uma vontade súbita de chorar e corro em direção a eles, com Maurice atrás de mim.

Apertamos as mãos em meio ao zum-zum-zum; Masso me abraça e ri.

– Achamos que tinham sido mandados para um campo. Por que estão mantendo vocês aqui?

Seria difícil explicar, prefiro responder com uma pergunta:

— E vocês, o que estão fazendo aqui?

Ele parece tranquilo, mesmo com os cabelos despenteados. Explica o que aconteceu em algumas palavras:

— Foi essa noite. Os S.S. cercaram o acampamento e entraram. Mandaram a gente tirar o pijama, olharam nossos pintos com lanternas e detiveram todos os circuncidados. Eu fui operado quando tinha 6 anos, mas não tive tempo ainda de explicar pra eles...

Maurice olha ao redor, erguendo-se na ponta dos pés.

— E eles só pegaram vocês três? Não tem outros?

O mais alto dá uma piscada.

— Quando soube que Ferdinand e vocês tinham sido detidos, Subinagui se tocou.

Maurice faz um gesto eloquente: melhor não falar tão alto, tem homens da Gestapo à paisana que se misturam aos suspeitos para espionar. Se ouvem algo "interessante", mandam os tagarelas para os porões, e lá não devem acontecer coisas agradáveis.

O rapaz entende e abaixa a voz, agora está quase sussurrando:

— Sabiam que tinha um monte de judeus escondidos no acampamento? Subinagui os mandou partir em plena noite, dando-lhes endereços. A gente foi pego na estrada, perto de Grasse, estávamos sem documentos.

Olho para Masso, que continua sorridente e me dá um tapinha no ombro.

— Vou te dizer uma coisa, Joffo, a gente não tá nem aí pra essas histórias, não vamos ser mandados pra nenhum campo, não somos judeus.

Maurice me puxa pelo braço.

— Vamos pra cozinha, se não nos virem lá vamos levar uma descompostura daquelas.

Apertamos as mãos rapidamente. Antes de descer a escada, me viro para trás: vejo o rosto de Jean, sempre sorridente. Não imaginava que nunca o reveria, que ninguém nunca voltou a ver Jean Masso.

Tendo chegado sexta de manhã, os alemães não tiveram tempo de examinar direito o caso dele. A Gestapo de Nice devia fornecer, para cada comboio, um contingente de 1.200 pessoas. Às 6 horas da tarde, atônito, Jean ouviu seu nome na lista e embarcou no trem da morte. Graças a ele, as estatísticas de judeus deportados foram exatas naquela semana.

Nos dias seguintes, minha dor de cabeça piorou. Agora, mesmo de noite, o hotel estava cheio de barulhos, de passos, de gritos, e eu acordava assustado, encharcado de suor. Tinha certeza de que torturavam pessoas nos porões.

Nunca mais fomos interrogados, e eu não sabia o que pensar do abandono em que caímos. Teriam se esquecido completamente da gente? O dossiê tinha sido extraviado? Ou, muito pelo contrário, estavam conduzindo uma enquete extremamente minuciosa? A única coisa de que tínhamos certeza era que eles não podiam ir até Argel para verificar, mas talvez dispusessem de outros meios para saber realmente quem éramos.

Todo dia, ao meio-dia e à noite, a mesma cena: eu não conseguia comer, e Maurice tentava me forçar. Brigávamos, então, e, uma noite em que me obriguei a engolir um prato de purê com alguns centímetros de chouriço, vomitei na escada, quando subia para o quarto. Fiquei em pânico, pois se um alemão tivesse me visto certamente bateria em mim, até eu morrer, talvez. Alguém estava subindo atrás de nós, e Maurice me tirou dali o mais rápido que pôde. Despenquei na cama, o coração batendo a toda, o estômago ainda revirado. Antes de adormecer, senti que Maurice tirava meus sapatos e enxugava minha testa com a ponta da sua camisa. Dormi.

Durante a noite, tive uma impressão estranha: alguém arranhava nossa porta. Acordei sem o mínimo medo. Meus dedos tatearam debaixo da cama e encontraram o metal frio de uma metralhadora de mão. Perguntei a mim mesmo quem poderia tê-la deixado ali e a empunhei. Senti o frio do assoalho debaixo dos meus pés descalços e fui abrir a porta. Encontrei-me cara a cara com o S.S. que tinha me interrogado da segunda vez. Seu rosto estava ali, pertinho do meu, enorme, deformado pela proximidade, eu podia distinguir cada poro de sua pele com perfeita nitidez. Seus olhos se arregalaram, parecendo dois lagos monstruosos onde eu ia afundar e morrer afogado. Nesse momento, apertei o gatilho, e ele se estatelou na parede, coberto de sangue.

Eu me senti divinamente bem e sai andando pelo corredor. Alemães de uniforme e homens da Gestapo apareceram de repente e correram em minha direção, gritando. Dei uma rajada e os vi cair, as paredes ficaram vermelhas, e comecei a descer as escadas. Todo mundo agora corria para todos os lados, eu atirava sem parar, maravilhando-me com o fato de minha arma ser perfeitamente silenciosa. Foi uma verdadeira carnificina, e eu via os buracos nas barrigas, nos peitos, as cabeças se quebrando. Jean Masso, em êxtase, aplaudia gritando: "Bravo, Joseph, mate todos eles!". Outros homens saíram do porão, e apontei a metralhadora para eles. Caíram como fantoches, e o sangue continuava a correr, chegando até minhas botas. Eu chafurdava no sangue, que respingava até meus joelhos. Comecei a sufocar de horror e nojo e voltei a vomitar até cair sobre uma pilha de cadáveres. Vi então meu pai, que vinha em minha direção. Quis correr ao encontro dele, mas não conseguia me desvencilhar dos braços e pernas que me prendiam. Ia morrer sufocado naquela pilha, então fiz um esforço extraordinário para subir à superfície, um esforço tão grande que consegui abrir os olhos.

Estava num quarto desconhecido, no mais completo silêncio. O forro era brilhante, como se fosse laqueado, e dava para ver meu reflexo. Via-me ridiculamente pequeno, apenas minha cabeça saía dos lençóis e repousava sobre um travesseiro.

Voltei a fechar os olhos e, alguns momentos depois, senti uma mão em minha testa. Consegui entreabrir as pálpebras novamente.

Havia uma moça ali, sorrindo para mim. Ela me pareceu linda, seu sorriso era um bálsamo e seus dentes brilhavam.

Compreendeu que eu não tinha força para abrir a boca e respondeu a todas as minhas perguntas como se as lesse em meus olhos.

Tinham me encontrado desmaiado no corredor, pela manhã. Fui transportado para aquele quarto, um médico me examinou e disse que era grave, um princípio de meningite.

Eu a escutava. Poderia escutá-la por dias inteiros. Soube também que continuava no hotel Excelsior.

Deixou-me por alguns instantes, voltou com uma compota de frutas e começou a dar em minha boca com uma colherinha. Cheguei a tentar pegar a colher, mas minha mão tremia demais. Estava com medo de vomitar, mas felizmente não aconteceu. Detestaria sujar o lençol e causar incômodos àquela moça tão gentil.

Depois que saiu, voltei a fechar os olhos, mas havia uma imagem que aparecia sob minhas pálpebras e da qual não conseguia me livrar: uma porta.

Sabia que era a porta do porão do hotel. Não tinha nada de especial, mas sentia um medo terrível de que se abrisse e que dali saíssem seres cuja forma e cor ignorava, mas que sabia serem coisas pavorosas. No momento em que a vi se entreabrir, soltei um grito tão alto que minha enfermeira voltou. Estava suando de novo, ela enxugou meu rosto e meu pescoço. Consegui lhe dizer algumas palavras, o que pareceu deixá-la feliz. Ela disse que era um bom sinal, prova de que estava começando a melhorar.

Ficou comigo uma boa parte da noite. Cada vez que despertava, percebia sua presença, sentada na poltrona, e isso me tranquilizava.

O dia nasceu, e me dei conta de que estava sozinho no quarto. Uma coisa estranha aconteceu então: levantei e me aproximei da janela. Embora ainda estivesse um pouco escuro, avistei uma forma lá embaixo, deitada na calçada. Era um menino banhado em seu próprio sangue. Olhei para o seu rosto com mais atenção, estava virado para mim, e o reconheci de repente: era o rosto de Joseph Joffo.

Era muito estranho: estava ao mesmo tempo morto na calçada e vivo num quarto do hotel. A questão era saber qual dos dois era o verdadeiro. Meus neurônios devem ter funcionado normalmente, pois cheguei à seguinte conclusão: ao sair dali, certamente encontraria alguém; se esse alguém falasse comigo, eu devia ser o verdadeiro Joseph; se ninguém me dirigisse a palavra, o verdadeiro Joseph estava morto.

Fui até o corredor. Não demorou muito. Uma voz me assustou:

– O que está fazendo fora da cama?!

Virei-me e sorri. Agora estava tranquilo: o verdadeiro Jo não tinha morrido.

Voltei para o quarto, enquanto o médico, espantado, me diagnosticava como sonâmbulo. A partir de então, não vi mais a porta do porão.

Os dias transcorriam calmos, quase felizes. Recuperei-me rapidamente, e minha enfermeira, que se chamava senhorita Hauser, me felicitava por estar com uma cara cada dia melhor.

Certa manhã, fazia cerca de uma semana que eu estava ali, perguntei por que ela não usava um guarda-pó como os médicos e as enfermeiras. Ela sorriu e me disse:

– Isso não é um hospital, e eu não sou uma enfermeira.

Fiquei sem voz por um momento, depois continuei:

– Mas, então, por que está cuidando de mim?

Ela desviou os olhos e ajeitou meu travesseiro.

Antes que eu fizesse mais uma pergunta, disse com simplicidade:

– Eu sou judia.

Nunca foi tão difícil resistir à vontade de dizer "eu também", mas sabia que não podia, estava fora de questão, podia ter alguém escutando atrás da porta naquele momento. Não respondi, mas lhe dei um abraço e um beijo. Ela também me beijou, tocou meu rosto com os dedos e saiu.

Com todas as minhas forças, desejei que os alemães precisassem dela por muito tempo, muito, muito tempo, até o fim da guerra, que nunca a fizessem embarcar num dos comboios de sexta-feira...

À noite, voltou com um livro e o entregou para mim.

– Devia ler um pouco, Jo. Faz tempo que não vai à escola, vai lhe fazer bem.

Comecei a ler. Chegava a ler dois ou três livros por dia. Agora já conseguia me levantar quando queria. Volta e meia, pedia para escrever ao meu irmão, mas o regulamento era categórico: qualquer comunicação com o exterior era proibida.

Um dia, pelas 9 horas da manhã, enquanto estava mergulhado num livro de Jack London, a porta se abriu, e um médico entrou. Eu o conhecia bem, era o mesmo que havia me examinado nos primeiros dias.

Olhou para a folha em que estavam anotadas minhas temperaturas, disse para eu mostrar a língua e não a olhou. Aproximou-se, levantou uma das minhas pálpebras e disse apenas:

– Vista-se.

Não acreditei nos meus ouvidos.

– Suas roupas estão no armário.

Queria poder ficar mais tempo ali, então disse:

– Mas ainda não consigo me levantar, assim que ponho o pé no chão, minha cabeça gira, e acabo caindo.

Ele nem se deu ao trabalho de responder. Consultou o relógio e proferiu, implacável:

– Tem cinco minutos para estar lá embaixo. Melhor se apressar.

Vesti-me. Minhas roupas tinham sido lavadas e passadas, senti aí a mão da minha fada. Saí e não a vi na pequena sala envidraçada onde costumava ficar e onde conversamos tantas vezes. Ia escrever: "nunca mais a vi", mas percebo que estou abusando dessa fórmula. Infelizmente, mais uma vez ela se aplica. Para onde você terá ido, senhorita Hauser? Para que campo terá sido mandada?

Terá desembarcado, entre noite e neblina, no frio da Polônia ou da Alemanha oriental? Tantos anos se passaram, e, no entanto, ainda vejo seu rosto claro debruçado sobre mim, sinto suas mãos delicadas em minha testa, ouço sua voz:

– Devia ler um pouco, Jo, faz tempo que não vai à escola...

Lembro-me também de outro rosto bonito e de grande ternura: o de Maurice, que tinha emagrecido e empalidecido.

– A coisa não anda nada boa. Há um novo comandante. Parece que as coisas estavam meio bagunçadas, por isso o nomearam. Com esse não tem moleza, vamos ter que andar na linha.

Não imaginava o quanto estava certo. Menos de duas horas depois, um civil francês veio nos procurar na cozinha.

– Maurice e Joseph Joffo, interrogatório.

Nosso dossiê estava aberto sobre a escrivaninha; havia vários papéis, algumas cartas.

Quer dizer que não tinham esquecido do nosso caso! Aquilo me fez sentir as pernas bambas. Estavam em plena guerra mundial, recuando diante dos russos e dos americanos, lutando nos quatro cantos do planeta, e empregavam tempo e homens para averiguar se dois moleques eram judeus ou não! E isso havia mais de três semanas!

O alemão em trajes civis sentado atrás da escrivaninha devia ser o comandante durão de que Maurice tinha falado. Usava um casaco de *tweed* muito grande, que o deixava ainda mais gordo. Mesmo sentado, dava para perceber que era muito baixinho. O intérprete também era outro.

De pé, com a barriga quase encostada na escrivaninha, eu e Maurice esperávamos.

O homenzinho nos olha, mexe nos papéis e murmura uma frase. A tradução se segue automaticamente:

– O chefe do acampamento Moisson Nouvelle confirmou a história de vocês ponto por ponto.

Para de falar, sinto um calor me invadir: talvez estejamos fora dali em cinco minutos!

O alemão, sempre numa espécie de murmúrio, retoma a palavra. Fala rápido demais para que eu entenda muita coisa, mas o intérprete desempenha seu papel. Esse não faz firula, sua voz não parece uma voz humana, com entonação, calor, acento, é uma máquina de traduzir de alta precisão, que deve anunciar nascimentos e mortes no mesmo tom. Sem sair do lugar, aponta para Maurice com o queixo.

– O caso de vocês está se arrastando a tempo demais, não podemos mais mantê-los aqui.

Até aí, estou de pleno acordo. Ele prossegue:

– Você, o mais velho, vai sair. Tem 48 horas para reunir provas de que não são judeus. Queremos os certificados de primeira comunhão de vocês. Dê um jeito de encontrar o padre de Nice, se vire.

– Se não voltar em 48 horas, faremos seu irmão em pedacinhos.

Maurice bate os calcanhares, e eu o imito automaticamente – ele deve ter notado que isso os agrada.

– Obrigado, senhores. Voltarei dentro do prazo.

O homem da Gestapo nos manda embora com um gesto displicente. Não há tempo a perder. Maurice esfrega seus sapatos com a ponta do cobertor, eu sento na cama.

– Maurice, você sai. Se achar que tem alguma chance de me liberar, você volta. Se não, dá o fora e se esconde. Melhor sobrar um do que nenhum.

Ele se penteia às pressas, procurando seu reflexo no vidro da janela.

– Não esquenta. Em dois dias estarei de volta. Até.

A porta já se fechou. Ouço seus passos apressados sobre o carpete. Nem sequer me abraçou ou apertou minha mão.

Deve-se abraçar alguém antes de uma separação de dois dias? Coisa estranha, esses dois dias não me pareceram especialmente longos. Não fiquei olhando para o relógio toda hora. Sabia, ou ao menos esperava, que, de qualquer jeito, não me cortariam em pedacinhos. Simplesmente me dariam o tíquete verde numa sexta-feira, e, como eu pularia do trem, isso não era tão grave.

Sentia-me bem melhor do que antes da doença; trabalhava na cozinha e estava começando a ser conhecido. Às vezes, até, um alemão ou um intérprete com quem cruzava vinha me cumprimentar. Estava virando uma figurinha carimbada do hotel Excelsior.

Foi num dia especialmente atarefado: depois de descascar batatas, debulhar feijão e escolher lentilhas, me mandaram lustrar portas.

Estava trabalhando na primeira quando recebi um chute na bunda, não muito forte, mas o suficiente para me fazer soltar o pano.

Era Maurice, todo sorriso.

Dei uma direita no fígado dele, ele revidou com dois ganchos curtos, saltitou ao meu redor e cantarolou:

– Consegui os certificaaados!

Larguei meus equipamentos de lustrador e fomos até um depósito de material de limpeza. Era um lugar seguro, onde ninguém nos ouviria. Ali ele me narrou os acontecimentos.

Arriscando tudo, tinha ido até nossa casa: nossos pais ainda estavam lá; não saíam mais e quase não abriam as persianas. Estavam mais magros; uma vizinha é que fazia compras para eles. Expôs a situação e mamãe chorou. Maurice saiu e foi até a igreja La Buffa.

– Lembrei do padre de Dax, quem sabe o de Nice não nos salvaria também?

Não tinha ninguém na igreja, só um senhor de idade arrumando as cadeiras. Maurice lhe perguntou onde podia encontrar o padre. O senhor respondeu que era ele. O sacristão tinha ido trabalhar numa fábrica alemã, e ele tinha que fazer tudo sozinho.

Disse para Maurice entrar no presbitério, vestiu uma batina e escutou sua história. Maurice contou tudo. Antes mesmo que terminasse, o padre o interrompeu:

– Não se preocupe, vou fazer os certificados agora mesmo e lhe entregar. Além disso, vou explicar a situação de vocês ao arcebispo, que certamente intervirá. Volte pro Excelsior e tranquilize Joseph. Eu os encontrarei lá.

Maurice saiu da igreja radiante, com nossos certificados de primeira comunhão no bolso.

Em vez de voltar direto para o hotel, foi até Golfe Juan falar com Subinagui e lhe explicar a situação.

– Não se preocupe – disse o chefe do acampamento –, eu também vou telefonar pro arcebispo e garanto que ele fará todo o possível.

Não disse mais do que isso, mas Maurice entendeu que monsenhor Remond tinha evitado a partida para os campos de todos os que fora possível.

Dessa vez, o vento estava soprando para o nosso lado. Assim que saímos do depósito, demos de cara com o intérprete-máquina.

– E então, trouxe as provas?

– Claro, estou com os certificados de primeira comunhão.

Ele olhou para nós, mas era impossível saber se estava satisfeito ou decepcionado com a notícia.

– Esperem na porta da sala, vou comunicar ao responsável.

Era difícil não ficar agitado, mas não devíamos demonstrar muita animação, era melhor agir com naturalidade. Tínhamos feito nossa primeira comunhão na igreja La Buffa, e Maurice estava trazendo a prova disso, nada mais natural.

Entramos. O alemão está com o mesmo casaco de *tweed*. Maurice lhe entrega os documentos. Ele os examina, frente e verso:

– *Das ist falsch!*

A tradução é óbvia: isso é falso.

Nunca louvarei o suficiente os reflexos do meu irmão:

– Ótimo, agora vão nos liberar, certo?

O intérprete deixa as palavras saírem pouco a pouco de seus lábios:

– Não. Esses documentos são falsos.

Maurice teve tempo de se preparar.

– Diga a ele que está enganado. Aliás, o próprio padre virá aqui para nos levar embora.

– É o que veremos. Saiam.

Nossos certificados estão bem no meio da pasta, que volta a se fechar; mas não bastaram para nos liberar.

No corredor, Maurice não para de repetir por entre os dentes:

– Merda, merda, merda, merda...

Uma voz vem do andar de baixo:

– Irmãos Joffo, pra cozinha!

Descemos. Um dos empregados nos entrega uma grande cesta de vime, quase circular.

– Busquem tomates, e rápido. Peguem os mais maduros.

Sabíamos onde ficavam os tomates. Havia uma escadinha entre o hotel e o prédio vizinho, que dava para um pequeno terraço coberto, bastante fresco, onde o pessoal da cozinha deixava as frutas e os legumes que ainda não estavam maduros. A última pilha era a dos tomates.

De tomate a gente entendia, tínhamos transportado quilos e mais quilos da feira para o bar do Tite. Aqueles ainda estavam longe de amadurecer, amarelos, com nervuras verdes que desenhavam uma estrela esmeralda.

Maurice olhou ao redor. Tudo calmo, um cenário de pátio dos fundos; os altos muros amarelados pelo sol nos rodeavam.

Peguei um tomate e pus no fundo da cesta, mas não consegui pegar outro. Meu olhar estava fixado na mureta que separava o terraço onde estávamos do prédio vizinho.

Não tinha nem meio metro. Cinquenta centímetros a transpor, e estaríamos livres.

Olhei para o Maurice. Ele também estava respirando mais depressa. Tínhamos que decidir rápido, e tomar a decisão certa.

Uma vez do outro lado, bastaria descer as escadas e estaríamos na rua oposta à do hotel; seria o fim da espera, dos documentos falsos, dos interrogatórios, dos suores de angústia: uma mureta de meio metro... e deixaríamos a morte para trás.

Não ousava dizer nada. Sabia que Maurice estava tenso como a corda de um arco. Coloquei um segundo tomate ao lado do primeiro.

Maurice também pega um, mas fica com ele na mão.

— Vamos nessa! — murmura.

Levanto, um arrepio me percorre, quatro passos a dar.

A sombra da parede recorta no chão uma linha bem nítida, como uma linha feita à régua e preenchida de tinta. Sobre a linha, uma protuberância, uma sombra que se move.

Eu me abaixo e tento pegar um inseto imaginário. É pouco provável que a sentinela entenda francês, mas precaução nunca é demais.

— Droga, escapou.

Maurice já encheu quase a metade da cesta.

— Até parece que vai conseguir pegar uma borboleta com a mão.

Ajudo-o, e vamos embora dali.

Antes de descer, pulo como uma mola, dou um giro no ar e volto ao chão.

— Droga, escapou de novo.

A sentinela desapareceu, mas vi de relance como se lançava para trás, e a mancha preta formada pelo cano da metralhadora.

Um dos cozinheiros se vira para nós quando chegamos e fica nos olhando enquanto colocamos a cesta na mesa.

— O que estão fazendo aqui a essa hora?

— Ué, trouxemos os tomates!

Fica de boca aberta por um instante e nos dá as costas bruscamente.

— Está bem, deixem isso aí, não precisamos mais de vocês.

Estava na cara que tinha ficado surpreso. E compreendi ainda melhor sua surpresa ao notar que em nenhuma das refeições seguintes houve um prato que levasse tomate.

Maurice tinha mesmo razão: o comandante do Excelsior era um homem terrível. E talvez aquela não fosse a última armadilha.

O padre vem três dias depois. Senta numa cadeira que um S.S. vem lhe trazer, demonstração de respeito pouco comum no Excelsior. Mas também foi a única: fica ali sentado por três horas até que alguém vem avisá-lo de que não será recebido.

Levanta-se e chama com o dedo um intérprete que estava passando no corredor. Com voz suave e tranquila, explica que compreende muito bem que os serviços da Gestapo estejam sobrecarregados, que voltará no dia seguinte às 7 horas da manhã e ficará ali até a hora de fechar, que se for preciso voltará todos os dias até a vitória do III Reich, mas que em hipótese alguma pode deixar que os serviços administrativos alemães cometam um grave erro que prejudicaria dois meninos cristãos. Acrescenta ainda que o arcebispo está a par da situação e decidido a intervir nas mais altas instâncias, em Berlim, se necessário.

À medida que ia falando, um pequeno grupo de S.S. foi se formando ao seu redor. Mais tarde, quando contava essa história, o padre gostava de acrescentar: "Quando terminei meu discurso, ficaram me olhando, e tive que me segurar para não benzê-los".

Tínhamos topado com o padre mais teimoso, mais bem-humorado e mais decidido a tirar judeus das garras dos alemães de todo o sul da França!

No dia seguinte, a porta ainda não tinha sido aberta, as sentinelas da noite ainda não tinham sido rendidas pelas do dia, e o padre já estava ali. Fez um sinal amigável para o guarda do saguão, andou até as escadas, pegou uma cadeira e veio se instalar na frente da sala do comandante. Dessa vez, tinha vindo com seu breviário, e bastava olhar para ele para saber que seria mais fácil mover uma montanha do que demovê-lo da missão a que tinha se proposto.

Cada vez que um intérprete, um funcionário ou um S.S. passava, tinha que fazer um pequeno desvio.

Ao meio-dia, ainda não tinha sido recebido.

Ao meio-dia e cinco, enfiou a mão num bolso lá no fundo de sua batina e tirou um pedaço de papel cuidadosamente dobrado. Dentro do papel havia duas fatias de pão preto e um pedaço de mortadela.

Comeu o sanduíche com apetite, dobrou cuidadosamente o papel, colocou-o de volta no bolso e mascou uma pastilha de alcaçuz, que devia representar a sobremesa. Depois levantou e se dirigiu, num alemão gramaticalmente correto, mas com forte sotaque francês, a um soldado que o observava, atônito, a 10 metros dali.

– Perdoe-me o incômodo, mas poderia fazer a gentileza de me trazer um copo d'água?

Depois desse episódio, tornou-se a atração do hotel, e o comandante compreendeu que podia haver ali algum perigo. Às 2 horas da tarde, foi o primeiro a ser recebido. A entrevista foi curta, mas cortês.

Voltou no dia seguinte, mas dessa vez não precisou se sentar. Foi recebido imediatamente. Trazia os documentos solicitados e outros mais: nossos dois certificados de batismo e uma carta manuscrita do arcebispo explicando que aqueles dois certificados tinham sido emitidos na catedral de Argel, cidade onde tínhamos nascido, mas estavam em sua posse por terem sido necessários quando da nossa primeira comunhão na igreja de La Buffa, na data mencionada. Em razão disso, solicitava nossa liberação imediata e se declarava disposto, caso todas essas provas não fossem julgadas suficientes, a ir em pessoa à sede da Gestapo para dar as explicações necessárias.

Evidentemente, teria sido muito desagradável para a Gestapo ver o arcebispado tomar, oficialmente, posição contra ela. As razões disso permanecem obscuras até hoje. Pode-se, no entanto, fazer algumas suposições. Mesmo naquele momento em que a França estava quase sem homens, sem comida, sem material, e em que os operários deviam ir trabalhar em fábricas alemãs, a política de colaboração europeia não tinha sido completamente abandonada. Não valia a pena, portanto, entrar numa briga com a Igreja francesa e todos os seus devotos apenas para enviar dois moleques para a câmara de gás. Para preservar sua política de neutralidade em relação aos católicos de Nice, a Gestapo decide, assim, soltar, depois de mais de um mês de detenção, os irmãos Maurice e Joseph Joffo.

Muitas vezes, um detalhe pode decidir se continuamos vivos ou não. Naquele ano, posso dizer que nossa vida se manteve por um nada: simplesmente porque fomos presos numa sexta-feira, quando o comboio semanal já estava constituído. E porque a mania administrativa dos alemães os levou a abrir um processo sobre o nosso caso. Poucos de nós tiveram essa sorte.

Foi o padre que nos levou embora, dando uma mão a cada um de nós. Quando o homem do casaco de *tweed* assinou nossa liberação, o padre colocou-a no bolso da batina como algo que lhe era devido há muito tempo e nem sequer agradeceu. Havia até, em sua atitude, uma pontinha de irritação, como se quisesse dizer: "Demorou, hein?".

Antes de sair da sala, fez um cumprimento com a cabeça e nos disse:

– Maurice e Joseph, despeçam-se do comandante.

Obedecemos em coro:

– Adeus, senhor comandante.

O homem do *tweed* nos observou partir sem dizer nada, não foi preciso que o intérprete traduzisse.

Lá fora, fiquei deslumbrado com o sol e com o vento que vinha do mar. Levei um susto: estacionada na frente do hotel estava a caminhonete que tinha nos trazido até Nice. Subinagui estava no volante e nos abraçou calorosamente.

– Vamos pegar a estrada de volta pra Moisson Nouvelle, já passaram tempo demais na cidade.

A caminhonete dá a partida. Olho para trás: as sentinelas da frente do hotel vão ficando cada vez menores, até que desaparecem numa curva. Acabou, estamos livres.

Estamos na beira da praia, o mar cintila lindamente. O sol já está quase se pondo.

O carro para.

– Vou buscar minha cota de tabaco – diz Subinagui. – Em Golfe Juan é impossível encontrar, espero ter mais sorte aqui.

Descemos também.

É a parte mais selvagem da praia, onde as pedrinhas são maiores e mais duras. Torço os pés dentro dos sapatos, mas quanto mais perto do mar, menores e mais lisas elas ficam, até se transformarem em pedregulhos molhados, recobertos pelas pequenas ondas.

Para variar, apanho dos cadarços. Maurice já está tirando as meias.

Pronto, estou de pés descalços, e a água geladinha se infiltra entre meus dedos.

Avançamos juntos. No começo é frio, mas gostoso. Parece que a temperatura da água baixa a cada segundo.

O mar está liso e imóvel, imensa poça de óleo que o sol avermelha. De repente, todas as gaivotas saem voando, dão um rasante sobre nossas cabeças e seguem planando em direção ao alto-mar.

A água já está batendo em nossos joelhos; paramos. O céu está no auge do azul. Ficamos ali imóveis, sem dizer nada.

Não penso em nada, minha cabeça está vazia, tudo o que sei é que vou viver, que estou livre, como as gaivotas.

Da rua, Subinagui nos observa.

Gérard aparece na porta da cozinha. Continua o mesmo, sempre impecavelmente vestido. Toda noite, põe seu calção debaixo do colchão para manter o friso.

– Jo, telefone.

Largo minhas vagens. Alguém poderia costurar por 10 anos com todos os fios de vagem que já tirei.

Atravesso o acampamento correndo até chegar ao escritório.

Subinagui está falando, mas me entrega o aparelho assim que me vê.

— É o seu pai.

Grudo o aparelho com toda a força na orelha, enquanto ele sai e fecha a porta.

— Alô, pai?

Minha voz deve ter tremido um bocado, pois ele não a reconhece direito.

— Joseph, é você?

— Sim. Tudo bem?

— Tudo bem, tudo bem. Com a mamãe também. Estou contente que vocês dois estejam aí.

— Eu também.

Sinto que ele está emocionado, um pouco trêmulo, até.

— Estão de parabéns por terem aguentado firme. Ficamos muito apreensivos quando Maurice apareceu, mas sabíamos que ia dar tudo certo.

Pelo alívio que sua voz expressa, não devia estar tão seguro assim.

— Sentiu muito medo?

— Não... quer dizer, não muito. Fiquei doente por um tempo, mas logo me recuperei. E o Henri e o Albert?

— Também estão bem. Sempre recebo notícias, estão aguentando firme.

— Imagino que sim.

— Escute, não posso demorar muito, sua mãe vai ficar preocupada, conhece ela... Manda um beijo pro Maurice, e um bem grande pra você também. Logo nos reveremos.

— Claro, pai.

— Até logo, Jo, e... juízo...

Quando ele diz "juízo" é porque não sabe mais o que dizer, e eu fico com medo de explodir em soluços no telefone.

– Tchau, pai, até logo.

Ouço um clique. Desligou.

Pena que Maurice tivesse saído. Estava trabalhando numa fazenda a três quilômetros do acampamento.

Volto para minhas vagens. A vida no acampamento não é mais a mesma. Testi foi embora, uma tia veio buscá-lo, fiquei sem meu melhor amigo. E, depois da batida da Gestapo em plena noite, a atmosfera não é mais tão confiante quanto antes. Também somos menos numerosos, vários partiram. Dizem que um dos mais velhos entrou para a milícia.[4] Não se fazem mais noitadas de jogos e música, uma desconfiança se instalou. Mesmo assim, é um paraíso para mim, poder ir aonde quiser e viver ao ar livre. Os dias começam a ficar mais curtos, o inverno se aproxima. Mais um inverno de guerra.

– Acha que a guerra vai terminar logo, senhor Subinagui?

Ele ri e faz um risco sobre o resultado da última conta. Fecha a caderneta e afirma:

– Três meses, aposto que não vai durar mais nem três meses.

Parece muito otimista. Quanto a mim, tenho a impressão de que continuaremos em guerra para sempre, de que ela se tornou um estado permanente. A guerra e a existência se confundem, não adianta fugir, ela está em toda parte. Sussurram-se palavras que evocam estranhos cenários: Guadalcanal, Manila, Monte Cassino, Bengasi, coqueiros, minaretes, neve, pagodes, monastérios no alto das montanhas, no fundo dos mares, no céu, ela está por toda parte, triunfante, e os dias passam... Já faz quase 15 dias que voltamos do Excelsior.

---

[4] A Milícia Francesa, muitas vezes chamada simplesmente de milícia, era uma organização política e paramilitar fundada em 1943, pelo regime de Vichy, para lutar contra a Resistência. (N.E.)

Estou no barco que vai partir para o castelo de If. O capitão me sacode cada vez mais forte, a âncora desenhada em seu gorro brilha, e o que me espanta é que ele sabe meu nome.
— Jo, Jo.
Esse cara está me dando nos nervos, tenho que escapar dele, mergulhar mais fundo no calor que me envolve, tenho que...
— Jo!
Dessa vez, acordei. A lanterna me ofusca. Já é noite escura.
— Se veste rápido, sem fazer barulho.
O que está acontecendo? Na barraca, os outros dormem; na outra fileira, alguém virou de lado, e o ronco interrompido recomeça ainda mais forte. Visto a camiseta no escuro. Droga, está do avesso, é claro. Sinto a presença de Maurice ao meu lado, arrastando os pés no chão.
Não pode ser uma batida da Gestapo, senão haveria gritos, todo mundo estaria acordado. É Subinagui que segura a lanterna.
— Encontro vocês no escritório.
A noite está fresca, cheia de estrelas. A lona da barraca está molhada pela umidade que sobe do chão.
Tudo dorme no acampamento. Tudo, exceto nós.
O escritório está aberto. Subinagui chega por trás de nós. Sua sombra mal se recorta no céu escuro. Carrega dois pacotes. Quando entra na pequena sala que cheira a pinus e papel velho, acende a lamparina, e percebo que está com nossas bolsas nos braços.
Teremos que pegar a estrada de novo, eu sei. Acho que sempre soube.

X

— Partirão imediatamente; pus todo o necessário nas bolsas de vocês: duas camisas, cuecas, meias e um lanche. Agora vou lhes dar algum dinheiro e vocês vão atravessar os campos até chegar a Cannes. De lá, pegarão um trem para Montluçon e, de Montluçon, irão até o vilarejo onde mora a irmã de vocês...

Maurice o interrompe:

— Mas o que foi que aconteceu?

Subinagui baixa a cabeça.

— Preferia que não tivessem feito essa pergunta, mas sabia que era inevitável.

Pensa um pouco e anuncia brutalmente:

— O pai de vocês foi detido ontem à tarde numa batida e levado para o hotel Excelsior.

Sinto tudo girar ao meu redor: a Gestapo terá sido mais forte que o exército do tzar, capaz de deter o velho Joffo.

— E isso não é tudo. Ele estava com seus documentos verdadeiros quando foi pego, os alemães não vão demorar a estabelecer a ligação e vir atrás de vocês. Não têm um minuto a perder. Partam.

Maurice já está com a alça da bolsa no ombro.

— E a mamãe?

— Foi avisada a tempo e já fugiu. Não sei pra onde, mas podem ficar tranquilos, seus pais tinham previsto um lugar para se esconder.

Vamos, partam. Não escrevam pra cá, não mandem nenhuma notícia. É provável que eles passem a vigiar a correspondência que recebemos.

Imito Maurice, a bolsa pesa de novo em meu ombro.

Subinagui desligou as luzes, estamos os três na soleira da cabana.

– Peguem a trilha no fundo do acampamento, evitem as estradas, deve ter um trem em Cannes às 7 horas. Boa sorte, meninos!

Andamos. Tudo aconteceu muito rápido, ainda não consegui entender direito. Sei apenas que meu pai caiu nas mãos dos nazistas, e que os alemães talvez já estejam em nosso encalço. Que triunfo seria para o homem do casaco de *tweed* pôr de novo as mãos em nós! E o padre de La Buffa! Outros foram deportados por menos que isso. Aquele que ajuda um judeu se torna seu cúmplice e deve partilhar sua sina. Não, não podemos ser pegos.

A terra está seca e dura, mas o mato e as folhas de parreira em que roçamos molham nossos calções e as mangas de nossas camisas.

O acampamento já ficou para trás. A noite está tão clara que o topo dos morros lança sua sombra sobre as planícies e as plantações em terraço.

Onde fica Montluçon? Não faço a mínima ideia. Decididamente, não estudei geografia direito. Maurice não deve saber mais do que eu, inútil perguntar. Além disso, com a estrada de ferro, não tem por que esquentar a cabeça, o trem levará a gente, e lá chegaremos.

Só sei que fica longe da costa, longe do mar, é a única coisa de que tenho certeza. Não queria sair do Mediterrâneo, voltarei para cá quando crescer e a guerra tiver acabado.

O caminho sobe. É melhor evitar as fazendas para não fazer os cachorros latirem. O problema é que isso nos obriga a longos desvios, que nos afastam do rumo.

Maurice para. Bem na nossa frente tem uma estrada, um entroncamento.

– Vamos atravessar. Pra lá fica Vence, temos que passar pro outro lado.

Atravessamos a estrada furtivamente, e, após subirmos um barranco, o mar reaparece a nossos pés, imenso, cinzento e cintilante. A cidade à beira dele, ainda invisível, é Cannes. Agora só falta descer um pouco, e estaremos lá.

Agachamo-nos ao pé de uma árvore. Inútil se apressar, andar pelas ruas a essa hora seria loucura, melhor esperar o amanhecer.

A aurora cheira bem, um perfume forte e seco, parecido com o das pimenteiras de Menton.

Pouco a pouco, as formas ao nosso redor vão ficando mais precisas, as cores surgem, umas após outras, os vermelhos, os azuis, os verdes se reinstalam. Os telhados abaixo de nós ainda se confundem um pouco com as pedras.

Sonolento, espreito o primeiro raio que atinge brutalmente a superfície da água, como a primeira soprada num trompete que anuncia a barulheira dos metais de uma fanfarra. Está na hora de entrarmos em cena.

Voltamos a caminhar e, passando pelas casas de campo fechadas, chegamos ao centro da cidade. Pessoas andam de bicicleta, os comerciantes começam a abrir suas lojas.

A estação.

Já tem bastante gente, porém menos que em Marselha.

– Duas passagens para Montluçon.

O funcionário manipula uma máquina, consulta livros, indicadores, tenho a impressão de que nunca vai terminar de estabelecer o preço das passagens. Até que finalmente:

– 114 francos e 20 centavos.

Enquanto Maurice recolhe o troco, pergunto:

– Onde devemos trocar de trem?

– É complicado. Vocês vão até Marselha, tem o direto daqui a 45 minutos. Depois, pegam outro trem em direção a Lyon. Se não houver atraso, terão apenas duas ou três horas de espera. Em Lyon, pegam o trem até Moulins e, em Moulins, outra para Montluçon.

Ou, senão, podem ir por Roanne, Saint-Germain-des-Fossés, Gannat e Montluçon, ou ainda Saint-Étienne, Clermont-Ferrand e a linha de Bourges: de qualquer jeito chegarão. Só não posso dizer exatamente quando. Aliás, seja lá para onde forem, não posso dizer quando chegarão nem garantir que chegarão, porque...

Abrindo os braços, faz com a boca um barulho de motor e de bombas.

– Entendem o que quero dizer?

Estamos diante do mais legítimo tagarela.

Com uma piscada, acrescenta:

– E não são apenas os bombardeios, tem também as...

Com uma mão ao lado da outra, aperta um detonador imaginário, incha as bochechas, fica vermelho.

– BUUUMMM! Entendem?

Fazemos que sim com a cabeça, impressionados.

– E não são apenas as sabotagens! Tem as diminuições de velocidade, as paradas, os descarrilamentos, os trilhos desmontados e ainda...

Com as mãos formando um megafone, começa a ulular sinistramente:

– Entendem?

– Os alarmes – diz Maurice.

O sujeito parece em êxtase.

– Isso mesmo, os alarmes. Tudo isso para lhes dizer que não posso lhes dizer quando chegarão, talvez em dois dias, talvez em três semanas, de qualquer jeito, descobrirão.

– É isso, descobriremos. Obrigado pelas informações.

– De nada. O trem para Marselha está na via C.

Afastamo-nos segurando nossas risadas, e, quando vou soltá-la, eis que o vejo a cinco metros de nós.

Meu irmão também o viu, e é tarde demais para nos esconder ou fugir.

Continuamos andando. Tenho a impressão de que deve dar para ver meu coração batendo por baixo da camisa.

Ele parou, nos reconheceu.

– Bom dia, senhor.

Se ele tentar alguma coisa, sacar uma arma, um apito, ou pular em cima da gente, sei muito bem onde chutar. Com a ponta de ferro da minha bota, tenho certeza de que não vai lhe fazer bem.

– Bom dia.

Sempre a mesma voz mecânica, sem entonação. É o intérprete do hotel Excelsior, aquele que traduz para o homem de *tweed*.

Pela primeira vez, vejo aparecer em seu rosto o embrião de um sorriso.

– Vão viajar?

– Sim, para um outro centro dos Compagnons de France.

– Certo. Onde?

Aproveito o material fornecido pelo funcionário tagarela e me lanço numa dessas improvisações para as quais tenho o dom:

– Em Roanne. Mas temos que mudar de trem em Marselha, Clermont-Ferrand, Saint-Étienne e Moulins.

– Certo, certo.

Maurice se recompõe. Se ele ainda não nos deteve, é porque não ficou sabendo que nosso pai foi preso.

– E o senhor, continua trabalhando em Nice?

Faz que sim com a cabeça.

– Tive uma folga de alguns dias, agora estou voltando pra lá.

Ficamos ali, balançando de um pé para o outro.

– Bom, até a vista, rapazes. Boa estadia em Roanne.

– Obrigado, senhor. Até a vista.

Ufa.

– Se as coisas continuarem assim – diz Maurice –, vamos morrer do coração antes mesmo que os alemães nos peguem.

O trem chegou. Ao contrário do que o funcionário tinha dito, a conexão para Lyon partiu quase imediatamente. Até Avignon, a viagem foi quase agradável; mas, dali em diante, surgiu um inimigo em que não tínhamos pensado: o frio.

Evidentemente, o trem não tinha aquecimento, e estávamos indo para o norte, nos afastando do suave clima mediterrâneo. Em Montélimar, fui ao banheiro e vesti minhas três cuecas, três camisetas sem manga e dois pares de meias. Em Valence, pus mais duas camisetas, dois calções e meu terceiro e último par de meias. Não foi fácil calçar o sapato por cima.

Apesar de todas essas camadas, continuava com os braços e os joelhos nus. Em Lyon, na plataforma percorrida por um vento frio e úmido, Maurice e eu fizemos um concurso para saber quem batia mais o queixo. Ganhei de longe, embora ele afirmasse o contrário, pretexto para uma boa briga, que nos aqueceu um pouco. Mas quando, depois de uma hora e meia de espera, o trem chegou e subiu ainda mais um pouco para o noroeste, a situação ficou dramática. Nos compartimentos, as pessoas vestiam já suas roupas de inverno, sobretudos, luvas, echarpes, e nós como dois veranistas. Nunca imaginei que pudesse haver tamanha diferença de clima dentro de um mesmo país. Aprendi na escola da Rua Ferdinand Flocon que a França é um país temperado: mentira! A França é um país frio, e, de todas as cidades da França, Montluçon é de longe a mais fria.

Descemos do trem roxos e tremelicantes, sob um céu cinzento, numa plataforma cinzenta, onde um funcionário cinzento pegou nossas passagens. Vimo-nos então numa cidade desprovida de qualquer cor e assolada por um vento glacial. Era apenas começo de outubro, mas nunca um inverno foi tão precoce quanto aquele de 1943. As pessoas andavam rápido para tentar se esquentar, mas o vento parecia vir de todos os lados ao mesmo tempo. A cidade era uma grande corrente de ar glacial onde, apesar de todas as meias, os dedos dos meus pés pareciam ter se transformado em granito.

O ar passava pelas mangas das camisas, deslizava pelas axilas, e eu estava arrepiado desde Valence.

Entre duas batidas de queixo, Maurice, quase congelado, conseguiu articular.

– Temos que fazer alguma coisa, assim vamos morrer de pneumonia.

Eu estava de pleno acordo: saímos correndo a toda pelas ruas tristes e frias.

A conhecida frase: "Corra um pouco, vai te esquentar" é provavelmente a maior das inúmeras besteiras que os adultos dizem para as crianças. Posso garantir, por experiência própria, que quando realmente se está com frio, correr não adianta nada. Tira o fôlego, cansa, mas não esquenta. Ao final de meia hora de correria, de galopes frenéticos e esfregações de mãos, eu estava arfando como uma foca, mas continuava a tremer como antes.

– Jo, temos que comprar casacos.

– Você tem algum vale-roupa?

– Não, mas temos que tentar.

Numa rua em curva, que contornava uma tristonha praça, vi uma lojinha minúscula, um desses comércios que a chegada das lojas de departamentos leva à falência em poucos meses.

Uma vitrine poeirenta, uma fachada desbotada e um letreiro quase invisível: "Roupas para homens, mulheres e crianças".

– Vamos entrar.

Aquela talvez tenha a sido a sensação mais agradável de toda minha vida: a loja tinha aquecimento.

O calor penetrou em cada poro do meu corpo; senti vontade de deitar no chão, tamanho era meu bem-estar. Sem um olhar para a senhora que nos observava de trás do balcão, fomos direto para a estufa, que roncava suavemente.

A lojista estava de olhos arregalados. Não era à toa. Devia ser raro em Montluçon ver dois meninos com uma pilha de camisetas, mas de braços nus num frio medonho, cada um segurando uma bolsa contra o peito.

Sentia minha bunda esquentar pouco a pouco e estava numa espécie de êxtase, quando a senhora perguntou:

— O que desejam, meninos?

Maurice se afastou da estufa a contragosto.

— Queríamos comprar sobretudos ou casacos grossos, não temos vales, mas podemos pagar bem.

Ela sacodiu a cabeça com uma expressão de desolação.

— Mesmo que pagassem milhões, não adiantaria, faz muito tempo que não recebo casacos, os atacadistas não estão mais entregando.

— É que... estamos com frio.

Olhou para a gente com dó.

— Isso você nem precisa dizer, tá na cara.

Entrei na conversa também:

— Não teria talvez um pulôver, qualquer coisa que esquente um pouco?

Riu como se eu tivesse contado uma piada muito engraçada.

— Também faz muito tempo que não recebo um pulôver. Tudo que posso lhes oferecer é isto.

Abaixou-se e pegou duas echarpes embaixo do balcão. De lã falsa, mas era melhor do que nada.

— Ficamos com as duas. Quanto custa?

Maurice pagou, e eu tomei coragem e perguntei:

— Desculpe, senhora, se incomodaria se a gente ficasse mais um pouquinho aqui?

Só de pensar em voltar lá para fora já ficava todo arrepiado, e devo ter falado no tom de súplica conveniente, pois ela aceitou. Parecia inclusive feliz por ter alguém com quem conversar, já que clientes mesmo parecia não haver muitos.

Quando soube que estávamos vindo de Nice, ficou ainda mais feliz. Tinha passado férias lá, em outros tempos, e nos fez contar tudo o que estava acontecendo, todas as mudanças ocorridas na cidade.

Ainda estava pertinho da estufa, e até pensei em tirar uma das minhas camisetas quando percebi que a noite estava caindo. Era tarde demais para pegar o ônibus até o vilarejo da minha irmã, teríamos que encontrar um hotel.

Enquanto dizia isso a Maurice, a boa senhora interveio:

– Vai ser difícil encontrarem um hotel em Montluçon, dois deles foram requisitados pelos alemães e o outro pela Milícia Francesa. Se, por sorte, conseguirem um quarto, será sem aquecimento. Mas, se quiserem, podem ficar no quarto do meu filho que não está aqui, vão ter que se apertar na cama, mas pelo menos estarão quentinhos.

Ah, querida lojista de Montluçon! Quase pulei de alegria ao ouvir aquilo. E, para completar, à noite fez o melhor prato de batata gratinada que já comi na vida. Ela ainda estava falando, e eu já estava pegando no sono sobre o prato vazio. Ofereceu-nos um chá, e dormi quase imediatamente depois, enfiado debaixo de um acolchoado de penas.

Parece que houve um alerta durante a noite, mas as sirenes nem chegaram a nos acordar.

Beijou nossos rostos quando fomos embora e recusou qualquer pagamento.

Fazia um pouco menos frio, e, pelo menos, tínhamos as echarpes para nos enrolar.

O ônibus, caindo aos pedaços, era da mesma cor que a cidade. A única nota alegre na carroceria eram manchas alaranjadas de zarcão pintadas sobre a ferrugem.

Sacolejamos por campos que me pareceram particularmente tristonhos, comparados aos que tinha acabado de deixar. Já não havia uma folha sequer nas árvores, e uma chuvinha fina começou a cair.

Menos de uma hora depois, paramos diante da igreja de Ainay-le-Vieil.

Estava mais para uma aldeia do que para um vilarejo: algumas casas apertadas umas contra as outras, uma ruazinha estreita e uma padaria-açougue-armazém-bar-tabacaria. As plantações começavam logo depois da última casa, e notei que, apesar de as colheitas já terem sido feitas, os celeiros estavam vazios. Não havia nem um feixe de feno nos grandes galpões à beira da estrada.

Nossa irmã, Rosette, morava com o marido numa das casas amontoadas ao redor da igreja. Beijou-nos e chorou ao saber que papai tinha sido detido pela Gestapo.

Na cozinha espaçosa, nos serviu grandes canecos de leite e nos deu pulôveres de lã de verdade. O do Maurice ficava enorme nele, o meu era um pouco menor. De qualquer jeito, colocando para dentro do calção e arregaçando as mangas, funcionava. Ao menos estaríamos protegidos do frio.

Desde que chegamos, senti em Rosette, apesar da evidente alegria em rever seus irmãos mais novos, uma tensão, um temor que não era do seu feitio. Maurice percebeu também, já que, depois de algum tempo, introduziu o assunto:

— Parece que tem alguma coisa incomodando você...

Ela cortou mais uma enorme fatia de pão, encheu nossos canecos de leite e se sentou ao nosso lado.

— É que acho que não poderão ficar aqui, não seria prudente.

Ficamos olhando para ela em silêncio.

— O problema é o seguinte: tem um dedo-duro no vilarejo.

Apertou o avental entre as mãos e continuou:

— Cerca de dois meses atrás, duas mulheres chegaram aqui, uma delas tinha um bebê. Instalaram-se na casa de um fazendeiro que mora do outro lado do vilarejo. Não fazia nem oito dias que tinham chegado, e a Gestapo apareceu. Levaram-nas com o bebê e tudo. O fazendeiro também foi levado. Três dias depois, voltou... com um braço quebrado e uma mensagem dos alemães: quem tentasse esconder judeus seria fuzilado.

— Mas quem denunciou? — perguntou Maurice.

— Esse é o problema, ninguém sabe ao certo.

Digeri um pouco a história e disse, por minha vez:

— Mas devem pelo menos ter uma ideia de quem foi.

Ela balançou lentamente a cabeça.

— Não dá pra saber. O vilarejo tem cerca de 150 habitantes, ou seja, tirando as crianças, uns 80 ou 90 adultos. Todos se conhecem, cada um tem suas suspeitas... Aliás, só se fala disso aqui. Quando encontro o professor primário, ele diz que só pode ter sido a velha do final da rua, que espiona todo mundo da janela; já nossos vizinhos acham que foi justamente o professor, que tem uma foto do marechal Pétain na sala de jantar; outros afirmam que foi o padre Viaque, que, segundo as más línguas, deu o dinheiro da igreja pros alemães... Um inferno, todos suspeitam de todos. Estava no armazém ontem, e as pessoas não se falam mais direito, ficam dando piscadinhas furtivas e insinuantes. Parece que a Gestapo recompensa financeiramente quem denuncia, então ninguém mais ousa comprar muito pra não suspeitarem da origem do dinheiro... só que aí as suspeitas acabam recaindo justamente sobre aquele que não compra mais! É um círculo vicioso.

— E você, não tem medo de que o dedo-duro...

Rosette faz um movimento meio fatalista com os ombros.

— Não, acho que não, estou aqui já faz um bom tempo, agora, e espero que meus documentos resolvam. Pelo sim, pelo não, Paul arranjou um esconderijo pra mim, se for preciso.

Suspiro. Teria sido bom viver algum tempo ali. Poderíamos arranjar um trabalho, passear, brincar... Mas está na cara que não vai dar, temos que partir, e o quanto antes.

Maurice diz como quem está pensando em voz alta:

– Acho que não nos viram entrar.

Rosette sorri com tristeza.

– Sabe, no começo, também achava que as pessoas nem viam o que eu fazia, mas logo me dei conta de que, mesmo quando a rua está vazia e todas as persianas, fechadas, sempre tem alguém observando você, cada gesto seu. Todos sabem de tudo que cada um faz aqui, vocês não conseguem imaginar.

Para e olha para nós. Quando faz essa cara de quem está pensando, fica muito parecida com papai.

– Sabem o que vão fazer? Vão encontrar Henri e Albert em Aix-les-Bains.

– Onde fica Aix-les-Bains?

Rosette olha para mim como uma professora que está lidando com o pior aluno da sala.

– Nos Alpes, no alto das montanhas; vou dar dinheiro para vocês e...

Maurice recusa com um gesto principesco.

– Não precisa, ainda temos as economias que juntamos em Nice e...

Alguém bate na porta.

Rosette fica paralisada, e eu, com a boca cheia, sem ousar engolir meu pedaço de pão molhado no leite.

Esconder-se? Seria burrice, o pior dos erros, certamente nos viram entrar. Rosette também pensa assim e, com um gesto, nos intima a não sair do lugar.

Vai abrir a porta.

Escutamos sua voz:

– Ah! É a senhora, madame Vouillard? Veio buscar os ovos? Vá entrando...

– Não queria incomodar, vi que tem visitas...

É a voz de uma senhora de idade, e, de fato, é uma senhora de idade que entra, magra, de lenço preto, casaco preto, meia cinza, sapatos forrados e rugas que não acabam mais, uma verdadeira vovozinha do interior, como nos livros de Alphonse Daudet.

Levantamo-nos.

— Bom dia, senhora.

— Oh! Como são grandes! E fortes! Este é o mais novo, aposto que são irmãos, são a cara um do outro...

Continua tagarelando, enquanto minha raiva não para de crescer: se tem uma coisa que não suporto é que digam que sou parecido com meu irmão. Não sei por que, não que ele seja especialmente feio, mas isso me deixa fora de mim, deve ser porque fere minha individualidade. Bastou isso para que todas as minhas suspeitas recaíssem sobre ela. Aposto que é *ela* o dedo-duro do vilarejo, tem um nariz de fuinha que não engana um *expert* em espionagem como Joseph Joffo. Viu a gente entrar, veio confirmar, daqui a duas horas estará fazendo seu relatório para a Gestapo.

— Vieram visitar a irmã mais velha, acertei?

Continua, e agora, ainda por cima, vem com perguntas. Não restam dúvidas.

Rosette volta com quatro ovos.

— Aqui estão, madame Vouillard.

A velha agradece, vasculha os bolsos, extrai com dificuldade uma carteira fechada com elástico. Não tiro os olhos dela, é óbvio que está cheia da grana, tem um monte de notas ali dentro, o dinheiro dos nazistas.

— E vão ficar algum tempo na região?

Aí também a senhora está indo longe demais!

— Não, viemos só dar um alô pra Rosette, estamos indo pra Roanne.

Embrulha os ovos num grande lenço.

— Bom, até a vista, garotos. Até logo, Rosette.

Até o seu andar é o de uma delatora, o passo arrastado, para retardar o máximo possível a partida, a fim de perceber alguns detalhes suplementares. Pode-se dizer que esta eu desmascarei completamente.

Rosette a acompanha até a porta e volta.

Senta-se com um suspiro e aponta para a porta com um gesto cansado.

– Pobre senhora, tão solitária. Vem aqui sempre que pode, por um motivo ou outro, mas no fundo é para conversar um pouco.

Sorrio com sarcasmo.

– Claro, claro.

– Além disso, não se chama Vouillard, esse não é seu verdadeiro nome.

Estou cada vez mais seguro de ter acertado o alvo, espiões sempre têm vários nomes, às vezes têm até números.

– Na verdade – continua Rosette –, ela se chama Marthe Rosenberg.

Minha promissora carreira de detetive particular, que acaba de começar, acaba também de terminar.

A denúncia das duas judias e do bebê deixou Marthe Rosenberg completamente abalada. Ela se instalou no vilarejo em 1941, e seus documentos não estão em ordem. Desde a delação, vive apavorada.

Pobre vovó. Interiormente, peço-lhe encarecidas desculpas e volto a participar da conversa.

Está decidido, melhor partirmos para Aix. No fundo, não acho tão ruim: depois do mar, a montanha. O jeito é aproveitar para conhecer o país. Além disso, estou feliz por rever meus irmãos.

– Almocem com a gente, nem viram seu cunhado.

Maurice faz que não com a cabeça. Se Rosette já tivesse sido presa, saberia que, em presença de um perigo, por menor que seja, o melhor é fugir logo, não perder um segundo; às vezes, é um instante que separa a vida da morte, que nos agracia com a liberdade ou nos condena à prisão.

Ela enche nossas bolsas de meias e sanduíches. Não tem ônibus, mas partiremos a pé mesmo. Agora posso andar por muito tempo, não tenho mais bolhas. A planta dos meus pés e a pele do meu calcanhar devem ter endurecido. Nem sequer sinto mais dor na barriga da perna e na coxa; pelo punho das camisas e pela barra das calças, percebo que cresci.

Crescido, endurecido, mudado... Talvez o coração também tenha se acostumado com catástrofes, talvez tenha se tornado incapaz de sentir uma mágoa profunda. O menino que eu era um ano e meio atrás, aquele garoto perdido no metrô ou no trem que o levava para Dax... sei que ele não existe mais, que se perdeu para sempre nos espinheiros de um bosque, numa estrada provençal, nos corredores de um hotel de Nice, que foi se desfazendo pouco a pouco a cada dia de nossa fuga...

Enquanto observo Rosette preparar ovos duros e dizer palavras que não ouço, me pergunto se ainda sou uma criança... Tenho a impressão de que não sentiria vontade de jogar tava, nem mesmo bolinhas de gude; uma partida de futebol, talvez, e olhe lá... No entanto, são coisas que um menino da minha idade adora: afinal, ainda não tenho nem 12 anos, devia sentir vontade, mas não. Talvez tenha acreditado sair da guerra ileso, até agora, mas talvez esteja redondamente enganado. Não tiraram minha vida, mas fizeram pior: roubaram minha infância, mataram em mim o menino que eu podia ser... Talvez tenha me tornado duro demais, cruel demais; quando prenderam meu pai, nem sequer chorei. Um ano atrás, teria aberto um berreiro.

Amanhã estaremos em Aix-les-Bains. Se não der certo, se surgir um obstáculo, iremos para outro lugar, mais longe, a leste, a oeste, ao sul, não importa onde. Estou pouco me lixando.

Talvez não dê mais importância à vida, só que a máquina está em funcionamento, o jogo continua, a regra diz que a caça deve sempre correr do caçador, e ainda tenho fôlego, farei tudo para que não tenham o prazer de me pegar.

Pegamos um ônibus no próximo vilarejo. Olho pela janela. Os campos, tristes e cinzentos por causa do inverno, desapareceram, as planícies sombrias ficaram para trás, parece que já estou vendo os cimos, as neves, o lago azul e profundo, as folhas amarelas do outono; fecho os olhos e sinto as flores e os perfumes da montanha entrando em mim.

XI

O mais difícil é não rasgar o papel e, sobretudo, poupar a tinta debaixo do número. É preciso trabalhar minuciosamente, milimetricamente. O ideal seria ter uma lâmpada bem forte e uma lupa de relojoeiro, daquelas que a gente coloca no olho e não deixa cair franzindo a sobrancelha.

Ponho a língua para fora, inclino a cabeça até ficar rente à mesa e continuo meu trabalho de alta precisão: a navalha raspa de leve. Pouco a pouco, a barra preta do 4 desaparece. E o que sobra quando se tira a barra horizontal do número 4? O número 1.

À primeira vista, isso não tem o menor interesse, mas no fim de 1943 representava uma vantagem inapreciável: os cupons de alimentação nº 4 davam direito a rações de batata, os cupons nº 1 valiam um quilo de açúcar. Eis a vantagem. Se você dispunha de uma superfície plana e de uma navalha, podia pedir a todo mundo que conhecia seus cupons nº 4 e transformá-los em cupons nº 1. Resultado: mesmo naquele ano de intenso racionamento dava para morrer de diabetes.

Começo a ficar conhecido no vilarejo. Param-me na rua, quando passo de bicicleta, para me entregar as preciosas folhinhas. Devolvo-as transformadas... Em troca do trabalho, recebo algum dinheiro, e, se as coisas continuarem assim, terei lucros como os de Nice.

Bafejo nos dedos. Impossível executar esse trabalho de luvas, seria como um cirurgião que operasse de olhos fechados. Mas bem que queria estar de luvas, no quarto agora faz... não tenho coragem de olhar para o termômetro pendurado na cabeceira de minha cama como um crucifixo sem a parte horizontal.

O fato é que o gelo que quebrei essa manhã na bacia de porcelana voltou a se formar como uma película mais frágil, em que um pedaço de sabão ficou preso como um peixe morto.

Sentado diante da mesa dobrável de jardim que ocupa metade do meu minúsculo quarto, estou só com a cabeça e os braços para fora. O resto está enterrado debaixo da colcha; se acrescento a isso meu casaco, dois pulôveres, uma camisa e duas camisetas, logo se percebe que continuo condenado ao empilhamento de camadas. Dentro da colcha desbotada, pareço uma enorme lagarta friorenta.

É noite. Aliás, estou com sono e devia dormir, ainda mais que amanhã às 4 horas da manhã o senhor Mancelier vai bater na minha porta com sua bengala, e sinto já em cada uma de minhas fibras a dificuldade prodigiosa que terei para sair do calor das cobertas e mergulhar no frio das roupas geladas, por mais que as deixe debaixo do colchão. Arrepio-me só de pensar na água gelada da bacia e na manhã noturna em que vou pedalar no silêncio total que parece nascer da própria neve. À minha frente, a lanterna da bicicleta lançará uma manchinha amarelada, pálida e oscilante, uma luzinha anêmica que não chega a iluminar.

Mas não tem problema, conheço o vilarejo de ponta a ponta. Grande vilarejo, aliás. Quase uma cidade, cujo centro é ocupado pela Casa Mancelier (livraria e papelaria). Uma bela casa, situada no lado mais bonito da praça, de onde se avista todo o maciço, vasto circo montado, de que a cidade constitui o fundo. Mesmo no verão o sol desaparece cedo atrás do topo das montanhas. Vivo numa região de sombras, de brancura e de frio.

Novos personagens surgiram em minha vida desde que vim morar aqui em R., dois meses atrás. Os mais importantes são meus patrões, a família Mancelier. Façamos o retrato da família.

No centro, o pai. Tem um bigode e olhos que revelam uma personalidade difícil. Cinquenta e poucos anos, um joelho que não dobra e um quadril que dobra demais – o que explica a bengala em que se apoia. Notem-se as duas fitas na lapela do paletó: medalha militar e Cruz de Guerra (com distinção, ele acrescenta sempre). Ferimentos e condecorações que lhe vêm, ambos, da Primeira Guerra. Lutou em Marne, Craonne, Éparges e Verdun, sob as ordens de Pétain, que continua sendo, e cada vez mais, seu ídolo nº 1. Há fotos do marechal na sala: uma, em preto e branco, montado a cavalo; outra, colorida, em que está de pé. Saindo dali, volta-se a encontrar Pétain no corredor, de perfil e sem chapéu; quando se entra no quarto, ele está de frente e com seu quepe, mas, desta vez, na forma de uma estatueta sobre o paninho que recobre o mármore da mesa de cabeceira.

Ambroise Mancelier venera o marechal, acredita que a colaboração com Hitler é a única chance de sobrevivência de uma França enfraquecida pelos anos de trapaças parlamentaristas e explica os reveses atuais da Alemanha alegando uma crise passageira em seu Estado-Maior.

Detalhe importante, meu venerado patrão tem inimigos pessoais: os judeus. Afirma não poder suportar um que seja.

Quanto a mim, tenho a impressão de que está ficando meu amigo. É verdade que, como todos sabem, não tenho nada a ver com essa raça maldita...

Mas continuemos nosso retrato.

Ao lado dele, Marcelle Mancelier. Basta vê-la para perder a vontade de descrevê-la. Nenhum sinal distintivo, cabelos grisalhos, usa um guarda-pó na loja, um avental na cozinha e um xale preto na igreja.

Trabalhadora incansável, cuida da parte administrativa do estabelecimento.

De pé, atrás deles, Raoul Mancelier, o filho. Raramente está na livraria. Trabalha em outro bairro, executa a nobre função de escrevente de cartório. Outro pétainista convicto, não esconde suas opiniões e ostenta seus sentimentos pró-germânicos de maneira muito clara.

Perto dos três, também de pé, Françoise.

Françoise Mancelier.

Hoje, quando penso naqueles anos, é esse rosto de mocinha que surge à frente de todos os outros, antes da cara dos S.S., das pessoas do Excelsior, mesmo antes do rosto do meu pai. Se, em todo esse tempo de fuga, eu não tivesse tido minha história de amor, faltaria alguma coisa no quadro. História de amor, aliás, é dizer demais, nada se passou, nada aconteceu, nem beijos, nem juras, nada... E como poderia ter sido diferente? Françoise Mancelier tinha 14 anos e pouco, e eu, nem 12 ainda.

Como contar uma história que nem sequer aconteceu? O que sei é que eu sentia, na loja, no quarto, nas ruas, aquela presença loira e sorridente que estava sempre em minhas pupilas. Quase só a via à mesa, e hoje me dou conta do quão pouco conversamos. Era só: "Bom dia, Joseph", "Tchau, Joseph", "Joseph, você pode ir ao armazém, à padaria, à fazenda...". No inverno, usava um grande gorro de lã crua com um pompom que caía e balançava, encostando em sua bochecha. Uma bochecha rosada, muito rosada, como as bochechas das crianças nos anúncios publicitários de estações de esqui. E eu, consciente da insuficiência dos meus 12 anos, me tornava completamente monossilábico em minhas respostas a Françoise Mancelier, sentia que ela nunca poderia me amar, que dois anos de diferença eram demais, que ela era uma moça, e eu, apenas um fedelho.

Além disso, tinha começado mal demais na família para ter esperanças de um dia casar com ela. Cheguei a R. num sábado, depois de alguns dias em Aix-les-Bains. Albert, Henri e mamãe, que tinha se juntado a eles, ficaram contentíssimos em nos ver, mas cinco pessoas juntas era demais, perigoso demais, então Maurice partiu para R., onde um amigo de Albert, gerente do Hotel du Commerce, o empregou. Lá, ficou sabendo que a Livraria Mancelier estava precisando de um entregador, e foi minha vez de partir. Assim que cheguei, fui contratado, mas, na manhã seguinte, Ambroise Mancelier, vestido com o terno escuro que reservava para o desfile de 11 de novembro – a comemoração do armistício de 1918 – e para as missas dominicais, pousou uma mão firme em meu ombro.

– Meu rapaz – ele disse –, você dorme, come e trabalha em minha casa. Faz, portanto, um pouco parte da família, concorda?

– Sim, senhor Mancelier.

Não fazia ideia de onde ele queria chegar, e tomei essas palavras pela introdução de um dos intermináveis discursos com que ele entediava seus próximos, variações sobre o tema "trabalho-família--pátria" que sempre terminavam com o elogio ardente do regime de Vichy e de seu glorioso chefe, Philippe Pétain.

Contudo, não foi disso que me falou nesse dia.

– E, se faz parte da família, deve compartilhar seus costumes. Ora, como logo perceberá, nosso costume mais sagrado é o de ir todas as manhãs de domingo à missa. Portanto, vá se vestir rápido.

Logo me dei conta do absurdo da situação, mas três coisas me levaram a obedecer: em primeiro lugar, não se contradizia um homem como Ambroise Mancelier; em segundo, estava curioso para assistir a um culto católico; e, sobretudo, poderia ficar quase uma hora na presença da bela Françoise de belas bochechas.

Em dois tempos e três movimentos, vesti meu casaco comprado em Aix-les-Bains e me encontrei ajoelhado na igreja, ao lado de Ambroise, que não podia se ajoelhar, e de sua devotíssima esposa. Minha bem-amada estava bem na minha frente, o que me permitiu admirar sua nuca branquíssima e as barrigas da perna redondíssimas.

Eu imitava conscienciosamente as genuflexões e os sinais da cruz dos fiéis, e estava me sentindo mole e sonolento quando, de repente, o órgão ressoou e todos se levantaram.

Prefiro contar a continuação no presente, isso deixará a aventura mais amena, tirará dela essa aura de sagrado que os tempos verbais do passado conferem. O presente é o tempo sem surpresa, um tempo ingênuo, aquele em que vivemos as coisas como elas acontecem, ainda novas e vivas, o tempo da infância, o tempo que me convém.

Os vitrais são vermelhos. A luz da manhã desenha no piso silhuetas de santos escarlates que parecem sangrar no chão.

Sigo o lento caminhar do rebanho em direção à porta, os sussurros vão se tornando cada vez menos discretos.

Pouco a pouco, a igreja se esvazia; como num restaurante, os meninos do coro tiram a mesa, enquanto o órgão continua a ressoar. Gosto do som do órgão, parece uma gigantesca e pesada cavalaria, milhares de carroças rodando sobre nossas cabeças. O som repercute e morre, trovoada já decrescente; quanta teatralidade nisso tudo!

Estamos entre os últimos a sair, parece que a torrente tem dificuldade em escorrer. Há um congestionamento na porta. Françoise está atrás de mim. Em meio ao zum-zum-zum, distingo seus passos leves, quase deslizantes.

De repente, à minha frente, uma senhora muito gorda e vestida de preto molha a mão numa espécie de concha fixada ao pilar, dá meia-volta, me encara e estende dois dedos roliços para mim. Fico surpreso, já que não a conheço. Deve ter me visto passar de manhã com a bicicleta, talvez seja um dos 300 assinantes para os quais distribuo o jornal. O fato é que parece me conhecer.

Aperto sua mão calorosamente.

– Bom dia, senhora.

Por que Françoise está sufocando uma risada? Por que o senhor Mancelier se virou e move as sobrancelhas num ritmo frenético e inquietante? Tem até um grandalhão magricela, decerto o marido da gorda, que ri abertamente.

Ao que tudo indica, cometi alguma gafe. Mas o mais grave é a presença de Françoise. Nunca mais me levará a sério, como se pode esposar um homem que dá bom-dia à distribuidora de água benta? Para me redimir, só um ato absolutamente heroico, grandioso, inaudito, teria que vencer a guerra sozinho ou salvá-la de um incêndio, de um naufrágio... Mas como salvar alguém de um naufrágio nas montanhas? Talvez de uma avalanche! Mas a neve que cobre a montanha nunca desce até aqui; tenho que me conformar: Françoise nunca será minha esposa, sou indigno dela, é terrível.

Almoço após a missa. A senhora Mancelier colocou seu avental, pantufas com pompons, e está às voltas com o fogão. Françoise abriu o armário e tira os pratos de porcelana. Há flores azuis desenhadas em volta, e outras pintadas no fundo. Quando a sopa é clara, sempre tenho a impressão de que vão boiar, e de que vou pescá-las com a colher: uma sopa de flores, um cozido de gerânios.

Mancelier pai está sentado na poltrona. Lê livros grossos e bem encadernados, o nome do autor e o título se destacam em dourado sobre a capa. São livros de generais e coronéis. De vez em quando, relincha de satisfação. Aposto que o autor é o mesmo que ver o leitor: por muito tempo, imaginei todos os oficiais superiores franceses com a cara do senhor Mancelier.

A refeição começa com os rabanetes da horta, totalmente ocos. Esse é um motivo de estupefação permanente para meu patrão. É o único morador da região a possuir um terreno que só dá rabanetes ocos. No entanto, ele acompanha o crescimento das folhas, rega, aduba a terra, salpica-a com um monte de produtos esbranquiçados cuidadosamente medidos, mas não adianta. Trespassada a fina película rosa, os dentes encontram o vazio. Não me espantaria se saíssem voando como minúsculos balões.

O que me espanta é que ainda não tenha posto a culpa de os rabanetes serem ocos nos judeus. Mas é porque agora está falando de outra coisa, da Europa.

– Meu caro Joseph, isso não vão lhe ensinar na escola pública, pois a escola se tornou pública, como uma mulher...

Dá uma espiada levemente preocupada na esposa, que não escutou, e continua, mais tranquilo:

– Nunca lhe ensinarão na escola que a característica dos grandes homens é ter um ideal. E um ideal não é apenas uma ideia, é outra coisa.

Não diz o que é essa outra coisa e se serve generosamente de feijões brancos, raspando com o garfo para pegar o máximo de toucinho.

– É outra coisa. Mas é preciso saber de que ideal se trata. Pois bem, em política, para um homem que não é nem turco, nem negro, nem comunista, e que nasceu numa nação entre o Atlântico e o Ural, só pode haver um ideal: a Europa!

Está tudo muito claro, não há o que discutir. Aliás, não sinto a mínima vontade de discutir, estou muito ocupado lançando olhares furtivos para Françoise... Ela parece estar sem fome, e brinca com o garfo sobre a bela toalha de mesa dominical.

– Ora, quem foram os homens que quiseram fazer a Europa? Uma Europa clara e limpa, capaz de lutar contra seus adversários do oeste, do leste e do sul? Não foram muitos na História. Foram... quantos foram, Joseph?

Levo um susto e olho para ele. Mostra sua mão forte, com três dedos esticados.

– Então, quantos são?
– Três, senhor Mancelier.
– Muito bem, Joseph, isso mesmo, três.
Dobra um dedo.
– Luís XIV.

Outro.

– Napoleão.

O terceiro.

– Philippe Pétain.

Toma um gole de vinho tinto para se recompensar pela soberba demonstração e volta ao ataque:

– E o que mais me dói é que esses três homens não foram compreendidos enquanto vivos, a grande massa dos canalhas e dos imbecis...

A senhora Mancelier suspira, olhando para o lustre.

– Por favor, Ambroise, modere suas palavras.

Ambroise bate em retirada. Aliás, nunca vi um militarista tão fogoso bater em retirada tão facilmente quanto ele.

– ...como dizia, a grande massa sempre se ergueu contra esses homens de gênio. Cortaram o pescoço do neto do primeiro, prenderam o segundo, e sei que ao terceiro não faltam inimigos. Mas esse homem é um durão, lutou em Verdun,[5] e, lembre-se sempre de uma coisa, meu rapaz, quem passou por Verdun pode passar por tudo.

Eu já não estava mais escutando. Tinha terminado o feijão e esperava a sobremesa. Ambroise se dirigia principalmente a mim, estava feliz por me ter como ouvinte, pois nem Françoise nem sua mãe escondiam que esses discursos as entediavam profundamente. Não que o dissessem com palavras, mas sua atitude era pra lá de eloquente.

---

[5] A Batalha de Verdun foi uma das principais batalhas da Primeira Guerra Mundial. Durante 300 dias de 1916, alemães e franceses se confrontaram, com violência nunca vista, às margens do rio Mosa, num terreno cheio de elevações a norte da cidade de Verdun-sur-Meuse, nordeste de França. O resultado foi uma carnificina, com centenas de milhares de mortos, nenhum sentido estratégico nem vencedores reais. (N.E.)

Na hora do café, Raoul chegava com a esposa. A discussão recomeçava então com toda a intensidade. Raoul era um pouco mais lúcido que seu pai, já não estava tão certo da vitória alemã, previa dificuldades, grandes obstáculos, devidos sobretudo à "massa tecnológica americana". Por muito tempo, acreditei que os americanos tivessem inventado uma arma fabulosa, um martelo gigante, uma maça que triturava divisões inteiras do exército alemão.

– Se tivessem me dado ouvidos – dizia Raoul –, a França teria se aliado a Mussolini e a Hitler desde 1936. Em três, ninguém nos deteria, entraríamos na Inglaterra como se enfia faca na manteiga, depois cuidaríamos da Rússia e seríamos os mestres absolutos. Além disso, não teríamos tido que amargar uma derrota.

A esposa de Raoul, uma loira esbelta de olhos globulosos e cara de ovelha, perguntava então:

– E por que não fizemos isso?

Ambroise Mancelier caía numa gargalhada que o fazia derramar café no pires que segurava.

– Porque em vez de sermos governados por franceses orgulhosos de sua pátria e de seus direitos, tínhamos um governo podre, infestado de judeus.

Raoul erguia um dedo professoral:

– Cuidado aí, não eram apenas os judeus.

Ressoavam então palavras recorrentes que eu não entendia direito: imigrantes, maçons, socialistas, frente popular, etc.

Françoise já tinha ido para o quarto há muito tempo para fazer seus deveres. Então eu me levantava, pedia permissão para sair e ia para a rua.

Corria o mais rápido que conseguia até o Hotel du Commerce. Em geral, Maurice estava me esperando na calçada, batendo os pés de impaciência, os bolsos cheios com tudo o que tinha conseguido furtar na cozinha. Ele se virava muito bem, tinha montado um esquema extremamente complexo com um açougueiro, que lhe rendia um bom dinheiro. Somado ao que eu obtinha raspando cupons, nosso pé-de-meia comum estava crescendo.

Enquanto caminhávamos, contava as novidades. Trabalhava com um sujeito que era da Resistência e ouvia a rádio de Londres. As notícias eram boas, os alemães continuavam recuando.

Um dia, chegando ao limiar da cidade, apontou para uma montanha distante e brumosa.

— É lá que estão sediadas as forças da Resistência. Dizem que são muitos e que atacam caminhões e trens.

Dei um pulo.

— E se fôssemos pra lá também?

Seria minha oportunidade de ouro para conquistar Françoise, voltar coronel, fuzil em punho, coberto de louros, e levá-la em minha garupa, a todo galope. Além disso, seria divertido deixar de ser caça e me tornar caçador, nada mais justo.

— Não, eles não nos aceitariam, somos muito novos, perguntei ao meu amigo.

Um pouco frustrado, entrei no campo de futebol, e ficamos jogando bola até as 6 horas da tarde.

De início, tivemos dificuldade em ser aceitos pela meninada da cidade. Eles tinham que ir à escola, nós, não. Ficavam com inveja, por isso não gostavam da gente. Depois, me vendo sempre de bicicleta, com meu alforje, entregando jornais, acabaram simpatizando comigo, e os irmãos Joffo foram admitidos na comunidade.

O campo estava em estado lamentável, o mato crescia em grandes tufos, chutávamos dentes-de-leão, as traves não tinham rede, e uma delas estava sem a barra horizontal, tinha só as verticais, o que dava ensejo a infindáveis discussões. Ficávamos horas discutindo se a bola tinha passado muito alto ou se tinha entrado no gol.

Então veio a neve, no primeiro domingo de inverno, com pontualidade britânica. Durante a noite, formara-se uma camada de 30 centímetros, e ali estávamos, uma dezena de moleques, batendo os calcanhares para nos esquentar. Impossível jogar, a bola afundava naquela massa branca e não saía mais. Foi um golpe duro.

Meu trabalho se tornava também bem mais duro. Era impossível andar de bicicleta, e meu alforje era um tanto pesado. Lembro de ter planejado fabricar um trenó com uma caixa de madeira por cima onde poderia meter os malditos jornais, mas não cheguei a executar meu plano.

Natal de 1943.

Respiro, e meu hálito se transforma num vapor branco. Maurice recebeu uma carta de Henri para nós dois. Todos vão bem e nos desejam tudo de bom. Meu irmão trabalhou até de madrugada, tinha um grupo de alemães e colaboracionistas festejando no hotel, o coitado está caindo de sono. Entrega-me torradinhas com *foie gras*, alguns camarões, um peito de frango e um pedaço de rocambole numa caixa de sapato. Ando pelas ruas vazias carregando meu banquete. Atrás das janelas, as pessoas continuam a comer, ouve-se o tilintar dos talheres e dos copos, risadas... Mas as ruas estão tristes, e eu, sozinho.

Meus passos me levam maquinalmente até o estádio. À beira do campo, a galeria está quase caindo com o peso da neve, mas mesmo assim protege uma parte das arquibancadas de madeira.

Quando atravesso o campo, meus pés afundam até o tornozelo e saem da neve com um leve rangido, que rompe o silêncio absoluto.

Sento-me na arquibancada, o muro me protege do vento, estou quase confortável.

Então, sozinho ali, diante de um estádio vazio e branco de neve, cercado pelos Alpes, Joseph Joffo se empanturra de *foie gras* e de bolo, desejando a si mesmo um feliz Natal. Sabe que é uma festa católica, mas nunca proibiu um cristão de celebrar o Yom Kipur.

De barriga cheia, volto para a livraria, tiro os sapatos e subo a escada de mansinho: não quero ser surpreendido pelo combatente de Verdun. Ele está escutando com devoção o editorial pró-nazista de Philippe Henriot. Nunca perdeu um, desde o início do regime de Vichy. Concorda com a cabeça uma dezena de vezes durante a emissão e, quando Henriot termina, gira o botão do rádio com um gesto solene e, infalivelmente, murmura: "Se publicassem esses editoriais num livro, eu seria o primeiro a comprar".

Chego ao quarto, onde parece fazer mais frio do que lá fora. Levanto o colchão e pego o livro que furtei da livraria, *Cinco semanas em um balão*, publicado pela "Biblioteca Verde". Decididamente, minha cultura infantil terá se desenvolvido sob o signo da esperança.

Dentro do livro, uma quinzena de cupons nº 4. Um bocado de barras para raspar. Cubro-me com a colcha e... "ao trabalho!", com todo o cuidado para não rasgar o papel.

É o terceiro por quem passo e que ri nas minhas costas.

Será que minha calça está rasgada?

Passo a mão discretamente na bunda e meus dedos encontram o peixe de papel pendurado nas minhas costas.

É verdade, tinha esquecido da data: 1º de abril de 1944.

É incrível como as crianças gostam de sacanear! A guerra continua ali, cada vez mais próxima, e isso não as impede de tocar campainhas e sair correndo, ou de pendurar panelas no rabo dos raros gatos que não viraram guisado.

E, no entanto, a coisa vai mal, ou bem e mal ao mesmo tempo, a derrota dos alemães é iminente, em breve será a debandada. Ainda mais que, em R., a Resistência não para de agir. Dois dias atrás, foi o depósito da estação que explodiu. O velho Mancelier saiu correndo pelo corredor, furioso, espancando o ar com sua bengala e querendo administrar uma boa surra de vara verde naqueles jovens baderneiros que só ficariam contentes quando os ingleses voltassem a dominar a França, desfazendo todo o trabalho de Joana d'Arc.

O velho Mancelier anda muito agitado; surpreendo-o às vezes observando o retrato do marechal Pétain com um olhar que eu não diria crítico, mas que já não é de pura admiração. Isso basta para eu saber que os Aliados estão avançando: o olhar de Ambroise é mais revelador para mim do que a Rádio Londres.

O fato é que o tempo está bom, e o humor da população de R. melhorou muito. O padeiro me deu um brioche quando lhe entreguei o jornal, e as gorjetas aumentaram bastante.

Sinto-me alegre e pedalo a mil. Só mais quatro jornais para entregar no Hotel du Commerce, e meu trabalho da manhã terá terminado. Estou adiantado.

A porta do hotel bate atrás de mim, e cumprimento os fregueses sentados às mesas.

O gerente está ali batendo papo; fala no dialeto da região, e tenho dificuldade de entender.

— Oi, Jo. Quer ver seu irmão?

— Sim, gostaria.

— Pode descer, ele está na adega.

Foi o rangido de freio que fez eu me virar. Apesar da porta fechada, o barulho ressoou, estridente.

Através das cortinas, vi os dois caminhões, bloqueando a rua.

— Olhem!

Nem preciso dizer nada; todos se calaram e observam os soldados de preto descerem, com suas boinas inclinadas. Esses são os mais odiados, os da Milícia Francesa, caçadores de resistentes.

Metralhadora em punho, vejo um correr para a ruela Saint Jean: os desgraçados conhecem a região, sabem que dá para fugir por ali.

Um deles, no centro, faz grandes gestos, e vejo quatro se dirigindo ao hotel.

— Estão vindo para cá – diz o gerente.

— Menino...

Viro-me e olho para o homem que me chamou: é um dos fregueses, mas nunca o vi antes, um homenzinho bastante velho, vestido de veludo escuro. Sorri tranquilo e vem em minha direção.

Não somos vistos da rua.

Um envelope amassado cai dentro do meu alforje: o homem o tirou do bolso e joga por cima dele o jornal que tinha na mão.

Os milicianos abrem a porta.

Os lábios do homenzinho não se mexem, mas ele fala. Seus olhos não estão mais virados para mim, mas é a mim que se dirige:

– Senhor Jean, no Cheval-Blanc.

Sua mão me empurra em direção à porta. Saio e dou de cara com dois grandalhões truculentos. Têm o rosto bronzeado, os olhos escondidos pela sombra da boina.

– Mãos pra cima, rápido.

O mais magro pula como um gato, é um nervosinho daqueles, derruba uma garrafa ao passar, e o cano de sua metralhadora vai fazendo zigue-zagues. O gerente abre a boca, vejo uma mão bronzeada pegá-lo pelo colarinho e empurrá-lo contra o balcão.

O segundo olha para mim e, apontando para trás com o polegar, diz:

– Dá o fora, moleque.

Passo, segurando meu alforje cheio de dinamite. Por sorte ela não explode.

Estou do lado de fora. A praça fervilha de homens de preto. Pego minha bicicleta na calçada e sigo adiante. Quem prestaria atenção num pequeno entregador de jornais? Vou pensando enquanto pedalo. Quem será aquele homenzinho de veludo?

No final da praça, olho para trás.

Ele está lá, com as mãos na cabeça, entre dois milicianos. Está longe, talvez seja uma careta devida ao incômodo de um raio de sol no olho, mas tenho a impressão de que sorri, e de que esse sorriso é para mim.

Para o Cheval-Blanc, rápido.

Conheço esse bar, deixo o jornal ali debaixo da porta todas as manhãs.

Tem poucos clientes a essa hora. Quando entro, Maryse, a garçonete, parece surpresa em me ver e para de limpar a mesa.

— O que está fazendo aqui?

— Procurando o senhor Jean.

Percebo seu espanto. Aliás, parece mesmo preocupada, deve ter visto os caminhões da milícia passar e sabe que isso nunca é bom sinal.

Passa a língua nos lábios.

— O que quer com ele?

— Quero vê-lo, tenho um recado para ele.

Hesita. Os três fregueses ao fundo jogam cartas sobre a toalha verde que cobre a mesa.

— Venha comigo.

Sigo-a. Atravessamos a cozinha, o pátio, e ela bate na porta da garagem. Bate de um jeito estranho, toques que formam como que um galope de cavalo e depois um outro, bem espaçado...

A porta se abre. Tem um homem ali, com botas de caça. Lembra um pouco meu irmão Henri; não diz nada.

Maryse aponta para mim.

— É o entregador de jornais, quer falar com o senhor Jean.

— O que tem para dizer a ele?

Tem uma voz áspera. Digo para mim mesmo que é melhor ser amigo desse homem do que seu inimigo.

— Foi um cliente do Hotel du Commerce que mandou um recado para ele.

O homem se aproxima, parece interessado.

— Descreva-o.

— Um senhor baixinho, todo vestido de veludo. Os milicianos acabaram de prendê-lo.

Coloca as duas mãos em meus ombros, duas mãos fortes, mas ternas.

— Pode dar o recado.

— Mas é que o senhorzinho de veludo me disse pra falar com o senhor Jean e...

Maryse me dá uma cotovelada leve.

— Pode falar, esse é o senhor Jean.

Ele olha para mim e eu lhe entrego o envelope.

Rasga-o e tira uma carta que não tento ler. Sei que esses assuntos exigem o máximo de discrição.

Jean lê, põe a carta no bolso e passa a mão nos meus cabelos.

— Excelente trabalho, pequeno. Maryse servirá de contato entre nós. Quando precisar de você, ela o fará saber. Agora, volte logo para casa.

E foi assim que entrei para a Resistência.

Na verdade, essa foi minha única e bem modesta contribuição à luta pela França livre. Esperava com impaciência que Maryse me fizesse um sinal, e passava sempre que podia na frente do Cheval-Blanc, mas ela enxugava seus copos e me ignorava soberbamente. Deviam me achar novo demais e, sobretudo, minha proximidade com Ambroise Mancelier só podia deixá-los desconfiados. Quanto a este, não saía mais, nem escutava o rádio.

O Dia D, 6 de junho, data do desembarque, foi por certo o mais difícil para o velho pétainista: o inimigo hereditário maculava as praias da Normandia, um exército de negros, judeus nova-iorquinos e de operários ingleses comunistas... se lançava ao assalto da doce França, berço do Ocidente cristão. Sua bengala martelava os corredores, e sua mulher não descia mais para a loja. Recentemente, tivera violentos bate-bocas com clientes, o que indicava que a atmosfera estava mudando.

Uma tarde, enquanto eu abria uma caixa de livros que tinha acabado de chegar, o filho do padeiro, chamado Mouron, entrou, comprou um jornal e, quando estava pagando, apontou para a vitrine onde reinava um livro ilustrado com fotos coloridas do marechal Pétain.

– Quanto custa?

Fiquei paralisado, pois o conhecia um pouco, era um amigo do Maurice, e diziam que ajudava os resistentes fornecendo-lhes farinha e pão. A senhora Mancelier fez de conta que estava verificando as contas e respondeu em tom distante:

– 40 francos.

– Vou comprar. Mas não vou levar. Vocês o deixarão em seu lugar na vitrine, pode ser?

Minha patroa ficou completamente aturdida. Balbuciou que não via problemas, mas que não entendia por que ele o compraria, se não queria ler.

Logo compreendeu.

O rapaz pegou uma etiqueta que estava perto do caixa e, com um lápis vermelho, escreveu em belas letras maiúsculas: VENDIDO.

Em seguida, pegou a etiqueta e foi colá-la na capa, bem em cima da gravata do grande Pétain, Salvador da França.

Ela ficou verde e disse.

– Prefiro reservá-lo, não posso manter na vitrine um livro já comprado.

Disse isso em tom bastante seco. O rapaz olhou para ela:

– Nesse caso, não vou comprar. De qualquer jeito, não vale a pena: daqui a poucas semanas estará exposto em praça pública.

Abriu a porta e, antes de batê-la com força atrás de si, proferiu:

– Até muito em breve, senhora Mancelier.

A partir dessa época, comecei a fazer quase tudo sozinho na livraria. Ainda bem que não havia muitos clientes, os leitores eram raros em R. naquele ano de 1944. Afora o jornal e os folhetins ilustrados para crianças, que eu devorava e levava para o meu irmão, não vendia mais do que três livros por semana.

Também fazia as compras para a família, e, na padaria, o pai ou o filho Mouron sempre me perguntavam: "E aí, o babaca do Ambroise já começou a sujar as calças?". Todo mundo que estava por perto ria, eu também, mas ficava um pouco constrangido, afinal, estavam insultando o pai de Françoise. Aliás, ela partiu no fim de junho, foi para casa de uma tia perto de Roubaix. E eu fiquei ali, de coração pesado, entre aqueles dois velhos que não ousavam mais sair de casa. Uma noite, ouvi um barulho de vidro quebrado e desci correndo: alguém tinha jogado uma pedra na janela da cozinha. Os Mouron tinham razão: o velho Mancelier tinha motivos para sujar as calças.

Todo fim de tarde, depois de fazer as magras contas do dia, saía para encontrar Maurice, e subíamos no campanário da igreja, um campanário maciço, com enormes vigas. Dali podíamos ver a estrada nacional, que ziguezagueava ao longe, na planície, e os caminhões que passavam, cheios de soldados. Vinham do sul. Por vezes, havia longos comboios de ambulâncias. Não tínhamos mais notícias de Aix-les-Bains, o correio não chegava, trens explodiam, ninguém queria viajar.

Maurice, uma noite, viu vários resistentes no Hotel du Commerce. Tinham chegado num Citroën Traction Avant. Usavam casacos de couro e botas com travas, estavam bem armados, com pistolas e metralhadoras, e muito otimistas. Diziam que a batalha estava dura, mas que a vitória não demoraria.

Já ia me esquecendo: contribuí mais uma vez com a Resistência, dessa vez, com um enorme pacote de livros que roubei da loja. Achei estranho que os combatentes tivessem tempo para ler, mas Maurice me explicou que eram destinados aos feridos. Estes eram cuidados em cavernas e, para eles, o tempo custava a passar.

Desde a detenção do homenzinho de veludo, os milicianos nunca mais voltaram. Maurice me contou algumas semanas mais tarde que ele foi fuzilado atrás do muro de uma fazenda. Aquilo me deixou mal um dia inteiro, tive aquela impressão de cabeça vazia que tivera em Nice, um sentimento de que não adianta fazer nada e de que os maus sempre vencerão.

Os alemães já quase não saem mais de seu quartel-general; lá dentro, o vaivém parece intenso. O padeiro passa os dias no telhado, vigiando-os com seu binóculo. Disse ter visto tanques Panzer chegando.

À noite, toda a cidade está sabendo, e o pânico se instala. Mouron está convencido de que os alemães vão fazer de R. um campo fortificado para deter o avanço aliado. Durante alguns minutos de discussão, nosso vilarejo se transforma na última barreira antes de Berlim. Se formos libertados, o III Reich desmorona.

– Teremos que viver nos porões – diz um fazendeiro –, e o pior é que a coisa pode se arrastar. Mas os ianques não estão nem aí, esmagam tudo o que veem pela frente, que a gente morra ou não, estão pouco se lixando.

Conheço esse baixinho. Reclama todo dia que o jornal dele não chega mais cedo, é um verdadeiro implicante.

O senhor Flandrin discute com ele e anuncia que, na prefeitura, já confeccionaram bandeiras dos Estados Unidos, com a ajuda da professora primária. Eles não tardarão, dizem que estão a menos de 50 quilômetros.

Meu Deus, é verdade, vai terminar. Estão falando sério quando dizem isso. Pergunto-me se realmente acreditam nisso, se percebem o que isso representa: "vai terminar". Nem ouso repetir em voz alta, por uma espécie de superstição estúpida, como se as palavras fossem pardais e dizê-las muito alto as fizesse sair em revoada, para sempre, em direção ao país das esperanças não realizadas.

Sozinho na livraria vazia, faço as contas. Os Mancelier estão trancados lá em cima. Ambroise se esgueira pelas paredes e quase não sai do quarto. Não escuta mais o rádio, faz um bom tempo que não ouço a voz de Philippe Henriot.

Do lado de lá da porta de ferro da livraria, uma bela noite de verão. Um grupo de jovens conversa na praça, ignorando o toque de recolher. Ao longe, um rumor obscuro, que parece vir de além das montanhas. Talvez seja a guerra chegando até nós, a avalanche que eu esperava para salvar Françoise e que vai soterrar a todos nós.

Estou com sono. Já é tarde, e levantei às 5 horas da manhã. Além disso, amanhã tudo recomeça, pedalar pela cidade inteira... Diga-se de passagem que subo as ladeiras cada vez mais rápido: mais alguns meses nesse ritmo e serei um campeão de ciclismo.

Contas terminadas. No começo do caderno, veem-se, em alinhamento perfeito, os números caligrafados da senhora Mancelier, traços feitos à régua, o total do dia em vermelho no alto da página. De algum tempo para cá, meus garranchos substituíram todo esse capricho. Apago uma conta errada e, depois do traço horizontal que separa um dia do outro, escrevo a data de amanhã:

8 de julho de 1944.

– Jo!

Parece a voz de Maurice, mas não é possível, a essa hora ele ainda está dormindo. E na hora em que Maurice está dormindo, eu também estou dormindo, portanto só pode ser um sonho e...

– Jo! Acorda, criatura!

Dessa vez, abro os olhos. Ouço um rumor distante, uma espécie de ronco, como se a montanha estivesse se aproximando.

Abro a persiana. A praça está vazia. É dia, mas o sol ainda não apareceu. É aquela hora antes da aurora, a hora em que os seres e as coisas sacodem as últimas brumas da noite.

Meus olhos piscam. Maurice levanta a cabeça para mim. Está completamente sozinho, único ser vivo na pequena praça.

– O que foi?

Meu mano olha para mim e sorri.

– Eles foram embora!

Simples assim. Tão simples que até fiquei frustrado. Esperava algo mais espetacular, um pouco mais de alvoroço. Pensava que as guerras terminavam como as óperas, com gestos grandiloquentes, braços erguidos, poses esplêndidas. Nada disso.

Debrucei na janela numa manhã de verão, e tudo tinha terminado, estava livre, não tentariam mais me matar, podia voltar para casa, pegar trens, andar nas ruas, rir, tocar campainhas, jogar bolinha de gude no pátio da escola da Rua Ferdinand Flocon. Isso ainda me divertiria? Não, pensando bem, acho que não. Fazia meses que eu tocava a livraria sozinho e, por estranho que pareça, era mais divertido que jogar bolinha de gude.

Desci, e saímos andando pela cidade. Tinha um monte de gente na frente da padaria: jovens de bicicleta com braçadeiras das FFI (Forças Francesas do Interior) e pistolinhas na cintura. Conhecia alguns deles, não eram verdadeiros resistentes, tinham surgido de repente, no momento em que os Fritz deram o fora...

Aos poucos, as ruas foram se enchendo, bandeiras enfeitavam as janelas: francesas, inglesas, norte-americanas. Poucas dos Estados Unidos, porque dá trabalho fazer 48 estrelas, mas tinha algumas, mesmo assim. No Cheval-Blanc e no Commerce, todos se abraçavam, e eu estava louco de alegria, porque tinha escapado e não precisava distribuir jornais naquela manhã. Só chegariam no dia seguinte, e não seriam mais os mesmos. Os que viriam agora eram *Les Allobroges*, *Le Dauphiné Libéré* e outros... Vendia centenas deles, as pessoas corriam atrás de mim, jogavam moedas, não esperavam o troco, eu enchia o caixa. Foi um turbilhão do qual, hoje, tenho dificuldade em extrair imagens.

Revejo sobretudo o rosto pálido de Ambroise Mancelier, encostado no papel de parede florido da sala de entrada, e todos em volta dele, Mouron filho com o punho sob seu queixo. Era a hora de acertar as contas. À tarde, três moças desfilaram na rua entre uma fileira de jovens das FFI. Estavam de cabeça raspada e com suásticas pintadas no rosto.[6] Dizem também que um dos filhos de uma vizinha tinha sido fuzilado no bosque: fora encontrado no momento em que tentava esconder seu uniforme de miliciano. Agora, era a vez do velho pétainista.

A primeira bofetada estalou como um tiro de morteiro.

Eu tinha acabado de chegar e vi a cabeça do velho Mancelier bater contra a parede. Quando percebi que aqueles lábios, que eu tinha ouvido proferir tantas asneiras, começaram a tremer, corri até Mouron.

– Deixe o velho, ele me escondeu durante um bom tempo, e podia ter lhe custado caro esconder um judeu.

O silêncio foi imediato, mas Mouron logo se recompôs:

– Está bem, você é judeu, mas o velho sabia disso?

Viro-me para o velho, que está de olhos esbugalhados. Sei muito bem o que você pensa, suas palavras ainda ressoam na minha cabeça: "bando de porcos judeus", "escória semita", "é preciso passar um esfregão nessa raça", "quando tiverem matado a metade, talvez a outra se toque".

Ironia do destino: você tinha um em casa, um autêntico judeu, e o que é pior, é esse judeu que vai salvar sua pele.

– É claro que sabia.

Mouron faz cara feia:

– Isso não muda o fato de que era um colaboracionista e encheu nosso saco com seu maldito marechal...

Alguém o interrompe:

– Sim, mas talvez fizesse isso porque estava escondendo o Joseph...

---

[6] No final da Segunda Guerra, milhares de franceses acusados de colaboração com os nazistas, sobretudo mulheres, sofreram a punição humilhante de ter suas cabeças raspadas em público. (N.E.)

Vou embora. Se estão discutindo, é bom sinal, não vão matá-lo. E, de fato, não o mataram, levaram-no, com sua mulher, para a prisão de Annecy. Quando subiu no caminhão, tremia feito vara verde, mas só eu sabia a verdadeira causa do seu tremor. Dever sua vida a um judeu depois de ter aplaudido Henriot todas as noites durante quatro anos! Nada fácil de engolir.

E, agora, eis-me gerente da livraria! Sinto vontade de passar tinta sobre a inscrição "Livraria Mancelier" e pôr meu nome no lugar. Nada mais justo.

E como tenho jornais para vender! Jornais novos, que aparecem a cada dia, ou os que circulavam clandestinamente e agora correm livres. Todo mundo quer saber as notícias, me tornei mais importante do que o prefeito e do que o padeiro, sou o grande distribuidor das novidades do mundo, um papel de primeiro plano! Jornadas de mais de 15 horas, o caixa transborda. A grana irá para os herdeiros da família Mancelier, mas, por enquanto, sou eu o responsável, e não vou dormir no ponto.

E, de repente, em todos os jornais, letras enormes cobrindo toda a primeira página, letras tão grandes que eu nem sabia que existiam na tipografia:

PARIS LIBERTADA

Foi de manhã cedo. Ainda vejo o caminhão se afastando, tudo dorme no vilarejo, e eu com esses grandes pacotes mal amarrados que repetem, todos, a mesma coisa. Sento-me diante do que se tornou minha loja.

A água corre pela valeta entre minhas pernas: é o Sena. Perto do meu calcanhar esquerdo, esse pequeno monte de terra é Montmartre; atrás, perto do galhinho, a Rua de Clignancourt, e ali, bem onde começa o musgo, minha casa.

O cartaz "estabelecimento judeu" desapareceu para sempre. As persianas vão ser abertas acima do salão. As primeiras bicicletas vão sair. Lá embaixo, o rumor começa a subir e se espalha por cima dos telhados.

Já estou de pé, subi a escada e cheguei ao meu quarto. Debaixo da cama, a bolsa: sei que é a última vez que a usarei.

Por certo, vai ser difícil encontrar um trem, e ainda mais conseguir entrar, mas nada pode me deter.

"Nada pode me deter." Esse é o tipo de frase que nunca se deve dizer, nem pensar.

Da livraria à estação a distância é pequena, nem bem um quilômetro. Uma rua reta e sombreada, com grossos bancos onde ninguém senta e que, no outono, ficam cobertos de folhas mortas.

Estava andando a passos rápidos, assobiando, tinha a impressão de que ao final do caminho toparia com a estação de metrô Marcadet-Poissoniers.

Mas não foi ela que apareceu.

Chegaram: eram três, braçadeiras nos bíceps, cintos um pouco frouxos, como se tivessem assistido ao último faroeste, armas em bandoleiras, três *mausers* alemães, os fuzis mais antipáticos do mundo. Um deles está com um lenço no pescoço e botas de caça.

— Ei, você, venha aqui.

Paro, estupefato.

— Meia-volta, rapazinho.

Não os conheço, nunca os vi no vilarejo, devem vir de outra sede das FFI. O fato é que não parecem estar brincando.

— O que querem comigo?

O que está de lenço ajusta a bandoleira e aponta com o fuzil para o lugar de onde estou vindo. Obedeço.

Só faltava essa. Perseguido pela Gestapo durante toda a guerra, sou detido por resistentes franceses no dia da libertação de Paris!

— Estão malucos? Acham o quê? Que eu sou um S.S. disfarçado?

Não respondem. Esses FFI são umas antas, mas vai dar tudo certo, vão me ouvir e...

De volta à praça. Um monte de gente na frente da livraria, principalmente sujeitos com casacos de couro e armados. Tem um bem jovem a que chamam "meu capitão", e, mais adiante, um grupo com mapas do Estado-Maior abertos sobre o capô de uma caminhonete.

Um dos meus carcereiros bate os calcanhares diante de um civil magricela.

– Aqui está, meu coronel, pegamos ele.

Fico completamente embasbacado. Quer dizer que agora estou sendo caçado como se fosse um alemão.

O magricela olha para mim; tem uma sobrancelha mais alta que a outra.

– Pra onde estava indo?

– Ora... pra Paris.

– Por que Paris?

– Porque moro lá.

– E ia deixar tudo isso aqui?

Com a mão aberta, designa a pilha de jornais e a livraria.

– É claro que ia deixar tudo isso aí!

Volta a olhar fixo para mim; suas sobrancelhas estão agora no mesmo nível.

– Acho que não está entendendo direito a situação.

Com um gesto, me convida a entrar na loja.

Outros o seguem e se instalam ali. Fazem isso para me impressionar ou é costume? O fato é que se enfileiram atrás da grande mesa, com o coronel no meio.

Estou do outro lado, como um réu diante de um júri.

– Não entendeu a situação – retoma o coronel. – Você é responsável pela circulação das notícias na cidade, deve permanecer em seu posto, pois ainda estamos em guerra, e seu papel equivale ao de um soldado que...

— Não querem que eu vá pra Paris?

Ele se interrompe meio aturdido, mas logo se recompõe e articula com simplicidade.

— Não.

Não protesto. Meu velho, os caras da Gestapo não conseguiram arrancar meu couro, não é você que vai meter medo em mim.

— Ok, então podem me fuzilar.

O gordo da ponta quase engole sua guimba de cigarro.

Dessa vez, o coronel não encontra nada para dizer.

— Faz três anos que deixei minha casa, que estou separado da minha família, e hoje, que posso voltar, vou voltar e vocês não vão me impedir.

O coronel coloca a palma das mãos sobre a mesa.

— Como você se chama?

— Joseph Joffo, sou judeu.

Inspira um pouquinho de ar, como se temesse ferir os pulmões se respirasse fundo.

— Tem notícias da sua família?

— Vou a Paris para ter.

Entreolham-se.

O gordo tamborila na mesa com o indicador.

— Escute, não pode ficar mais uns dias para...

— Não.

A porta se abre. Esse aí eu conheço, é o senhor Jean.

Sorri. Tive razão de pensar que era melhor tê-lo como amigo, ele logo dará a prova.

— Conheço esse garoto, ele nos prestou serviços. O que está havendo?

O coronel se sentou. No fundo, parece gentil. Se não fossem essas sobrancelhas que lhe dão um ar meio diabólico, seria a encarnação do bom vovô.

Levanta a cabeça.

– Ele quer ir para Paris, e, evidentemente, isso nos cria problemas em relação à livraria.

O senhor Jean coloca as duas mãos em meus ombros, como da primeira vez em que nos encontramos.

– Quer ir embora?

Olho para ele.

– Sim.

Sinto que minha causa está ganha. Meus juízes já não têm mais cara de juízes. Foi o alívio que fez correrem lágrimas dos meus olhos, elas vieram à traição, só para me ridicularizar.

É difícil retê-las.

Retomei o caminho da estação. Eram cerca de 15 a me acompanhar. O durão de lenço no pescoço agora carregava minha bolsa. Minhas costas chegavam a doer de tantos tapinhas amigáveis.

– Quer um sanduíche pra comer no trem?

– Acha que vai conseguir lugar?

– Manda um beijo pra Torre Eiffel!

Deixaram-me um pouco antes da estação porque um caminhão chegou trazendo outros resistentes, que os levaram com eles. Me despedi mais uma vez e empurrei um portãozinho que dava acesso à plataforma.

Sobre a plataforma, 10 milhões de pessoas.

....

E Maurice?

Fui vê-lo antes de ir para a estação. Seu patrão não quis deixá-lo partir. Que mania! Mas não vale a pena esquentar, ele vai dar um jeito, e rápido, conheço meu irmão.

....

Os escritores adoram dizer que a multidão "fervilha". Na estação de R., a multidão não fervilhava. Não havia espaço para isso. Uma massa densa, as plataformas completamente abarrotadas. De onde vinha toda aquela gente?

De todos os cantos da região, talvez de outras regiões também. Deviam estar escondidos, como nós, e agora voltavam para a capital, com trouxas, caixotes... Não deviam ter nada para comer em Paris: havia sacos de farinha, cestas cheias de comida, galinhas amarradas pelas patas, todo um êxodo às avessas.

— Não vai caber todo mundo!

Foi uma senhora atrás de mim que falou. Seu queixo treme, e ela tem dois pelos longos na bochecha que também tremem um pouco. Respira barulhentamente; tem uma sacola debaixo do braço e uma mala enorme, enrolada em barbante, que estala como uma maçã no forno: um verdadeiro desastre em potência.

— Me deixem passar, pelo amor de Deus!

Na ponta dos pés, consigo ver o chefe da estação escalando montanhas de trouxas como um alpinista.

Às vezes, tudo se agita, e os que estão na beira da plataforma têm que aguentar firme para não cair nos trilhos.

Ouço as conversas ao meu redor. O trem está atrasado, mais de uma hora, e não é tudo, muitas linhas ainda não foram consertadas.

O essencial é ir se aproximando dos trilhos, e tenho uma vantagem: sou pequeno.

— Ai!

Esmago um pé, o dono do pé tenta segurar minha bolsa e abre uma boca que parece um túnel, mas sou mais rápido:

— Desculpe, é que o meu irmãozinho está ali na frente e tenho medo de que seja esmagado.

O sujeito resmunga e consegue a façanha de se deslocar cinco centímetros, o suficiente para eu avançar 20. À minha frente, uma muralha formada por duas malas, uma em cima da outra.

Seguro minha bolsa bem alto e escalo como uma cabra-montesa. Do alto das malas, domino a multidão, parece até que vou fazer um discurso.

– Desce daí, pirralho!

– Estou procurando meu irmãozinho...

Uso minha voz mais suave e enternecedora, o que me permite descer do outro lado. Adaptação ao terreno: rastejo entre duas bundas. A da direita não parece ter sofrido com o racionamento. Me inclino para a direita. Milagre, um buraco entre duas pernas!; me esgueiro, rastejo de lado e... quem é que chega à primeira fila? Jo Joffo!

Impossível sentar: não conseguiria mais levantar e morreria sufocado. Fico só imaginando o caos que vai ser na hora do embarque. Tem uma senhora ao meu lado, ou, mais exatamente, colada em mim. Saltos altos, bolsa grande, penteado, parece saída de um salão de beleza, e eu a ouço gemer suavemente. Esboça para mim um sorriso meio desmaiado.

– Espero que não demore muito...

Ficamos ali duas horas e meia.

O mais terrível são os joelhos. É como se duas placas de madeira viessem se colar na frente e atrás da rótula e fossem apertando, devagarinho no começo, depois, com toda a força.

Então a gente tira um pé do chão, mas o que fica logo começa a ter câimbras, então a gente inverte, numa dança lenta e primitiva, ursos carregados e balouçantes que...

– Lá vem o trem!

O rumor se espalha, e uma espécie de onda de movimentos se produz, vejo mãos empunharem as alças das malas, dedos que apertam as tiras das mochilas, ajuntamentos, objetos amontoados ao redor dos donos.

Inclino-me só um pouco, não muito, melhor não cair nos trilhos.

Vejo a locomotiva, avançando lentamente, sem fumaça no céu da manhã. Nem tinha percebido como o dia estava bonito.

Endireito-me, coloco a alça da bolsa no ombro e espero, tenso, com os músculos doloridos. Vai ter que se esforçar se quiser rever Paris, meu caro Jo.

O trem.

Lotado.

Pencas de corpos parecem prestes a se derramar pelas portas. Vai ser horrível. Sinto a pressão vindo de trás. Avanço insensivelmente, apesar de resistir. Minha barriga roça nos degraus que vão passando.

– Cuidado aí...

Gritos: trouxas devem ter caído entre as rodas, não olho, um segundo de distração pode ser fatal.

O freio guincha, e o trem para.

As portas abrem sozinhas, e, brutalmente, sou aspirado por uma bomba. Tem dois caras na minha frente, me lanço como um obus e ultrapasso um deles, dou uma estocada e ponho meio sapato no primeiro degrau. Aperta os dentes, Jojo! Empurro com todas as minhas forças, e a pressão que vem de trás quase quebra meus ombros.

Meu peito está prensado, não consigo respirar, me libero e dou de cara com um paredão, caí no lugar errado: um fortão, enorme, musculoso que só, o cara mais forte que já vi. Sobe um degrau, dois, empurra mais um pouco, entra e não se mexe mais. Fica ali, bloqueando a porta.

Choro, gritos de mulher vindo de trás.

Vejo a mão do grandalhão tateando para fechar a porta atrás da própria bunda. Estou no segundo degrau, esse desgraçado não vai ceder os 10 centímetros de que preciso para entrar. Vejo sua mão, um pacote de músculos que vai se fechar, e, então, violentamente, com uma bundada, me lança de volta para a plataforma, rechaçando com o mesmo golpe a massa que me sufoca.

Fico furioso, me jogo de novo com toda força e – NHAC! – dou uma mordida na maldita mão.

O sujeito berra, se vira um pouco de lado, e eu mergulho no espaço que se abre, como um jogador de rúgbi. Estou na horizontal, ouço a porta se fechar atrás de mim, a cabeça sobre um antebraço, o resto do corpo sobre um amontoado de malas, e os pés saindo pela porta.

Vai levar uns 30 quilômetros até conseguir atingir a posição vertical.

O grandalhão mordido olha para mim com rancor, mas não diz nada. Deve estar ciente de que sua bundada foi uma verdadeira infâmia. Além disso, estou me lixando, o trem avança, devagar, mas avança, e cada giro da roda me aproxima de Paris. Sei que chegaremos: esta noite, amanhã, daqui a oito dias... E, então, estarei em casa.

....

Enquanto eu me enfiava no trem como um prego numa tábua, Maurice também estava se virando. Preferiu a estrada aos trilhos. O garoto sempre teve gostos bem definidos.

Um amigo do seu patrão tem um carro, mas não tem gasolina. Maurice vai até a casa dele: se tiver um lugar para ele, arranjará a gasolina. Desce voando até a adega, encontra uma garrafa de bom conhaque, enche 19 outras de chá fraco para obter a mesma cor, faz o primeiro sargento experimentar a primeira e troca as 20 por cinco galões de gasolina, o suficiente para o trajeto R.-Paris.

Junta suas coisas, vai até seu patrão e estende a mão, com o duplo objetivo de se despedir e receber seu salário. Causa perdida. Mas é aqui que começa a história dos *reblochons*, aqueles deliciosos queijos redondos da Savoia.

Em Paris, naturalmente, passa-se fome, e um *reblochon* é uma barra de ouro. Embora o patrão lhe ofereça uma promissória, Maurice não se conforma, e logo pensa num bom esquema.

— Se o senhor quiser, posso levar alguns *reblochons*, vendê-los em Paris e lhe mandar o dinheiro.

O patrão fica meio desconfiado, mas a ideia é boa. O menino nunca se mostrou esperto além da conta, e ele sempre achou um jeito de não pagar seu salário: umas torradinhas com patê no lanche, uns tapinhas afetuosos no ombro...

— Não está bem aqui com a gente? Não tem do que se queixar. Além disso, ainda estamos em guerra, os tempos são duros para todo mundo, aqui ao menos tem o que comer. É claro que não posso lhe pagar o mesmo que ao Léon, que tem 17 anos e é duas vezes maior que você...

Finalmente se decide.

— De acordo quanto aos *reblochons*.

Segue-se uma série de recomendações quanto ao preço, os prazos, os cuidados, etc.

E eis como, graças a 19 garrafas vazias, uma de conhaque e um pouco de chá, Maurice Joffo volta para a capital, confortavelmente instalado no banco de trás de um Citroën ligeiramente capenga, com a cabeça sobre um travesseiro de *reblochons* que vendeu em uma semana, e dos quais o dono nunca mais teve notícias. O que, aliás, foi muito justo.

....

"Marcadet-Poissoniers".

Três anos atrás, peguei o metrô para a estação de Austerlitz. Hoje estou de volta.

A rua é a mesma, sempre o mesmo céu cinzento entre as calhas dos telhados. Sinto um cheiro pairando no ar, o cheiro de Paris pela manhã, quando o vento agita um pouco as folhas das raras árvores.

Continuo com minha bolsa. Carrego-a agora com mais facilidade. Cresci.

A senhora Epstein não está mais ali. A cadeira de palha no vão da porta desapareceu também. O restaurante Goldenberg está fechado. Quantos de nós terão voltado?

"Salão Joffo".

As mesmas letras bem escritas, com traços bem arredondados.

Atrás da vidraça, apesar dos reflexos, percebo Albert cortando o cabelo de um freguês.

Atrás dele, Henri maneja a vassoura.

Vejo mamãe.

Meu pai não, e logo compreendi que nunca voltaria... Acabaram-se as belas histórias contadas à noite sob a luz verde do abajur.

No final, Hitler terá sido mais cruel que o tzar.

Henri olha para mim. Vejo seus lábios se mexerem. Albert e mamãe também se viram para a rua, dizendo palavras que não consigo escutar.

Vejo meu reflexo na vitrine, eu e minha bolsa.

É verdade, cresci.

Epílogo

É isso.

Hoje tenho 42 anos. E três filhos.

Olho para eles como meu pai olhava para nós, 30 anos atrás, e uma pergunta me vem à cabeça, idiota talvez, como muitas perguntas.

Por que escrevi este livro?

Claro, devia ter me perguntado isso antes de começar, teria sido mais lógico. Só que as coisas muitas vezes não são tão lógicas assim. Ele saiu de mim naturalmente, talvez, simplesmente, tivesse necessidade de escrevê-lo. Digo para mim mesmo que meus filhos o lerão, e isso me basta. Talvez não leiam até o fim, talvez o considerem um amontoado de velhas lembranças repetidas. Mas talvez os faça pensar. Agora é a vez deles de jogar o jogo.

Fico imaginando se esta noite tivesse que lhes dizer: "Meus filhos, peguem suas bolsas, peguem esses 10 mil francos (antigos), devem partir". Isso aconteceu comigo e com o meu pai. Fico infinitamente feliz que não aconteça com eles.

O mundo está melhor hoje?

Tem um velho senhor que admiro muito: Einstein.

Escreveu coisas muito sábias. Disse que entre cinco minutos passados sobre a chapa de um fogão e cinco minutos nos braços de uma bela mulher havia, apesar de se tratar da mesma quantidade de tempo, a distância que separa um segundo da eternidade.

Vendo meus filhos dormirem, só posso desejar uma coisa: que eles nunca experimentem um tempo de sofrimento e de medo como eu experimentei durante aqueles anos.

Mas o que tenho a temer? Essas coisas nunca mais acontecerão, nunca, jamais.

As bolsas estão no sótão, ficarão ali para sempre.

Talvez...

POSFÁCIO

Diálogo com meus leitores

Desde a publicação deste livro, em outubro de 1973, posso dizer que nunca deixei de dialogar com meus leitores, principalmente através das incontáveis cartas que recebi, e que fiz o melhor que pude para responder. Se alguns dos meus correspondentes não receberam suas repostas, peço encarecidamente que me desculpem. Manter em dia uma correspondência dessas não é fácil, e as perguntas suscitadas pelo relato de minha aventura muitas vezes me surpreenderam, perturbaram ou desconcertaram.

Não menos marcante – e apaixonante – foi para mim o encontro, em dezenas de escolas a que fui convidado, com alunos que têm hoje a idade que eu tinha durante a guerra. Sua espontaneidade, sua gentileza e a pertinência de suas perguntas me comoveram, me deixando muitas vezes à beira das lágrimas. E gostaria de deixar aqui meu grande "obrigado" aos professores graças aos quais esses encontros ocorreram, e que com frequência me disseram que meu livro tinha sido um importante material de trabalho para eles.

O fato é que muitas dessas perguntas – para além das respostas pontuais e por vezes insatisfatórias que consegui dar – continuaram rodando em minha cabeça. Não é nada fácil, diante de um jovem e curioso auditório, encontrar rapidamente as palavras certas, aquelas que levam ao essencial. A cada vez que evoco aqueles anos de minha infância, revejo os momentos de angústia por que passei quando tinha de encontrar as respostas certas para quem me interrogava. Respostas das quais dependia minha vida. Nessas condições, só a reflexão e o recuo ao passado permitem encontrar a formulação realmente adequada, sem nada deformar ou esquecer, e com alguma objetividade.

Foi precisamente isso o que me levou a escrever este posfácio. Já que essa narrativa continua a suscitar interesse e curiosidade, principalmente por parte dos leitores mais jovens, me pareceu útil reunir as perguntas que me foram feitas com maior frequência desde sua publicação, e respondê-las da maneira mais completa e clara que me fosse possível. Muitas delas dizem respeito ao aspecto humano e psicológico de minha aventura. Outras estão ligadas, de maneira mais concreta, à história de uma época que os jovens leitores não conheceram. Quis, portanto, ajudá-los a compreender o contexto, às vezes difícil de avaliar meio século depois em que essa aventura aconteceu.

*

A profusão de perguntas começa, de fato, desde o primeiro ato do livro: a partida para a zona livre acompanhado unicamente por meu irmão dois anos mais velho. Essa decisão, tomada por meus pais ao perceberem que era necessário nos escondermos para escapar da perseguição dos nazistas, costuma desconcertar muitos leitores. Perdi a conta de quantas vezes ouvi a exclamação indignada: "Minha mãe nunca teria me mandado partir, mesmo acompanhado de um irmão mais velho e com dinheiro no bolso!".

Essa observação, tão natural para as crianças de hoje em dia, reflete bem toda a dificuldade que elas têm de imaginar circunstâncias tão distantes – ainda bem! – de sua própria experiência.

Não me deterei no fato de que 10 mil francos, naquela época, valiam bem mais do que hoje... O essencial não está aí. Num outro livro, *Anna e sua orquestra*, contei a vida de minha mãe. E acho que é preciso conhecê-la para entender por que ela agiu assim com a gente: não por irresponsabilidade, mas, pelo contrário, como uma boa mãe corajosa que amava seus filhos. Por isso, resumirei a seguir sua história.

Minha mãe nasceu num vilarejo russo, no tempo dos tzares, antes da revolução de 1917. Ainda pequena, conheceu os *pogroms*, verdadeiras explosões de raiva contra os judeus, durante as quais casas e lojas eram pilhadas e queimadas, e seus moradores ou donos, agredidos ou mortos. Em 1905, na cidade de Odessa, no momento em que o movimento popular de revolta contra o poder tzarista é brutalmente reprimido – foi ali que aconteceu a famosa revolta dos marinheiros do *Encouraçado Potemkin* –, ela consegue deixar o país, embarcando no navio *Constanza*. Algum tempo depois, desembarca na Turquia, onde espera reencontrar alguns membros de sua família. Encontra-os, de fato, e cria com eles uma orquestra cigana que atravessa a Europa do início do século XX: Constantinopla, Viena, Varsóvia, Budapeste, Berlim... e, finalmente, Paris. É preciso ter tudo isso em mente para compreender sua reação, mais tarde, naquela Paris ocupada, onde ia ficando cada vez mais claro que os judeus estavam novamente sendo brutalmente perseguidos. A aventura que vivi, ela também a viveu, ou, ao menos, algo muito parecido. Ela sabia que, aos 10 ou 12 anos, uma criança pode e deve se virar sozinha quando não há outra solução. As aventuras que viveu lhe ensinaram o que é a adversidade. É claro que não foi sem tristeza, preocupação e sofrimento que nos viu partir. Mas sabia que a luta pela vida é assim.

Acrescentarei – isso também me foi perguntado – que, se uma situação análoga acontecesse, eu faria exatamente a mesma coisa. Todos já assistiram a filmes de aventura em que os heróis, perseguidos, se separam para embaralhar as pistas e confundir seus perseguidores. O jogo era o mesmo: era melhor que um só fosse pego do que todo o grupo.

*

Outro personagem do livro que desperta muita curiosidade é o padre que encontramos no trem, e que, adivinhando que eu e meu irmão não tínhamos documentos, declara aos alemães que nós estávamos com ele. "Ele sabia que vocês eram judeus?"

Não sei. Na verdade, acho que ele nem se colocou a questão. Viu dois meninos sozinhos que iam ter problemas com os soldados alemães. Então, não hesitou. Um gesto, uma frase: "Os meninos estão comigo". Claro, nítido, preciso. Acho que era simplesmente um santo homem, ao qual só faltava a auréola! E sempre que me lembro dele me emociono.

Voltarei depois a essas proteções imprevistas que por vezes recebemos, e graças às quais nos mantivemos vivos. Mas, como estou falando desse padre, aproveito para sublinhar que ele não tinha nada a ver com aquele da cena do filme[7] que o diretor Jacques Doillon fez a partir do meu livro. No filme, vemos Maurice e Jo obrigados a insistir um bocado para que o eclesiástico, que está bebendo vinho tinto, consinta finalmente, após muita hesitação, em lhes perguntar: "Mas onde estão os pais de vocês? E por que eu diria que estão comigo?". Talvez Doillon tenha desejado assim prolongar o suspense. O fato é que não foi esse o homem que encontramos.

Aliás, o mesmo problema aconteceu em relação a meu pai. Doillon o representou à beira de uma depressão nervosa, sem saber direito o que fazer de seus filhos. Nada a ver com meu pai, que sempre deu provas de sangue frio e, desde o início da guerra, nunca hesitou quanto à atitude a tomar diante dos acontecimentos.

Manifestei essas reservas diversas vezes diante dos meus auditórios, e, a cada vez, me perguntaram por que então deixei que o filme fosse feito. A verdade é que eu não tinha nenhuma experiência em

---

[7] O autor se refere à primeira adaptação cinematográfica do livro, lançada em 1975. (N.E.)

relação a adaptações cinematográficas e não colaborei na redação do roteiro. Quando, após vários pedidos, pude ver os *rushes*, era tarde demais, o filme já estava quase terminado.

★

Mas essas são questões secundárias. Acredito que uma interrogação muito mais fundamental seja aquela que diz respeito a um ponto muito concreto: o medo. "Você sentiu medo?" Ou ainda: "Você se considera um herói?".

O medo não é um fenômeno simples. No início de minha aventura, eu tinha a impressão de que aquilo tudo era uma espécie de grande jogo, que não era sério. Afinal, estava partindo com meu irmão e parceiro de brincadeiras... Parecia que íamos brincar de polícia e ladrão, representar ao vivo uma das histórias em quadrinhos que líamos na época. Dessa vez, seria *Bibi Fricotin entre os S.S.* ! Com a despreocupação característica da idade, não me dava conta da gravidade dos acontecimentos e não fazia ideia do que nos esperava. Imaginem que estão partindo em companhia do melhor amigo de vocês, com um pouco de dinheiro no bolso e a aprovação dos pais. Uma grande aventura, o mundo por descobrir, com uma pitada de perigo para deixar as coisas mais saborosas. No fundo, tudo aquilo parecia muito excitante.

E o medo – o medo de verdade – fui sentir, finalmente, no momento em que menos esperava, em que já não o esperava: foi em Nice, quando caí na "ratoeira" armada pelos S.S. Diante da metralhadora apontada para mim, compreendi que a brincadeira tinha terminado, que aquilo não era mais como no cinema. Uma situação como essa, quando a sentimos na pele, não tem nada a ver com uma cena, por mais violenta que seja, vista na televisão. Tudo se passa rápido demais na cabeça da gente. Num instante, você compreende que basta o sujeito que está apontando pra você apertar o gatilho para mandá-lo na mesma hora a um mundo que alguns, sem ter provas, dizem "melhor"... Sinceramente, acho que nunca esquecerei esse medo.

Ao mesmo tempo, é espantoso o quanto somos capazes de nos habituar a uma situação amedrontadora. O ser humano tem uma faculdade de adaptação que lhe permite superar situações impossíveis. Ao final de alguns dias de encarceramento no hotel Excelsior, de sinistra memória, tinha me acostumado a ver os S.S. e os homens da Gestapo andando pelos corredores. Outra coisa estranha: temia muito menos nossos carrascos que as lágrimas dos meus amigos. Os S.S. e a Gestapo eram o inimigo: era preciso resistir, custasse o que custasse. Já as queixas e as lágrimas das vítimas aumentavam minha aflição, me desmoralizavam. Confesso com tristeza: elas me pesavam, faziam parte dos meus sofrimentos. É claro que as compreendia, mas era difícil suportá-las.

Conheci outros medos na vida: o medo do dentista, o medo dos socos (fui lutador de boxe por algum tempo), o medo do acidente de carro, o medo do policial quando cometemos uma infração, o medo do escuro quando era criança, o medo da doença, também. Fiquei muito doente, e não sabia se ia escapar. Mas posso garantir que nenhum desses medos se equipara ao medo de que falei antes.

No final das contas, esses quatro anos de Ocupação nazista me trouxeram uma filosofia. Depois daquilo, me senti bem mais forte para enfrentar a vida de todos os dias, suas armadilhas, seus fracassos, suas decepções. Para reduzir tudo isso a suas justas proporções, bastava-me pensar naquela época. O que me faz lembrar do famoso adágio de Nietzsche: "O que não me mata me torna mais forte".

Existe ainda um outro tipo de medo: o medo que nos inspira aquilo que não conhecemos. Alguns dias atrás, eu estava num trem de periferia. Uma senhora, acompanhada por um menino de 6 ou 7 anos, se sentou ao meu lado. Na parada seguinte, subiu um negro, e o menino fez um movimento de recuo e soltou uma exclamação em que se misturavam o estupor e o medo. A senhora, constrangida, disse: "Senhor, por favor, desculpe o menino, é a primeira vez que ele vê um negro". E o negro respondeu: "Não se preocupe... senti a mesma coisa a primeira vez que vi um branco".

Também não faz muito tempo que recebi uma carta de um garoto de 11 anos. "Na frente da minha escola", contava ele, "tem uma parede em que alguém escreveu: 'Do que serve escutar o medo, já que a história engendrou Hitler?'. Não entendi o que o autor da pichação quis dizer. Pode me dizer o que pensa disso?"

Devo admitir que fiquei perturbado pelo problema assim colocado. Acabei por responder isto: com toda sinceridade, acho que é melhor, sim, "escutar" o medo. Essa escuta tem ao menos o mérito de nos ensinar a ser prudentes. Um soldado que ataca as linhas inimigas sem ter medo é um inconsequente. O medo nos incita também a nos defendermos. Se as democracias, ainda poderosas naquele momento, tivessem se sentido menos seguras de si mesmas quando Hitler tomou o poder e revelou, mais e mais, o caráter agressivo de uma política baseada no ódio e no racismo, talvez a guerra mundial – com seus milhões de mortos dos mais diversos países, religiões e condições sociais – tivesse sido evitada.

Resta a outra pergunta: fomos heróis? Puxa vida, só se foi involuntariamente! Não procuramos nem desejamos, é claro, a situação que tivemos de enfrentar: ela nos foi imposta. Para sair dela, tivemos de superar muitos obstáculos, aprender a reagir, a prever, a nos precaver, a improvisar, a sobreviver... Mas não creio que se deva confundir instinto de sobrevivência com heroísmo. Heroísmo é escolher deliberadamente colocar sua vida em perigo por uma causa que se considera justa e bela. Essa é a coragem em estado puro. Os heróis são, por exemplo, os burgueses de Calais: aqueles seis homens que, no século XIV, se entregaram como reféns ao inimigo inglês para poupar sua cidade. Ou Janusz Korczak, que acompanhou, cantando, as crianças à câmara de gás. Ou, ainda, Guynemer e Mermoz, pioneiros da aviação. Nós estávamos acuados, encostados na parede, não tínhamos outra escolha senão nos defender. E, para dizer tudo, eu simplesmente achava besta demais morrer sem ter conhecido o amor.

★

Gostaria agora de voltar ao padre do trem e aos outros "salvadores" inesperados que encontramos em nosso caminho. Penso no médico do hotel Excelsior, que sabia muito bem que éramos judeus, mas não disse nada, embora estivesse ali para isso. No padre e no bispo de Nice, no diretor da Moisson Nouvelle – uma instituição criada pelo regime de Vichy! E mesmo em Ambroise Mancelier, pétainista e colaboracionista convicto, que descobriu, ainda que *a posteriori*, ter dado cobertura a um judeu. Mancelier, como o leitor notou, explicava que era preciso construir a Europa. Foi assim: muita gente pensava que a Alemanha tinha vencido definitivamente, e que a única coisa a fazer era "colaborar" com ela para promover a unidade europeia... debaixo da bota alemã. Uma maneira bem diferente da atual de conceber a Europa...

Isso para dizer que havia realmente de tudo naquela França desorientada. Por exemplo, um médico que salva dois meninos judeus – Deus sabe por quê –, embora tenha enviado centenas de outros para os campos de concentração. Havia também os "passadores" que arriscavam a própria vida para ajudar os fugitivos a chegar à zona livre... e aqueles que roubavam tudo desses mesmos fugitivos antes de abandoná-los no meio do mato.

De minha parte, gostaria aqui de prestar homenagem a alguns franceses daquela época. Em primeiro lugar, ao monsenhor Jules--Géraud Saliège, arcebispo de Toulouse, por sua corajosa mensagem ao povo francês e seu grito de revolta: "Os judeus são homens, as judias são mulheres, nem tudo é permitido contra eles, contra esses homens, essas mulheres, esses pais e essas mães de família. Eles fazem parte do gênero humano. São nossos irmãos como tantos outros. Um cristão não pode esquecer isso". Essa mensagem circulou na França em setembro de 1942. Do mesmo modo, é preciso lembrar que, sem a cumplicidade de alguns policiais, que alertavam os judeus em perigo, as batidas organizadas pelas autoridades teriam sido muito mais eficazes. Cito aqui o testemunho de um velho delegado de polícia que ainda vive em Montpellier: "Há circunstâncias em que um homem deve ter a coragem de desobedecer. Os franceses tinham lutado contra os alemães e tinham perdido; a detenção de resistentes me cortava o coração, mas eram as contingências da guerra. Já a detenção de judeus, homens, mulheres e crianças, pelo simples fato de serem judeus... isso não era guerra, era racismo". Esse mesmo delegado foi muitas vezes anunciar, pessoalmente, detenções iminentes. Alguns não acreditaram, e ele teve de prendê-los, com seus colegas, no dia seguinte.

Acrescentarei que, apesar das leis antissemitas de Vichy, apesar da exclusão dos judeus de certos empregos, apesar das humilhações e espoliações, os judeus franceses souberam conservar sua identidade durante esse período graças a um formidável sentimento de revolta, que os engajou num combate pela sobrevivência, com a solidariedade de uma grande parte dos franceses não judeus e das organizações judaicas. Quando, depois das detenções em massa do verão de 1942, ficou evidente que admitir seu judaísmo condenava um homem à morte, os judeus decidiram se esconder, combater ou fugir para o exterior. Por certo, o regime de Vichy teve uma grande parte de responsabilidade nas deportações; mas, sem a ajuda concreta do clero francês e de uma grande parte da população francesa, a "solução final" ditada pelos nazistas teria tido consequências ainda piores.

★

Tudo isso me conduz a outra pergunta que me foi feita muitas vezes: por que não ter explicitado, no livro, o nome da cidadezinha – Rumilly, na Alta Savoia – onde se passa a última parte da nossa odisseia?

A resposta é muito simples. Toda essa história é verdadeira e, mesmo nunca mais tendo voltado lá, eu sabia que muitos personagens citados ainda estavam vivos. Essa época – com a oposição entre resistentes e "colaboradores" ou pétainistas; e, depois, na Libertação, merecidos castigos, mas também inevitáveis excessos – deixou marcas ainda fortes, quando publiquei o livro, na memória das pessoas. Não quis dar a impressão de estar "apontando com o dedo" para uma cidadezinha onde as pessoas não eram nem melhores nem piores do que as de qualquer outra cidade.

Nesse caso, por que revelar agora? Simplesmente, porque a situação mudou desde a publicação do livro. E acho importante contar isso.

Dois ou três anos depois da publicação, recebi um telefonema:
– É o senhor Joffo, autor de *Os meninos que enganavam nazistas*?
– Sim, sou eu...
– Aqui quem fala é Henry Tracol, adjunto do prefeito de Rumilly.

Henry Tracol! De repente, me revi de calças curtas, jogando bolinha de gude na praça com um moleque da minha idade, filho do chefe da estação de trem: Henry Tracol...

E continuou:
– Sabe, Jo, aqui todo mundo se reconheceu no livro. O senhor Jean, do Cheval-Blanc, o queijeiro Lachat, com a história dos *reblochons*...

Finalmente, me explicou o motivo do telefonema: eu estava sendo convidado para ir a Rumilly. E, mais exatamente, para uma sessão de autógrafos na Livraria Mancelier! A mesma livraria onde eu tinha trabalhado, sob as ordens do velho Mancelier, entre retratos e estatuetas do marechal Pétain!

Devo dizer que fiquei muito emocionado. Aquele convite mexeu comigo, fazendo com que voltasse no tempo, mais de 30 anos. É verdade que não guardava lembranças muito boas de Rumilly. Até então, nunca tinha voltado lá. Contudo, não hesitei em aceitar o convite de Henry Tracol. Marcamos uma data. E, numa manhã de maio, depois de uma noite passada no trem, eu e meu irmão Albert desembarcamos na estação de Rumilly.

Eram cerca de 9 horas da manhã. Talvez o cansaço tenha colaborado para que não entendêssemos direito o que estava acontecendo: a banda, as balizas em trajes de combate, Henry Tracol, a câmara municipal, todo mundo estava lá. Não acreditava no que meus olhos estavam vendo. Albert, que tinha descido primeiro, se virou para mim e disse:

– Olhe, deve ter alguém importante no trem!

Ele tinha razão, era evidente, todas aquelas honras não podiam ser para nós. Olhei para dentro do trem, não tinha mais ninguém. Aquilo tudo era mesmo para nós!

Que recepção! Depois do discurso de Henry Tracol na plataforma da estação, fomos até a prefeitura escoltados por toda aquela gente. O prefeito, Louis Dagand, estava esperando por nós, assim como o deputado da circunscrição, o rabino de Annecy e uma equipe de televisão, vinda de Grenoble para a ocasião. Cada um fez um longo discurso, e devo dizer que minha modéstia foi posta à prova naquele dia.

Mas foi Louis Dagand, a quem agradeço de coração, que me deu a maior alegria. Foi ele quem anunciou que eu tinha sido feito "cidadão honorário de Rumilly". Esse título me alegra mais do que qualquer outra condecoração por uma razão muito simples: há milhares de pessoas que têm a Legião de Honra ou a Cruz de Guerra, mas "cidadão honorário de Rumilly" só existe um no mundo: eu!

Nesse mesmo dia, recebi um telegrama de Françoise Mancelier me parabenizando. Soube assim que ela estava morando em

Montauban, onde tinha se casado com um jogador de rúgbi e se tornado mãe de três filhos.

A foto mais bonita foi tirada por meu amigo Tracol: uma grande balança; num prato, eu; no outro, meu peso em *reblochons*! A sessão de autógrafos na Livraria Mancelier foi outro grande momento. Meu obrigado ao amigo "Pounet", proprietário dessa bela livraria na Rua Montpezat, à qual voltei muitas vezes desde então; e a todos os cidadãos de Rumilly, cuja acolhida foi mais do que calorosa e cuja gentileza e espontaneidade me fizeram esquecer todas as más recordações.

*

Tentarei responder agora a uma das perguntas mais perturbadoras que já me foram feitas. Numa das escolas que visitei, um aluno me disse: "Senhor, eu sou judeu. Meu avô, que é rabino, me disse, depois de ter lido sua aventura, que ele nunca teria trocado sua estrela amarela por um saco de bolinhas de gude. E depois escreveu, num artigo sobre o seu livro, que não ter confessado seu judaísmo podia ser considerado como uma forma de conversão, e que, em outras circunstâncias, vocês teriam se tornado *marranos*. Gostaria de saber o que acha disso".

Devo esclarecer, em primeiro lugar, que, antigamente, na Espanha, eram chamados de "marranos" os judeus que tinham renunciado a sua religião a fim de poder continuar vivos e morando no país. Nem sempre essas pessoas eram muito apreciadas... O fato é que, no que diz respeito ao essencial, não estou de acordo com o ponto de vista do avô desse garoto. E, em minha defesa, citarei esta resposta do grande filósofo e teólogo judeu Maimônides, em seu *Guia dos perplexos*, a uma comunidade judaica do Iêmen, que tinha lhe perguntado se um judeu, encontrando-se em perigo mortal, tinha o direito de renegar sua fé. Maimônides respondeu que o primeiro dever de um judeu era se manter vivo, desde que permanecesse judeu no fundo do seu coração. Só Deus, que nos dá a vida, tem o direito de tirá-la de nós. E gostaria de acrescentar que, se os nazistas tivessem deixado escolha aos judeus que morreram nas câmaras de gás, com certeza não teria havido tamanha hecatombe, pois a morte é irreversível.

Foi mais ou menos isso que respondi naquele dia ao meu jovem interlocutor. Hoje, quero acrescentar mais uma coisa: prefiro um marrano vivo a um judeu morto. Um marrano sempre pode voltar ao judaísmo. Um morto não pode mais do que ser chorado pelos seus. Dito isso, é verdade que cada um de nós pode reagir de maneira diferente diante da morte. Para alguns, não abjurar sua fé numa situação dessas é suicídio, para outros, um ato de bravura e heroísmo. De minha parte, estou de acordo com Maimônides.

Outros jovens me disseram que não compreendiam por que os judeus se deixaram prender sem resistência, e me perguntaram se eu não teria preferido lutar de armas na mão.

Acho que aqui é novamente necessário compreender as circunstâncias daquele momento.

É preciso saber que os nazistas tinham organizado muito bem seus projetos criminosos. Até o último momento, os judeus ignoravam que estavam sendo levados para a morte. Os testemunhos sobre as câmaras de gás deixaram claro que, até o fim, uma encenação espantosa fazia aqueles que iam morrer acreditar que estavam entrando numa grande sala de banho. Além disso, é difícil para uma família se defender, sem armas, contra soldados inteiramente equipados. O pai de família se vê então confrontado com um dilema: não quer, não pode de maneira alguma, pôr a vida dos seus em perigo. Todos sabem que uma mãe não quer em hipótese alguma ser separada de seus filhos. Os nazistas levavam a crueldade a ponto de manter certa forma de esperança em suas vítimas, fazendo-as acreditar que estavam indo para campos de trabalho nos quais poderiam viver sem problemas.

É preciso admitir também que muitos de nós se recusaram a olhar a verdade de frente. O crime era tão enorme, tão colossal, tão absurdo, que, depois da libertação dos campos de concentração, o mundo inteiro ficou estupefato de dor e de vergonha. Contudo, tem uma coisa que todos devem saber: quando os judeus descobriram, como em Varsóvia, que era a morte que os aguardava no fim do caminho, opuseram aos nazistas uma resistência heroica. Os 50 mil judeus do gueto de Varsóvia, esfomeados e precariamente armados, barraram diversas divisões de S.S. por mais de um mês. Essa revolta ficou nos anais dos atos de heroísmo do povo judeu. E durou mais do que a campanha da França em 1940.

Direi ainda que, quanto a mim, teria preferido lutar de armas na mão. Que, embora seja um pacifista convicto, acredito que há momentos em que a guerra é inevitável. Teria sido preciso reagir mais cedo contra Hitler e sua política de conquistas. A mansidão das democracias é interpretada muitas vezes pelos ditadores como um sinal de covardia.

É claro que até hoje ainda penso em tudo o que vivi naqueles anos. Essa história ficou colada em minha pele, faz parte do que sou: um judeu que pagou caro por ser judeu! E posso garantir a vocês que, se voltassem a acontecer coisas semelhantes, tentaria por todos os meios possíveis me defender de armas na mão. Ou fugir para céus mais clementes. Não se deve cair duas vezes na mesma armadilha.

E se me acontecesse de esquecer que sou judeu, acho que a vida logo se encarregaria de me lembrar. Prova disso é algo que me aconteceu recentemente. Uma das minhas clientes, freguesa de meu salão de cabeleireiro, me diz: "Senhor Joffo, acabo de voltar do seu país, é um lugar formidável!". Embora tenha entendido muito bem o que ela quis dizer, banco o ingênuo: "Ah, é? Esteve na região de Tours? É verdade, o povo de lá é formidável". Todos os frequentadores do salão sabem que tenho uma propriedade na Touraine há muitos anos. Mas ela responde: "O que o senhor tem a ver com o pessoal de lá? Estou falando de Israel!".

Talvez eu devesse ter lhe explicado, então, aquilo que ela sabia perfeitamente: que os judeus nascidos na França são franceses, e que ser judeu, na França, significa simplesmente ser de religião judaica, assim como um francês de religião católica, protestante, budista ou muçulmana. E que o que ela acabava de dizer era tão ofensivo para mim quanto a pergunta feita a um político judeu: se ele tinha dupla nacionalidade. Mas há casos em que os ditos populares são uma fonte de sabedoria:

"O silêncio é o maior dos desprezos."

Para que tentar explicar tudo isso a ela? Será que ao menos teria me escutado? Não creio que essa senhora fosse antissemita. No entanto, como muitos espíritos fracos, não teria sido preciso muito para que se tornasse, no sentido concreto do termo. Isso ficou claro em 1940, quando tudo ia de mal a pior: mais de 80% dos nossos compatriotas seguiram Pétain e Pierre Laval. Tinham lá suas desculpas, já que eu, menino judeu de 10 anos de idade, também acreditei. Pensem bem, o marechal Pétain tinha salvado a França em 1914, vencendo a Batalha de Verdun contra aqueles mesmos alemães. A França, humilhada, precisava acreditar que nem tudo estava perdido. Precisava de um herói e encontrou um à altura de sua angústia: o marechal.

Sim, também acreditei, quando vi sua foto em minha sala, sobre a mesa do professor. Mas aquele era o herói errado. O verdadeiro se encontrava exilado do outro lado do Canal da Mancha, em Londres. Seu nome? Charles de Gaulle.

★

Isso nos leva, naturalmente, a outra questão: está havendo, ou deve-se temer que haja, uma ressurgência do antissemitismo na França hoje? Pergunta inevitável... e, acrescento: questão sem fim. Se percorremos a história do judaísmo desde a Idade Média, constatamos que, a cada vez que os dirigentes de um país precisaram, por algum motivo, de um bode expiatório, foram os judeus que desempenharam esse papel. Era prático e não custava nada. Os judeus eram considerados "deicidas" pelos cristãos, ou seja, responsáveis pela crucificação de Jesus. Além disso, eram minoritários e indefesos. Então sofreram a lei do mais forte, como aconteceu no tempo das Cruzadas e da Inquisição.

Depois da Libertação e da descoberta do Holocausto, chegou-se a acreditar que o antissemitismo seria definitivamente erradicado. Qual o quê! Na Polônia, judeus que escaparam dos campos de extermínio encontraram um fim atroz. A Polônia é um país no qual a comunidade judaica quase deixou de existir em consequência do extermínio nazista, e, mesmo assim, o antissemitismo está ressurgindo lá. Todos puderam ver e ouvir na televisão as opiniões dos moradores de uma grande cidade polonesa responsabilizando os judeus pelas dificuldades do país e convencidos de que eles ainda estavam por toda parte, escondidos sob nomes falsos! Digo e afirmo que não foi por acaso que o campo de Auschwitz era localizado na Polônia.

Acredito, portanto, que devemos nos manter vigilantes. O antissemitismo pode se espalhar muito rápido, como aconteceu justamente entre 1933 e 1939, período em que não se podia ignorar o antissemitismo nazista, oficial e explícito, e em que, no entanto, nenhuma medida foi tomada para barrá-lo na França. O resultado é bem conhecido...

Se a França atravessasse hoje uma grave crise econômica, com cinco ou seis milhões de desempregados, acredito que voltaria a ser um campo fértil para aqueles que pregam a xenofobia, o racismo e o antissemitismo. Pouco tempo antes da Guerra do Golfo, parei um dia diante de uma banca de jornal na Praça Victor Hugo, no distrito XVI de Paris. E vi, bem exposta, uma revista cujo nome não lembro, mas cuja capa não pude esquecer: *Quem quer a guerra? Os judeus e os árabes*. O vendedor de jornais, a quem comuniquei meu espanto, objetou judiciosamente que estávamos numa democracia, e que ninguém era obrigado a comprar aquela revista. Acrescentou ainda que estava vendendo muito bem, e que eu tinha sido o primeiro cliente a observar que aquela capa constituía uma incitação à discriminação racial e um insulto a homens dignos desse nome.

Mas o que é ser judeu? Está aí mais um tema que sempre reaparece. O que isso significa para mim? Eu me orgulho de ser judeu?

Muitas vezes ouvi judeus dizerem, durante conversas com não judeus, a frase: "Sou judeu e tenho orgulho de ser judeu". Não se deve interpretar isso como uma forma de provocação. Pelo contrário, deve-se tentar entender melhor o sentido desse orgulho que, por milênios, se viu muitas vezes ultrajado. Citarei como exemplo apenas um trecho do tristemente célebre livro de Hitler, *Minha luta*: "O judeu é e permanece o parasita-tipo, o sanguessuga, que como um bacilo nocivo se alastra sempre que um solo fértil se apresenta. O efeito produzido por sua presença é o das plantas parasitas! Onde ele se fixa, o povo que o recebe se extingue ao cabo de um período mais ou menos longo".

Tem sido assim desde a Diáspora. E quando a pressão diminui, esses homens recuperam sua dignidade e sua altivez de homens. No que me diz respeito, embora não tenha vergonha alguma de ser judeu, tampouco me vanglorio de ser. Sou o que sou, e me afirmo como tal. Cada ser humano precisa reconhecer que deve sua vinda ao mundo ao maior dos acasos, ao mais feliz dos acasos, o acaso do amor e dos encontros. Penso com toda sinceridade que um homem, qualquer que seja sua religião, só deve se orgulhar das grandes ações que realizar para o bem da humanidade. E, nesse caso, estará cheio de humildade. Então, acho melhor tentarmos simplesmente nos conduzir na vida como bons seres humanos, o que não é tão fácil assim, mas pode ser alcançado com um pouco de boa vontade.

Vou lhes dizer agora o que significa para mim ser judeu, na França ou em outro lugar, no século XX. Acredito que ser judeu é ser o herdeiro de uma tradição religiosa que remonta a Abraão, pai das grandes religiões monoteístas, e a Moisés, o profeta dos profetas, o único homem que encontrou Deus e o ouviu. E trouxe a prova desse encontro: os 10 mandamentos.

É também acreditar na unidade de Deus: "O Eterno é nosso Deus, o Eterno é Uno!".

É ainda pertencer ao povo do Livro, do Antigo Testamento. Quanto a isso, vou lhes contar uma pequena história, sobre a qual assumo inteira responsabilidade. Um velho judeu muito devoto que, durante toda a vida, não cometeu um só pecado, morre de morte natural. Imediatamente, chega ao Paraíso. Lá, é recebido por Deus em pessoa, que o instala à sua direita e o cumula de honras, felicitando-o por ter se conduzido a vida inteira como um bom judeu e, sobretudo, como um bom homem. Mas o velho judeu parece triste, nada consegue descontraí-lo. Vira e mexe, Deus o surpreende enxugando uma lágrima. Então lhe pergunta: "O que houve? Parece preocupado. Sou o Eterno, teu Deus, deves me dizer tudo". Mas o velho judeu balança negativamente a cabeça, está na cara que não quer falar. Deus fica bravo e insiste: "Tens de me dizer o que está errado! Sou teu Deus e posso resolver tudo".

Quem pode resistir a Deus? Então o velho judeu fala: "Escuta, Eterno, não tive coragem de te dizer, mas tenho um filho, um filho único que tentei criar como um verdadeiro judeu. Mas não adiantou. Ele não seguiu minha fé... e se converteu".

Então Deus cai na gargalhada, uma gargalhada que retumba nos quatro cantos do Universo. Depois, olha para o velho judeu com ternura e compaixão: "Eu te garanto que isso não é grave: é preciso perdoar... Meu filho também se converteu!".

O velho retoma coragem: "E qual foi tua reação? Qual foi o castigo dele?". E Deus: "Oh! Muito simples. Fiz um Novo Testamento!".

Ser judeu também é ter humor. E não aceitar que um político, por maior que seja, diga do povo judeu: "povo cheio de si e dominador".

É amar sua família, respeitá-la, honrar seu pai e sua mãe como é dito nos dez mandamentos. Não esquecer suas origens, por maior que seja seu êxito social. Na noite do Shabat, não deixar de colocar o prato do pobre. É ainda, evidentemente, arrastar atrás de si mais de cinco mil anos de inquietude e de tradições, e não tentar se desfazer delas, porque, contra tudo e contra todos, apesar das perseguições e do genocídio, o povo judeu conseguiu sobreviver.

*

Resta agora satisfazer outra curiosidade de meus leitores, a que diz respeito a minha experiência de escritor.

Escrever este livro, para mim, não foi inicialmente uma experiência literária. Precisava exorcizar minha infância, uma espécie de "descarrego", se quiserem. Entre dois males, deve-se escolher o menor: preferi a escrita à psicanálise, e acredito ter feito a escolha certa.

Tratava-se também de transmitir aos meus filhos um testemunho, uma experiência e valores que acredito essenciais. Ser corajoso, se virar, não se escorar em ninguém; controlar suas emoções, assumir suas responsabilidades; em suma, tentar se tornar o mais invulnerável possível: esforços necessários para enfrentar a vida e suas armadilhas.

A Bíblia diz que um homem deve fazer três coisas na vida: casar e ter filhos, construir sua casa e deixar atrás de si algo que sobreviva a ele. Para mim, terá sido este livro. Não estava preparado para semelhante empreendimento, e queria inclusive fazer uma edição do autor, ou seja, publicá-lo por minha própria conta, pagando sua impressão. O sucesso que acabou fazendo me surpreendeu: o manuscrito foi recusado por quatro editoras até que Michel-Claude Jalard e Jean-Claude Lattès o aceitassem, e Claude Klotz me trouxesse sua preciosa ajuda na releitura e correção do texto. Meus filhos, a quem tantas vezes contei essa história, também ficaram um tanto surpresos.

A maioria dos escritores começa com um livro autobiográfico. E, evidentemente, foi esse meu caso. Meu segundo livro também não deixava de ser autobiográfico, já que contava a história da minha mãe. Em seguida, através da volumosa correspondência que recebi, constatei que muitos leitores gostariam de saber o que me aconteceu depois da Libertação. Foi assim que escrevi *Baby-foot* (Pebolim), a continuação de *Os meninos...* Nesse livro, evoquei minha vida na difícil Paris daquela época. Eu tinha passado diretamente da infância à idade adulta, às custas de uma experiência maluca sobre a qual ainda hoje me pergunto se não foi um sonho (ou, antes, um pesadelo), e se é verdade mesmo que a vivi...

La vieille dame de Djerba (A velha senhora de Djerba), meu quarto livro, foi um desafio. Alguns críticos tinham dado a entender que, quando eu tivesse esgotado a fonte pessoal e familiar da minha inspiração, não teria mais nada a dizer. Eu não pensava assim. *La vieille dame de Djerba* é o fruto de um encontro. Tinha então 25 anos e nem sonhava com uma carreira literária. Fui com alguns amigos para a ilha tunisiana de Djerba, o paraíso do *bridge*. Hotel agradável, *dolce far niente*, praia... Acontece que, como eu não jogava *bridge*, a verdade é que estava completamente entediado. Uma manhã, à beira da piscina, vejo o gerente do hotel se aproximar: "O senhor parece entediado, por que não visita a ilha? Tem os mercados, os bazares, e, se gosta de pedras velhas, tem uma sinagoga de mais de três mil anos, prova da presença judaica na Tunísia, ou ao menos em Djerba, bem antes da Diáspora".

Devo admitir que aquilo despertou minha curiosidade. No dia seguinte, saí para descobrir a ilha. De manhã, visitei os mercados e as lojas. Ao meio-dia, almoço típico: cuscuz, merguez, café turco. Às três da tarde, estava em frente à sinagoga. E ali tive um verdadeiro choque: ela se parecia muito com uma mesquita. Mesmo ritual que na religião muçulmana: antes de entrar, é preciso tirar os sapatos. Prova de que as grandes religiões monoteístas, sob certos aspectos, são muito próximas umas das outras.

Lá dentro, descobri mosaicos anteriores à presença dos romanos e vitrais que não ficavam devendo nada para os de Marc Chagall. O rabino, personagem folclórico, com um turbante à moda oriental, me mostrou a Torá três vezes milenar.

Fiquei emocionado, impressionado. Aquilo foi para mim um retorno às fontes. Saio dali, o sol fustiga, a multidão variada de mendigos, árabes que parecem judeus, judeus que parecem árabes... Avisto uma velhinha toda vestida de preto, os olhos de um azul transparente, cabelos brancos até o meio das costas. Eu estava saindo da sinagoga e pensei: "Joseph, faça sua boa ação anual"; me aproximei e pus uma nota de cinco dinares no bolso de sua jelaba. Mas ela segurou minha mão, olhou nos meus olhos e disse:

— Não quero uma esmola, mas se tiver alguns minutos, tenho um monte de coisas para lhe dizer.

Caí na gargalhada e respondi:

— O que pode ter para me dizer? Não a conheço e você não me conhece; pegue esses cinco dinares e vá tomar um chá de hortelã.

— Está muito enganado, conheço você, seu nome é Joseph Joffo.

Como sou cético por natureza, pensei que aquilo fosse uma peça pregada pelos meus amigos que estavam no hotel. Imaginei que tivessem enviado uma falsa vidente para zombar da minha cara. Por isso disse:

— Ora, não perca seu tempo, conheço muita gente que faz esse mesmo número nos cabarés. Coloca-se uma carteira de identidade num envelope e "adivinha-se" a idade do capitão!

A velha balançou a cabeça e murmurou:

— Sabia que não ia acreditar, mas posso remontar muito mais longe no tempo: conheci sua bisavó em Kremartchak, na Rússia, ela se chamava Elisabeth Talchinki-Markof.

Perdi o chão. Aquilo não podia ser uma simples farsa. Nenhum amigo meu sabia o nome da minha bisavó e de seu vilarejo natal. Fiz então o que qualquer um teria feito em meu lugar: levei-a para o café que ficava na frente da sinagoga a fim de ouvir o que tinha a me dizer. Liza falou por horas a fio. Disse ter chegado à Terra muito antes dos homens, na época em que as árvores ainda falavam. E me contou esta estranha história: "Quando a árvore da vida viu os lenhadores chegarem pela primeira vez à floresta, enquanto todas as outras árvores choravam e se lamentavam ao seu redor, ela disse: não chorem, minhas irmãs, não se esqueçam de que o cabo do machado é dos nossos!".

Estabeleceu a seguir um paralelo com os judeus que, durante a guerra, esperavam diante da porta, com sua trouxa, que os nazistas viessem prendê-los, dizendo: "Não temos nada a temer deles, também são homens...".

Não contarei aqui todas as histórias de Liza, mas posso garantir que fiquei enfeitiçado durante toda a nossa conversa. Falamos da vida, do amor, dos filhos e de muitas outras coisas...

Não penso que Liza tenha sido um sonho. Há momentos na vida em que realidade e ficção se misturam. O que Liza me falou entrou de tal maneira no fundo do meu coração que não acredito poder reencontrá-la, de tanto que ela se tornou parte de mim mesmo...

Depois veio *Le tendre été* (O terno verão), que escrevi durante uma grave doença. Eu tinha visto minha filha Alexandra crescer e se tornar uma verdadeira moça. O livro misturava o real ao imaginário.

Notei que, de todos os meus livros, esse é o preferido das meninas adolescentes. Provavelmente porque os heróis, Alexandre e Jean-Pierre, se parecem com os adolescentes de hoje.

Le cavalier de la Terre promise (O cavaleiro da Terra Prometida) refaz a carreira de um homem que, após ter sido oficial do tzar e bolchevique, torna-se, ao cabo de muitas peripécias, um pioneiro do sionismo, e leva suas ideias às últimas consequências, indo parar na Palestina depois de ser agitador, trabalhador forçado e proscrito. Esse livro os levará numa longa e bela viagem: Polônia, Rússia, Turquia, Oriente Médio... até a Terra Prometida.

Depois, foi a vez de *Simon et l'enfant* (Simon e o menino), um livro na linhagem de *Os meninos...*: a história de um garoto de 10 anos cuja mãe vive com um homem que não é seu pai. O menino entra em conflito com esse homem, detesta-o por ele lhe roubar o amor da mãe. Contudo, eles acabam se tornando verdadeiramente pai e filho, mas em circunstâncias dramáticas: estamos em 1942, o menino é cristão, o homem, judeu. Com esse livro, farão um passeio pelos quatro cantos da França, livre ou ocupada, conhecerão o campo de Drancy e sua libertação. Tive com ele uma enorme satisfação: foi traduzido para o alemão e faz parte do programa escolar na Alemanha.

Abraham Lévy, curé de campagne (Abraham Lévy, pároco de aldeia) é uma história muito simples. Imaginei o que teria acontecido ao monsenhor Lustiger se, em vez de se tornar bispo de Paris, tivesse sido pároco de aldeia. Isso cria alguns problemas para o senhor prefeito, a quem anunciam, durante uma sessão da câmara municipal, que o novo pároco vai chegar no dia seguinte, e que ele se chama Abraham Lévy... Todos sabem, é difícil ser judeu... Mas cristão e judeu ao mesmo tempo é algo ainda mais complicado. Só que nosso pároco já viveu um bocado, lutou na guerra, e nada poderá detê-lo em sua empreitada.

Ia esquecendo de falar dos meus dois contos para crianças: *Le fruit aux mille saveurs* (A fruta de mil sabores) e *La carpe* (A carpa).

★

Gostaria de concluir com uma anedota. Quem me contou foi o diretor de uma escola onde fui falar dos meus livros. Enquanto conversávamos durante o lanche organizado para minha visita, ele me narrou o seguinte episódio. Certa manhã, quando estava chegando à escola, escutou uma algazarra no pátio. Foi ver o que estava acontecendo e encontrou os alunos discutindo furiosamente, vermelhos, arfantes, trocando insultos: "Cachorro judeu! Porco semita, volte pro seu país! Está comendo o pão dos franceses!". O diretor correu até eles, se interpôs e deu uma bronca: "O que estão fazendo? Ao menos se dão conta do que estão dizendo?". Depois de um curto instante de silêncio, um dos meninos sorriu e disse: "Senhor diretor, estamos só brincando... de Joffo, de *Os meninos que enganavam nazistas!*".

"O mais surpreendente", concluiu o diretor, "é que os meninos que estavam chamando os outros de 'porcos semitas' eram judeus... E que eram os outros, os não judeus, que representavam o papel de judeus. Fiquei pensando o que o senhor acharia dessa história..."

O que eu acho? Que, talvez, esses meninos, através dessa brincadeira, quisessem saber mais, entender o que tínhamos sentido. Mas acho também que ninguém pode se colocar assim no lugar de outra pessoa: quando a situação é recriada, provocada, torna-se inevitavelmente falsa.

Mas acrescentarei o seguinte, que me parece o mais importante: não me desagradou ver minha aventura transformada numa brincadeira de criança. Ficarei ainda mais feliz se ela continuar sendo; desejo do mais fundo do meu ser que os adultos nunca mais queiram brincar disso.

Joseph Joffo
Junho de 1992

Este livro foi composto com tipografia Bembo e impresso
em papel Off-White 70 g/m² na Formato Artes Gráficas.